13.04

REBELDÍA

LaJornada
EDICIONES

EZLN 20 y 10
el fuego y la palabra

Gloria Muñoz Ramírez

EZLN: 20 y 10, el fuego y la palabra
Gloria Muñoz Ramírez

© 2003 Revista *Rebeldía*
redaccion@revistarebeldia.org.mx
© 2003 Demos, Desarrollo de Medios, S.A de C.V.
La Jornada Ediciones
Av Cuauhtémoc 1236 Colonia Santa Cruz Atoyac
Delegación Benito Juárez. México, D.F. 03310

ISBN

Impreso en México

Í N D I C E

Introducción
o presentación
(o las dos cosas)

EJÉRCITO ZAPATISTA DE LIBERACIÓN NACIONAL
MÉXICO

A quien corresponda:

Corría el año de 1994 y en el calendario abril mediaba. Era la madrugada del 18, y en la misma carta en la que escribí lo del "síndrome de la cenicienta" (ver la Treceaba Estela, parte 2), aparece lo siguiente:

"Pero resulta que la otra noche me entrevistó un periodista y entre
las preguntas sobre Zedillo, Salinas, etcétera, salió una que me hizo entender todo: '¿Y que opina usted de esta etapa romántica de la guerra?' Volteé a verlo por si bromeaba, pero no, estaba serio y checando si la cinta de
la grabadora estaba corriendo. '¿Romántica?', pensé. Ese periodista, junto
a otros, llevaba varios días en uno de los poblados más pobres de la selva,
durmiendo bajo el techo de una antigua escuela y comiendo... comida en-

latada. A unos metros de donde él dormía, una familia comía sólo frijoles y tortilla (y cada mañana se ofrecía la compañera base de apoyo a lavar la ropa o hacer café para 'los compañeros de la ciudad'), tenían guardia zapatista día y noche, nosotros pernoctábamos a unos metros de ellos. 'Si para él, que está cerca nuestro, esto es romántico', me dije, '¿Qué será para los que están lejos?'"

"Unas horas después de la 'romántica' pregunta, y entre la bruma de una fiebre que me acosó por tres días, hubimos de activar el dispositivo de defensa al saberse la noticia del ataque armado contra el retén militar en Tuxtla. Sacamos a los pocos periodistas que había. A nadie le gustó. De hecho adivino un franco fastidio en todos los periodistas cuando les toca sufrir una alerta roja, los saca de balance, se sienten agredidos inútilmente, '¿para qué si nada va a pasar?, pinche-marcos-ganas-de-estar-chingando-y-de-maltratarnos-etcétera'. Total que nos quedamos solos y, a como pintan las cosas, por un buen rato. Hasta los aparentemente más asiduos se fueron 'por un tiempo', no obstante que les expliqué que convenía que estuviera siempre alguien por acá porque surgían cosas que alguien debía verlas, etcétera. Pero se aburren. Su tiempo es otro, y me divierte pensar que quieren entender lo que aquí ocurre y saber cómo, por qué, cuándo, dónde y quién, en medio de su desesperación de apenas unos días 'sin-nada-qué-hacer-yo-en-cambio-debo-preocuparme-por-cosas-lo-menos-igualmente-importantes-si-no-es-que-más'".

"¿Y qué esperabas marquitos? ¿A John Reed? No, pero sí a su equivalente. Alguien con la paciencia suficiente como para acceder a las partes internas después del desesperante escalafón de la desconfianza nuestra. Alguien sin tanta atadura hacia allá fuera o dispuesto a cortarla por un buen tiempo. No, no para siempre. Alguien que, sin dejar de ser periodista, viviera con los zapatistas, nosotros. Ya sé que si dijera yo esto más de uno se apuntara, pero deben pasar antes una serie de pruebas que, hasta ahora, ninguno ha superado. Quiero decir que a ése alguien nosotros lo tenemos que escoger. Pero nadie se queda el tiempo suficiente para entrar a concurso de oposición. En fin, como decimos acá, 'queja-queja-queja'".

Tres años después de la fecha de estas líneas, una mujer de profesión periodista acabó, no sin dificultades, por brincar el complicado y espeso muro del escepticismo zapatista y se quedó a vivir en las comunidades indígenas rebeldes. Desde entonces compartió con los compañeros el sueño y el desvelo, las alegrías y las tristezas, los alimentos y sus ausencias, las persecuciones y los reposos, las muertes y las vidas. Poco a poco los compañeros y compañeras la fueron aceptando y haciéndola parte de su cotidianeidad. No voy a contar su historia. Entre otras cosas, porque ella ha preferido contar la historia de un movimiento, el zapatista, y no la propia.

El nombre de esta persona es Gloria Muñoz Ramírez. Durante el periodo que va de 1994 a 1996 trabajó para el periódico mexicano *Punto*, para la agencia de noticias alemana DPA, para el periódico norteamericano *La Opinión* y para el diario mexicano *La Jornada*. En 1995, en la mañana del 9 de febrero y junto con Hermann Bellinghausen, realizó para *La Jornada* la que pudo haber sido la última entrevista con el Subcomandante Insurgente Marcos. En 1997 dejó su trabajo, su familia, sus amigos (además de cosas que sólo ella sabe), y se vino a vivir a las comunidades zapatistas. Durante estos 7 años no publicó nada, pero siguió escribiendo y su olfato periodístico no la abandonó. Claro que la periodista ya no lo era, o ya no sólo era periodista. Gloria fue aprendiendo a tener otra mirada, la que está alejada del deslumbramiento que producen los reflectores, del barullo de los templetes, del atropellado andar detrás de la nota, de la lucha por la exclusiva. La mirada que se aprende en las montañas del sureste mexicano. Con paciencia digna de una bordadora, fue recopilando fragmentos de la realidad de adentro y de afuera del zapatismo en estos, ahora, 10 años de vida pública del EZLN.

Nosotros no lo sabíamos. Fue hasta que se anunció el nacimiento de los Caracoles y la creación de las Juntas de Buen Gobierno, que recibimos una carta de ella, presentando ese bordado de palabras, fechas y memorias, y poniéndolo a disposición del EZLN.

Leímos el libro, bueno, entonces no era un libro, sino un extenso y policromado tapiz cuya vista ayudaba bastante a dibujar la complicada silueta del zapatismo de 1994 a 2003, los 10 años de vida pública del Ejército Zapatista de Liberación Nacional. Nos gustó pues. No conocemos ningún material publicado con esa minuciosidad y tan completo.

Le respondimos a Gloria como de por sí respondemos nosotros, es decir, con un "Mmhh, ¿y?". Gloria volvió a escribir y habló del doble aniversario (20 años del EZLN y 10 años del inicio de la guerra contra el olvido), de la etapa que arrancaba con la creación de los caracoles y las Juntas de Buen Gobierno, algo de un plan de festejos de la revista *Rebeldía*, y no recuerdo que tantas otras cosas más. Entre tanta tarabilla, algo estaba claro: Gloria proponía publicar el libro para que los jóvenes de ahora conocieran más sobre el zapatismo.

"¿Los jóvenes de ahora?", pensé, y le pregunté al Mayor Moisés "¿Qué nosotros no somos los jóvenes de ahora?". "De por sí somos", me respondió el Mayor Moisés sin dejar de ensillar el caballo, mientras yo seguía aceitando mi silla de ruedas y maldecía que el botiquín de campaña no incluyera Viagra…

¿En qué estaba? ¡Ah sí!, en el libro que no era libro todavía. Gloria no esperó a que dijéramos que sí, o que quién sabe, o que, con el más puro estilo zapatista, no respondiéramos. Al contrario, al tapiz, o sea al borrador del libro que no era libro, Gloria anexaba la solicitud de completar el material con sendas entrevistas.

Fui con el comité y, sobre el suelo lodoso de septiembre, extendí el tapiz (o sea el borrador del libro).

Se vieron. Quiero decir, los compañeros se vieron a sí mismos. O sea que, aparte de ser tapiz, era un espejo. No dijeron nada, pero yo entendí que había más gente, mucha más, que tal vez también vería y se vería.

Le respondimos a Gloria que "adelante".

Eso fue en agosto o septiembre de este año (o sea, 2003), no muy me acuerdo, pero fue después de la fiesta de Los Caracoles. Me acuerdo, sí, que llovía mucho, que yo iba subiendo una loma repitiendo en cada paso la maldición de Sísifo, y que el Monarca estaba emperrado en que en *Radio Insurgente, La voz de los sin voz,* pasáramos un remix de "La del moño colorado". Cuando volteé a decirle al Monarca que tendría que pasar sobre mí para hacer eso, me resbalé por enésima vez, pero ahora fui a caer sobre un montón de piedras afiladas y me corté en la pierna. Mientras hacía un recuento de los daños, el Monarca, como si tal, pasó sobre mí. Esa tarde transmitimos en *Radio Insurgente, La voz de los sin voz,* una versión de "La del Moño Colorado" que, a juzgar por las llamadas de radio que recibimos, fue un éxito rotundo. Yo suspiré, qué otra cosa podía hacer.

El libro que el lector o lectora tiene ahora en sus manos es ese tapiz-espejo, pero disfrazado de libro. No se puede pegar en la pared o colgar en la recámara, pero usted se puede asomar a él y buscarnos y buscarse. Estoy seguro de que nos encontrará y se encontrará.

El libro *EZLN: 20 y 10, el fuego y la palabra*, escrito por Gloria Muñoz Ramírez se ha editado por el empeño de dos esfuerzos, el de la revista *Rebeldía* y el del periódico mexicano *La Jornada,* que dirige Carmen Lira. Mmh. Otra mujer. El diseño editorial es de Efraín Herrera y las ilustraciones son de Antonio Ramírez y Domi. Mmh… más mujeres. Las fotos son de Adrian Mealand, Angeles Torrejón, Antonio Turok, Araceli Herrera, Arturo Fuentes, Carlos Cisneros, Carlos Ramos Mamahua, Eduardo Verdugo, Eniac Martínez, Francisco Olvera, Frida Hartz, Georges Bartoli, Heriberto Rodríguez, Jesús Ramírez, José Carlo González, José Nuñez, Marco Antonio Cruz, Patricia Aridjis, Pedro Valtierra, Simona Granati, Víctor Mendiola y Yuriria Pantoja. La edición fotográfica estuvo a cargo de Yuriria Pantoja y el cuidado de la edición lo realizó Priscila Pacheco. Mmh… de nuevo más mujeres. Si el lector ve que las féminas son mayoría, haga lo que yo: rásquese la cabeza y diga "ni modos".

Hasta donde tengo entendido (hago este escrito a la distancia), el libro tiene tres partes. En una aparecen entrevistas a compañeros bases de apoyo, comités y soldados insurgentes. En ellas los compañeros y compañeras hablan algo de los 10 años previos al alzamiento. Debo deciros que no se trata de una imagen global, sino de retazos de una memoria que todavía debe esperar a unirse y presentarse.

Sin embargo, estos pedazos ayudan mucho a entender lo que viene después, o sea la segunda parte. Ésta contiene una especie de bitácora de las acciones públicas del zapatismo, desde el inicio de la guerra en la madrugada del primero de enero de 1994, hasta el nacimiento de los Caracoles y la creación de las Juntas de Buen Gobierno. Se trata, a mi manera de ver, del más completo recorrido de lo que ha sido el accionar público del EZLN. En este periplo, el lector podrá encontrar muchas cosas, pero una salta a la vista: el ser consecuente de un movimiento. En la tercera parte aparece una entrevista a yo. Me la mandaron por escrito y hube de contestar frente a una grabadorita. Yo siempre he pensado que el "rewind" de las grabadoras es "recordar", así que en esa parte trato de hacer un balance de los 10 años, además de reflexionar sobre otras cosas. Cuando respondía, solo frente a la grabadora, afuera llovía y una de las Juntas de Buen Gobierno daba "el grito de independencia". Fue la madrugada del 16 de septiembre del 2003.

Creo que las tres partes se ligan muy bien. No sólo porque es la misma pluma la que las dibuja. También porque contienen una mirada que ayuda a mirar, a mirarnos. Estoy seguro de que, como Gloria, muchos y muchas, al mirarnos, se mirarán a sí mismos. Y también estoy seguro de que ella, y con ella muchos y muchas, se sabrán mejores.

Y de eso se trata todo esto, de ser mejores.

Vale. Salud y en el tapiz no busque escarabajos, capaz que los encuentra y entonces sí, pobre de usted.

Desde las montañas del Sureste Mexicano.

Subcomandante Insurgente Marcos.

México, Octubre del 2003.

Prólogo

EJÉRCITO ZAPATISTA DE LIBERACIÓN NACIONAL
MÉXICO

LA POSDATA, REBELDE COMO ES, HA TOMADO POR ASALTO EL LUGAR DEL PRÓLOGO. TODOS SABEN QUE LAS POSDATAS VAN AL FINAL DE LAS CARTAS Y NO COMO INICIO DE LOS LIBROS, PERO ACÁ, EN LAS MONTAÑAS DEL SURESTE MEXICANO, TENEMOS UNA DISCIPLINA DE "NUEVO TIPO", O SEA QUE CADA QUIEN HACE LO QUE LE DA LA GANA. LOS MUERTOS, POR EJEMPLO, NO SE QUEDAN QUIETOS. FIN DE LA NOTA

P.D. QUE SE EXPLICA POR SÍ MISMA. Hace 10 años, la madrugada del primero de enero de 1994, nos alzamos en armas por democracia, libertad y justicia para todos los mexicanos. En una acción simultánea, tomamos 7 cabeceras municipales del suroriental estado mexicano de Chiapas y le declaramos la guerra al gobierno federal, a su ejército y policías. Desde entonces el mundo nos conoce por "Ejército Zapatista de Liberación Nacional".

Pero nosotros ya nos llamábamos así desde antes. El 17 de noviembre del año 1983, hace 20 años, se fundó el EZLN, y como EZLN empezamos a caminar las montañas del sureste mexicano, cargando una pequeña bandera de fondo negro con una estrella roja de cinco puntas y las letras "EZLN", también en rojo, al pie de la estrella. Aún cargo esa bandera. Está llena de remiendos y maltratada, pero todavía ondea airosa en la Comandancia General del Ejército Zapatista de Liberación Nacional.

También nosotros llevamos remiendos en el alma, heridas que suponemos cicatrizadas, pero que se abren cuando menos lo esperamos.

Durante 10 años nos preparamos para esos primeros minutos del año 1994. Allá se mira Enero del 2004. Pronto serán 10 años de guerra. 10 años de preparación y 10 años de guerra, 20 años.

Pero no voy a hablar ni de los primeros 10 años, ni de los de después, ni de los 20 sumados. Es más, no voy a hablar de años, de fechas, de calendarios. Voy a hablar de un hombre, un soldado insurgente, un zapatista. No voy a hablar mucho. No puedo. No todavía. Se llamaba Pedro y murió combatiendo. Tenía el grado de subcomandante y era, en el momento de su caída, jefe del estado mayor del EZLN y mi segundo al mando. No voy a decir que no ha muerto. Está muerto de por sí y yo no quisiera que estuviera muerto. Pero, como todos nuestros muertos, Pedro camina por acá y cada tanto se aparece y habla y bromea y se pone serio y pide más café y enciende el enésimo cigarrillo. Ahora está aquí. Es 26 de octubre y es su cumpleaños. Le digo "salud al cumpleañero". Él levanta su pocillo de café y dice "salud Sub". Yo no sé por qué me puse "Marcos" si nadie me dice así, todos me dicen "Sub" o sus equivalentes. Pedro me dice "Sub". Platicamos con Pedro. Le cuento y me cuenta. Recordamos. Reímos. Nos ponemos serios. A veces lo regaño. Lo regaño por indisciplinado, porque yo no le ordené que se muriera y él se murió. No obedeció. Lo regaño pues. Él sólo abre más los ojos y me dice "ni modos". Sí, ni modos. Entonces le enseño un mapa. De por sí le gusta ver los mapas. Le señalo lo que hemos crecido. Sonríe.

Josué se acerca, saluda y felicita "felicidades compañero subcomandante insurgente Pedro". Pedro se ríe y dice "Úta madre, cuando acabas de decir todo eso yo ya cumplí años de nuevo". Pedro lo mira a Josué y me mira. Yo asiento en silencio.

De pronto ya no estamos celebrando al cumpleañero. Estamos los tres subiendo una loma. En un descanso Josué dice "Ya va a salir 10 años del inicio de la guerra". Pedro no dice nada, sólo enciende el cigarro. Josué agrega "Y 20 años de que nació el EZLN. Hay que hacer un gran baile".

"20 y 10" repito despacio, y agrego "y los que nos faltan…".

Para esto ya llegamos a la punta de la loma. Josué baja su mochila. Yo enciendo la pipa y con la mano señalo allá a los lejos. Pedro mira a donde señalo, se levanta y dice, se dice, nos dice: "Sí, ya se mira el horizonte…"

Se va Pedro. Josué levanta de nuevo su mochila y me dice que tenemos que seguir.

Y sí, de por sí así es: tenemos que seguir…

¿Qué les estaba diciendo? ¡Ah sí! Nosotros nacimos hace 20 años y hace 10 años nos alzamos en armas por democracia, libertad y justicia. Nos conocen con el nombre de "Ejército Zapatista de Liberación Nacional" y nuestra alma, aunque con remiendos y cicatrices, sigue ondeando como esa vieja bandera que se ve allá arriba, ésa con la estrella roja de cinco puntas sobre fondo negro y las letras "EZLN".

Nosotros somos los zapatistas, los más pequeños, los que se cubren el rostro para ser mirados, los muertos que mueren para vivir. Y todo esto es porque hace 10 años, un primero de enero, y hace 20 años, un 17 de noviembre, en las montañas del sureste mexicano…

Subcomandante Insurgente Marcos.
México, 26 de octubre del 2003.

23

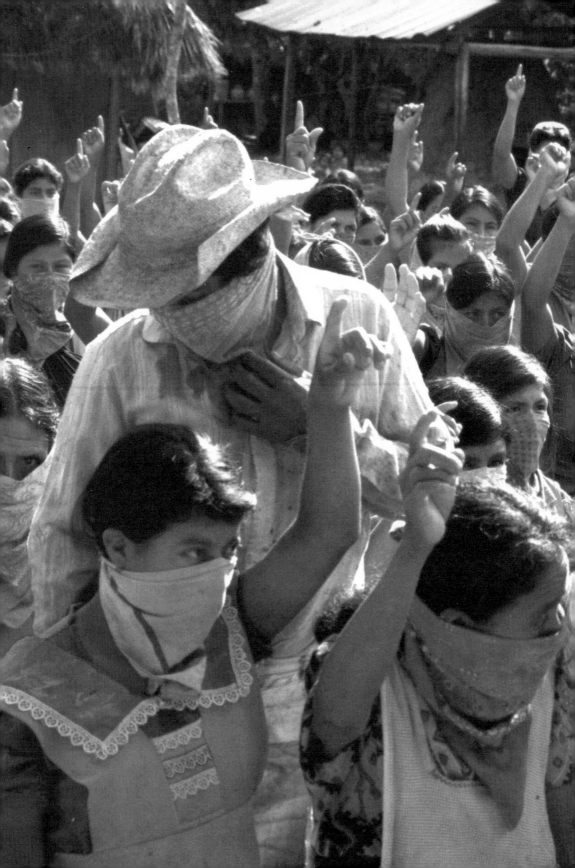

1983-1993
Algunas piezas para el rompecabezas

I

El 17 de noviembre de 1983 un reducido grupo de indígenas y mestizos llegó a la Selva Lacandona. En un campamento de montaña, bajo el cobijo de una bandera negra con una estrella roja de cinco puntas, fundaron formalmente el Ejército Zapatista de Liberación Nacional. Y empezaron el despropósito.

Diez años después, el primero de enero de 1994, miles de indígenas armados tomaron siete cabeceras municipales y le declararon la guerra al gobierno de México. Sus demandas: trabajo, tierra, alimentación, techo, salud, educación, independencia, justicia, libertad, democracia, paz, cultura y derecho a la información.

¿Qué ocurrió en el sureste mexicano entre el 17 de noviembre de 1983 y el primero de enero de 1994? No se puede aún dimensionar esa historia. No por clandestina, no por vergüenza de esos pueblos, sino porque, como ellos dicen, "de por sí fue muy grande lo que hicimos".

A veinte años de su acto fundacional, hablan tres indígenas originarios de los primeros pueblos con los que se encontró el Ejército Zapatista de Liberación Nacional. En representación de los cientos de miles de indígenas que hicieron posible el sueño, hablan de cómo conocieron a los primeros guerrilleros, de cómo se organizaron como pueblos, de cómo se prepararon para la guerra, de cómo crecieron y se hicieron grandes. Sirvan estos testimonios tan sólo para imaginar esos primeros diez años, esa capacidad organizativa, esa decisión y valentía que hicieron posible el levantamiento armado que desde 1994 conmueve al mundo entero.

Compañero Raúl
Representante regional de los pueblos zapatistas

Llegó el momento de platicar nuestra historia que fue clandestina. Yo soy de Pueblo Chico y me llamo Raúl. A mi me reclutó un mi hermano, me dijo que si quería ir a un lugar para escuchar lo que me iban a decir, entonces llegué a ese lugar y me preguntaron si estaba yo decidido a escuchar la política sobre la organización. Nada más eso me dijeron y yo dije que sí.

En ese tiempo la seguridad que teníamos era la noche. Íbamos a las reuniones a las diez y regresaba uno a las doce o una de la mañana, para que nadie nos escuchara llegar a la casa. Luego me invitaron en otro lugar que ellos conocían, donde se reunían con los insurgentes, y ahí encontré a un capitán y a un teniente, llegaban vestidos de Pemex, o sea como petroleros o como maestros. Cuando uno se los encontraba en el camino ellos decían que eran maestros, y de ahí nadie se imaginaba que estaban haciendo un trabajo político sobre la organización.

Bueno, pues después me dijeron que fuera al campamento que se llama "Fogón". Ahí llegué y había sólo siete compañeros insurgentes, entre ellos el Mayor Moisés. En el campamento estuvimos siete días y nos dieron instrucciones de lo que deberíamos hacer en los pueblos. Ya cuando nos íbamos del campamento dábamos la instrucción. Fuimos aprendien-

Compañero Raúl

do poco a poco. Los compas nos daban folletos y nos vamos dando cuenta de la explotación que nos hace el gobierno. Después, ya que entendimos de qué se trata, fuimos reclutando nosotros mismos a nuestro pueblo, poco a poco, hasta que todo el pueblo ya está reclutado y la tarea se hace más fácil.

Cuando nosotros íbamos a dejar el bastimento a los campamentos, teníamos que salir a las tres de la mañana, para que así nos amaneciera en la picada. Así fuimos haciendo. Lo más que teníamos que cuidar era la seguridad. Lo que uno sabía lo tenía en el corazón. Nadie lo sabía. Nada más lo sabía el que era compañero, el que no era, pues no.

Ya cuando está todo el pueblo reclutado y ya hay muchos pueblos así, entonces ya algunos se animaron a ir de reclutas para ser insurgentes. Varios se fueron y de ahí fue creciendo la guerrilla. Mientras unos se iban a la montaña, en los pueblos nos íbamos preparando también los milicianos, primero una escuadra, luego un pelotón. Llegó el momento en que en cada pueblo había cinco o seis pelotones de milicianos que recibían entrenamiento y todo. Es así como se fue desarrollando nuestra organización.

Cuando los insurgentes llegaban a nuestro pueblo es porque de por sí ya está todo el pueblo reclutado, o sea que ya todo el pueblo era compa. Entonces había que buscar responsable local y luego responsable regional, porque ya son muchos los pueblos.

Cuando llevábamos el bastimento al campamento, llevábamos tostadas, pinole, azúcar o panela, o si teníamos dinerito les llevamos sus cigarros a los compas. Cuando llegábamos se alegraban y hacíamos una pequeña fiesta ahí. Si había una guitarra pues bailábamos, como había compañeras ahí pues con esas bailábamos. Así ellos nos agarraron confianza y también nosotros. Durábamos hasta diez o quince días en el campamento.

Al mero principio el nombre de guerra de mi pueblo era "Susto", porque cuando nosotros no sabíamos nada de la organización, pasó un com-

29

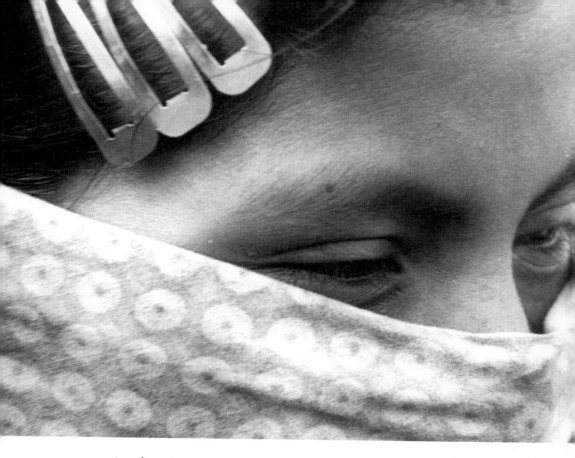

pañero insurgente y nosotros vimos raro que se metió en un solar. Lo fuimos a buscar pero no lo encontramos. Entonces, ya cuando supimos de la organización, nos acordamos del solar y le pusimos "Susto" al pueblo.

En el campamento "El Maleficio", en 1985, conocí al compañero subcomandante Marcos. Estaba muy joven pero muy flaco, de por sí yo creo que por la caminata, subía lomas que estaban muy difíciles, estaban altísimas y esas lomas las subía él. Ahí lo conocimos a él y también al subcomandante Pedro, que también llegaba.

Ya cuando el pueblo es todo compa, pues ya llegan los insurgentes al pueblo. Todos los compañeros de la comunidad pues los ven, y se organiza la fiesta y el baile. El pueblo da comida, café, y ahí convivimos con ellos. Hay mucha plática política que nos orientaba sobre la situación. Nos dicen cómo organizarnos y cómo prepararnos para la lucha.

Así era ese tiempo cuando empezamos…

COMANDANTE ABRAHAM
Comité Clandestino Revolucionario Indígena

Yo me llamo Abraham, soy del pueblo "45".

Cuando llega a nuestros pueblos el Ejército Zapatista, allá por 1984, 1985, nosotros de por sí ya habíamos probado otras luchas pacíficas. La gente ya estaba protestando contra el gobierno. En ese tiempo, cuando llega la organización clandestina, se nos habló de una lucha revolucionaria. Nosotros de por sí fuimos de los primeros. El que llevó la idea a nuestro pueblo es un compa que ya no vive, se llamaba Tomás. Él nos platica de la lucha, pero poco lo creíamos, porque ese compa era medio borracho. Pero nos explicaba y poco a poco fuimos tomando en serio todas sus palabras, hasta que llegó con un compa insurgente y entonces ese nos dio la plática. El compañero insurgente llegó con un folleto que tenía una explicación política de la situación nacional, ahí decía cómo es la explotación y todo eso.

Nosotros de por sí entendimos más o menos rápido, porque de por sí ya está la idea de otros movimientos en los que hemos participado, pero no en el sentido revolucionario, sino en luchas donde se llega a negociar con el gobierno por la tierra, por el café, por la brecha lacandona ahí en Los Montes Azules. Como de por sí existían esas represiones de las que nos hablaban los compañeros, cuando llega el mensaje del EZLN pues rápido nos alegramos, y nos pusimos contentos de que hay otra lucha que va a defender la seguridad de los campesinos y de los pobres.

Éramos un puñito, éramos jóvenes, y poco a poco fuimos dando a otros compañeros el mensaje. Les decimos la explicación pero que no le digan a nadie. Si es un joven pues que no le diga a su papá ni a su mamá ni a su hermanito, sólo él.

El pueblo "45" antes se llamaba "Suicida". Le pusimos así primero porque Tomás quiso suicidarse por una chamaca, pero después lo cambiamos y le pusimos "45", por otras historias.

Ya cuando está reclutado un buen grupo de compañeros en el pueblo, pues vimos la necesidad de pasar a otro pueblo. Nos fuimos a Sinaí y luego ya formamos la región. Yo tenía 18 años.

Las compañeras trabajaban para hacer las tostadas que les llevábamos a la montaña, y también los hombres ayudábamos. Nos repartíamos bolsitas para recoger pinole, para transportarlo de noche. Cuando nos movíamos para la montaña teníamos que buscarnos una historia por si nos encontrábamos a alguien, porque ante todo tenía que haber discreción para pasar las cosas. Cuando te topan en el camino pues tienes que decir una historia, a dónde vas. Puedo decir que voy a visitar a mi familia o otra cosa. Todo era por la seguridad para poder pasar el bastimento. En ese tiempo, al principio, pues hay gentes que no sabían nada.

Yo los ví pasar por mi pueblo al Subcomandante Insurgente Marcos y al Subcomandante Insurgente Pedro. Llegan en la casa y luego Tomás nos dice que hay que ir a dejar esos compas, a guiarlos. Nos vamos con ellos pues. La salida es a las 12 de la noche. Tenemos que pasar de noche los otros pueblos y agarrar ya de día la montaña. Cuando llegamos donde está el campamento, nosotros nos regresamos y ahí los dejamos a los dos.

El primer campamento que conocí se llama "Zapata", y ya luego nos llevaron a otro campamento que se llama "Puma". Enseguida vimos otros campamentos, ya con ellos, llegábamos y convivíamos con los compas y salíamos de regreso a nuestros pueblos. El capitán Marcos —en ese tiempo no era subcomandante— nos platicaba cómo está la montaña y cómo funciona ahí el campamento. Cuando lo visitamos nos dice dónde está el agua para tomar y cómo es la seguridad ahí, cómo es el respeto, y dónde se pueden hacer las necesidades. Todo eso estaba organizado y nos decía el capitán Marcos que si queríamos vivir ahí, pues podíamos vivir ahí. Nos decía "aquí estamos alegres con los changos". Luego de un tiempo de estar ahí, hay que salir a trabajar a los pueblos.

Conforme se fue dando el avance y empezamos a crecer, pues se empezaron a organizar las fuerzas. Empezaron a bajar más los insurgentes a

Comandante Abraham

los pueblos, a convivir y platicar con las gentes en los pueblos. Con ellos hacíamos fiestas, hacían sus programas culturales y todo eso. Así nos desarrollamos en un año. Entre 1985 y 1986 el pueblo se integró todo a la lucha. Ya no había por qué guardar más secretos entre nosotros, sólo con los de afuera que todavía no son compas.

Cuando estábamos chiquitos en la organización le buscábamos la forma para que pasaran los compas. Ellos decían que son doctores, maestros, petroleros, todo eso decían. Cuando llevaban carga decían que eran cosas enlatadas para la tienda de tal parte.

Nos decían los compas en la clase que iba a llegar el día en que tenemos que usar las armas para acabar con el sistema. Nosotros ya habíamos probado formas pacíficas pero no había modo de que nos hicieran caso. Entonces vimos que no hay más que entrarle a luchar con las armas, y así nos organizamos cada vez más y más fuerte. Cuando llegábamos al campamento, cuando llegábamos a la visita, hacemos ejercicios y entrenamientos. Los compañeros nos daban pláticas de cómo usar las armas, de cómo se llama un arma y qué potencia tiene. Y así se va desarrollando el trabajo y cada vez somos más grandes. De unos pueblos se pasa a otros pueblos y de unas regiones se pasa a otras regiones.

Ya cuando se formaron las regiones se empezó a hacer trabajo ahí, se hizo por ejemplo una clínica, un hospital, que se le llamaba "Posh". Ahí conocí a varios compañeros, y es cuando nos damos cuenta de que la organización ya es grande, que ya se avanzó un chingo. En ese tiempo ya se está acercando el tiempo de 1994 y es cuando se empezó a preguntar a los pueblos cómo se sienten, si se sienten buenos para chingar al gobierno. El pueblo ya está harto y dice que ahora sí ya es su momento. Se empezaron a sacar las decisiones, se empiezan a hacer unas actas, las actas las firman los pueblos y los compas, y entonces ya a la guerra.

33

COMPAÑERO GERARDO
De los primeros pueblos zapatistas

Mi nombre es Gerardo, del pueblo Israel, algunos compañeros me conocen, ahí vivo y acerca de eso vamos a platicar. Es como contar una historia de lo que nosotros conocimos, cuando todo esto empezó.

Nosotros lo vimos cuando empezó el trabajo de la organización del Ejército Zapatista en los pueblos. En primer lugar nosotros aprendimos medidas de seguridad, porque si no hay seguridad, no se puede hacer nada. Entonces con las medidas podemos avanzar y eso es lo que hacíamos. Conforme fuimos conociendo la lucha y creciendo fuimos poniendo más medidas, porque el trabajo se iba desarrollando, iba grande. Nosotros íbamos conociendo más o menos donde estaban los campamentos. Yo conocí cuatro campamentos en aquél tiempo, desde 1984. El primer campamento que conocí se llamaba "La Rosita", el otro es "Agua Fría", el otro no me acuerdo el nombre... eso es lo que conocimos durante los años que trabajamos llevando a los insurgentes la tostada, el pinolito, apoyando a los compas. Nos ayudábamos ambos, porque lo que nosotros no conocíamos ellos sí conocían. Nosotros necesitamos saber cosas que no sabemos, y ellos también necesitan cosas de nosotros, y así empezamos a hacer los trabajos.

Conforme iban creciendo los trabajos había que tener todavía más seguridad. Nuestro amigo antes era la noche, porque solamente en la noche podíamos caminar. En el día no podíamos, en el día nos dormíamos y a las nueve, diez, once de la noche sales con tus 25 kilos a recorrer tres o cuatro días de camino. Salíamos a esa hora desde la casa hasta donde merece llegar ese alimentito.

En los días que llegábamos ahí a los campamentos, pues los insurgentes nos ayudaban en algunos trabajitos que nosotros no sabíamos. Nosotros veíamos cómo se fue desarrollando el trabajo y cómo, después, se fue transformando nuestra lucha conforme fueron agarrando fuerza los pueblos.

Comandante Gerardo

Al principio, hace casi 20 años, pues ya salía un miliciano de un pueblo, luego dos milicianos y ya luego recibían algún entrenamiento y conforme eran más se iba cambiando el trabajo. Si eran cinco milicianos, a la mejor ya salía un insurgente del mismo pueblo. Quiero decir que era paso por paso, no rápido, manteniendo pues la lucha, apoyando pues la lucha.

Así fue como iba creciendo todo. Antes de 1994, ya vimos que estaba acumulada la fuerza, se veía que sí hay, que somos un chingo ya.

A mí me reclutó un mi hermano. En una de esas veces que tenía viaje fue cuando me empezó a platicar. Entonces casi juntos empezamos, como que no le di tiempo, y ya con una o dos pláticas le dije sí le entro, que si no se hace ahora pues cuándo.

Primero fuimos oyendo las explicaciones de la lucha, nos enteraron de cosas sencillitas, porque no luego nos dijeron hay esta cosa y se trata de esto, porque el que reclutaba también tenía su medida de seguridad y no se avienta así nomás. Ahora, cuando ya te decides a hacer el trabajo, entonces ya con los viajes empiezas a conocer, pero tienes que poner de tu parte ahí para que llegues a conocer.

Mi pueblo es de por sí de los primeros que apoyaron la organización. Era 1984 cuando le entramos. No éramos todos los del pueblo al principio, pero luego lo organizamos a todo y así ya podían los insurgentes llegar a nuestra comunidad y sentirse protegidos. Así llegamos a la guerra…

II
El Subcomandante Insurgente PEDRO

El 21 de febrero del 2000, el Subcomandante Insurgente Marcos le escribió una carta póstuma al recién fallecido escritor mexicano Fernando Benítez. La carta contenía un relato "con el que también tratamos de re-

cordar a quienes hoy no están con nosotros, pero que estuvieron antes e hicieron posible que hoy estemos nosotros". El sub se refería entonces al Subcomandante Insurgente Pedro, muerto en combate la madrugada del primero de enero de 1994.

En el relato que el jefe militar del EZLN contó en aquella ocasión, aparecía el subcomandante Pedro en primera persona, como contando su propia historia desde otro lado, desde la muerte. Habla, entonces, el sub Pedro:

"Me acuerdo de ese día. El sol no caminaba derecho, sino que se iba de lado. Quiero decir, sí se iba de acá para allá, pero iba como de lado, así nomás, sin encaramarse en eso que no me acuerdo ahorita cómo se llama pero una vez el sup nos dijo. Estaba como frío el sol. Bueno, ese día todo estaba frío. Bueno, no todo. Nosotros estábamos calientes. Como que la sangre o lo que sea que tenemos dentro del cuerpo, estaba con calentura. No me acuerdo cómo es que dijo el sup: 'el cenit' o algo así, o sea que es cuando el sol se llega hasta lo más alto. Pero ese día no. Más bien como que se iba ladeando. Nosotros igual avanzábamos. Yo ya estaba muerto, acostado panza arriba y ví bien que el sol no se estaba caminando derecho sino que se estaba andando de lado. Ese día ya estábamos muertos todos y como quiera avanzábamos. Por eso el sup escribió eso de 'somos los muertos de siempre, muriendo otra vez, pero ahora para vivir'. ¿Cuándo mero nos morimos todos? Pos la verdad no me acuerdo, pero ese día en que el sol se caminaba de ladito ya todos estábamos muertos. Todos y todas, porque también iban mujeres. Creo que por eso no nos podían matar. Como que está muy difícil eso de matar a un muerto y pues un muerto no tiene miedo de morirse porque de por sí ya está muerto. Ese día en la mañana era un corredero de gente. No sé si porque empezó la guerra o porque vieron tanto muerto avanzando, caminando como siempre, sin rostro, sin nombre. Bueno, primero corría la gente, luego ya no corría. Ya luego se detenía y se acercaba para oír lo que decíamos. ¡Qué ocurrencias! Viera que yo estuviera vivo, ¡de tarugo me iba a acercar a oír lo que dijera un muerto! Como que pensaría que los muertos no tienen nada que decir. Están muertos pues. Como que su trabajo de los muertos es andar espantando y no hablando. Yo me acuerdo que en mi tierra se decía que los muertos que caminan todavía, es porque tienen algún pendiente y por eso no se están quietos. En mi tierra así se decía. Creo que mi tierra se llama Michoacán, pero no muy me acuerdo. Tampoco me acuerdo bien, pero creo que me llamo Pedro o Manuel o no sé, creo que de por sí no importa cómo se llama un muerto porque ya está muerto. Tal vez cuando uno está vivo pues sí importa cómo se llama uno, pero ya muerto pa' qué.

"Bueno, el caso es que la gente ésta, después de su corredera, se iba acercando a ver qué le decíamos todos los muertos que éramos. Y entonces pues a hablar, así como de por sí hablamos los muertos, o sea como platicadito, así, sin mucha bulla, como si uno estuviera platicándole algo a alguien y no estuviera uno muerto sino vivo. No, tampoco me acuerdo qué palabra hablamos. Bueno, un poco sí. Algo tenía que ver con eso de que estábamos muertos y en guerra.

"En la madrugada habíamos tomado la ciudad. A mediodía ya estábamos preparando todo para ir por otra. Yo ya estaba acostado al mediodía, por eso ví clarito que el sol no se andaba derecho y ví que hacía frío. Vi pero no sentí, porque los muertos no sienten pero sí ven. Vi que hacía frío porque el sol estaba como apagado, muy pálido, como si tuviera frío. Todos andaban de un lado pa' otro. Yo no, yo me quedé acostado panza arriba, viendo el sol y tratando de acordarme cómo es que dijo el sup que se dice cuando el sol queda mero arriba, cuando ya acabó de subir y empieza a dejarse caer de aquel lado. Como que entra su pena del sol y va y se esconde detrás de esa loma. Ya cuando el sol se fue a esconder no me di cuenta. Así como estaba yo no podía voltear la cabeza, sólo podía mirar mero para arriba y, sin voltear, lo poco que alcanzara para uno y otro lado. Por eso vi que el sol no se iba derecho, sino que se iba de lado, como con pena, como con miedo de encaramarse en eso que ahorita no me acuerdo cómo dijo que se decía el sup, pero tal vez al rato me acuerdo.

"Yo me acordé ahorita porque se rajó un poco la piedra y se hizo una rendija así como una herida de cuchillo, y entonces pude ver el cielo y el sol caminándose otra vez de lado como aquel día. Otra cosa no se puede ver. Así acostado como estoy, apenas si alcanzo el cielo. No hay muchas nubes y el sol está como pálido, o sea que está haciendo frío. Y entonces me acordé de aquel día cuando los muertos que somos empezamos esta guerra para hablar. Sí, para hablar. ¿Para qué otra cosa harían una guerra los muertos?

"Les decía que por esta rendija se alcanza a ver el cielo. Por ahí pasan helicópteros y aviones. Vienen y se van, diario, a veces hasta de noche. Ellos no lo saben pero yo los veo, los veo y los vigilo. También me río. Sí, porque al final de cuentas, esos aviones y helicópteros vienen acá porque nos tienen miedo. Sí, ya sé que de por sí los muertos dan miedo, pero esos aviones y helicópteros lo que tienen miedo es de que los muertos que somos nos echemos a caminar de nuevo. Y yo no sé para qué tanta bulla, si de por sí nada podrán hacer porque ya estamos muertos. Ni modo que nos maten. Tal vez es porque quieren darse cuenta y avisar con tiempo al que los manda. No sé. Pero sí sé que el miedo se huele y el olor del miedo del poderoso es así como de máquina, como de gasolina y aceite y metal y pólvora y ruido y... y... y de miedo. Sí, el miedo huele a miedo, y a miedo huelen esos aviones y esos helicópteros. A miedo huele el aire que viene de arriba. El de abajo no. El aire de abajo huele bonito, como a que las cosas cambian, como que todo mejora y se hace más bueno. A esperanza, a eso huelo el aire de abajo. Nosotros somos de abajo. Nosotros y muchos como nosotros. Sí, ahí está la cuestión pues: en este día los muertos huelen a esperanza.

"Todo eso veo por la rendija y todo eso escucho. Pienso, y mis vecinos están de acuerdo (lo sé porque ellos me lo han dicho), que no está bien que el sol se camine de lado y que hay que enderezarlo. Por eso de que se camine así de lado, todo pálido y friolento pues no. Como que su trabajo del sol es dar calor, no tener frío.

"Y si me apuran, pues hasta le hago al analista político. Mire usted, yo digo que el problema de este país es que puras contradicciones tiene. Ahí está pues que carga un sol frío, y la gente viva ve y deja hacer como si estuviera muerta, y el criminal es juez, y la víctima está en la cárcel, y el mentiroso es gobierno, y la verdad es perseguida como enfermedad, y los estudiantes están encerrados y los ladrones están sueltos, y el ignorante imparte cátedras, y el sabio es ignorado, y el ocioso tiene riquezas, y el que trabaja nada tiene, y el menos manda, y los más obedecen, y el que tiene mucho tiene más, y el que tiene poco tiene nada, y se premia al malo, y se castiga al bueno.

"Y no sólo, además, aquí, los muertos hablan y caminan y se dan en sus cosas raras, como eso de tratar de enderezar a un sol que tiene frío y, mírelo nomás, se anda de lado, sin llegar a ese punto que no me acuerdo cómo se llama pero el sup nos dijo una vez. Yo creo que un día me voy a acordar". (Carta del Subcomandante Insurgente Marcos. 21 de febrero de 2000).

En las montañas del sureste mexicano el Subcomandante Insurgente Pedro no sólo es una leyenda, es algo vivo, algo que existe y se trae a la memoria a cada momento. Del sub Pedro hablan los insurgentes y un nudo se les hace en la garganta. "Todavía no puedo hablar de él, es muy doloroso", dice el Mayor Insurgente Moisés, quien tomó el mando de la zona a los pocos minutos de la caída en combate del subcomandante Pedro.

De un hombre que gustaba de caminar de noche, que fumaba "Alas", que no perdonaba su cafecito, que bailaba la de "El Caballo Blanco", que recitaba el Tecun Umán, que cuidaba de su tropa, que era muy militar y muy estricto en las cuestiones de seguridad, que echaba relajo con el subcomandante Marcos, de quien era su segundo al mando, hablan los insurgentes que vivieron con él, que lo vieron caer, junto a los que murió en pleno combate en la primera madrugada de 1994. También da su testimonio gente de los pueblos, con la que vivió durante casi diez años, gente a la que enseñó a luchar, a la que preparó para que un día se levantara en armas en busca de una vida mejor.

Hoy, a diez años de su caída, queda claro que el camino del EZLN no se puede entender sin la historia de personas como el Subcomandante Insurgente Pedro.

Mayor Insurgente de Infantería MOISÉS

Hablar del sub Pedro... yo que estuve trabajando con él, es un poco doloroso. Lo conocí cuando era insurgente, lo conocí cuando yo empecé también, y me tocó ver su caída cumpliendo con su deber. Me dejó así como mando de esta unidad. El sub Pedro es un compañero muy preocupado por sacar adelante el trabajo que le tocó en ese tiempo. Hizo todo lo que tuvo que hacer.

Cuando es el momento de la preparación él es muy estricto, como ya se dijo. También cuando discutíamos con él sobre los trabajos, ambos nos ayudábamos sobre todo en la cuestión política. Me preguntaba cuál es la costumbre de los pueblos, cuál es el modo de los compas, por qué hay diferentes organizaciones, quiénes las dirigen, todo eso me preguntaba para poder planear cómo es que hay que hacer el trabajo, para poder descubrir los pueblos...

El subcomandante Pedro es muy estricto en la seguridad, porque éramos clandestinos y pues no debe saber nada el ejército de nosotros. También es estricto en el manejo de las armas, y en las exploraciones que se tienen que hacer para poder tener conocimiento de los terrenos. Siempre fue duro en eso, y cuando hay problema más se pone duro. Pero también es cierto que es muy alegre, hay muchas cosas que se pueden hablar de él, anécdotas y eso...

Yo no lo conocí en la montaña, lo conocí en la ciudad, en una casa de seguridad donde me tocó llegar. Te estoy hablando de diciembre de 1983, cuando me llevaron a la ciudad. No pensaba yo que me fueran a llevar a la ciudad, pensaba yo que me iban a llevar a la montaña, porque me gustaba mucho lo que yo escuchaba en *Radio Venceremos,* del Frente Farabundo Martí, de El Salvador. Pero pues antes de ir a la montaña me llevaron a la ciudad y ahí lo conocí al sub Pedro. Él ya había estado en la montaña, con los fundadores del EZLN, pero tuvo que bajar a la ciudad porque le había pegado la leshmania, lo que nosotros le llamamos mosca chiclera, estaba curándose en la ciudad y a mí me tocó conocerlo ahí.

En ese tiempo yo no podía hablar el español, como ahorita que ya puedo hablar, entonces tenía esa dificultad. Yo no quería que se acercara a mí, porque me platicaba cosas y no le entendía… Una cosa que me pasó en ese tiempo es que algunos de los que estaban ahí en la casa de seguridad, pues no me enseñaban las cosas y me ordenaron preparar comida para un viaje de algunos compas. Yo no sabía ni cómo manejar la estufa ni nada, y entonces el sub Pedro (que todavía no tenía ni grado) me encuentra haciendo el trabajo y me pregunta "qué estás haciendo", y le digo "estoy friendo carne de pollo". Y él me dice "pero te va a explotar la estufa", y le pregunto por qué y me explica que porque ya la tengo llena de aceite. Entonces se encabrona y va y despierta a la responsable y le reclama que no me enseñó a hacer el trabajo. Y ahí lo ví que era estricto, muy duro en las cuestiones que había que enseñar, él decía que una vez enseñado ya puedes dejar que se haga el trabajo, pero antes no.

En 1985 ya vengo a la montaña y me lo vuelvo a encontrar ahí, pero ya era subteniente. Era un compañero muy decidido, no le importaba no conocer la montaña, porque los que vienen de la ciudad no conocen la montaña, así como uno que está en la montaña y se va a la ciudad tampoco sabe moverse. Pero no le importó eso, siempre hacía el esfuerzo y nos preparó. En la preparación estuvimos trabajando mucho tiempo, pueden sacar la cuenta, estamos hablando de que lo reencontré en la montaña en 1985 y la preparación se da hasta los últimos días, prácticamente hasta la mañana de 1994.

Mayor Moisés

Podemos decir todas las palabras de revolucionario o revolucionaria, rebelde, o luchador o lo que sea, así como dicen muchos de afuera, pero él no nada más lo dijo, sino que lo que decía lo hacía y lo cumplió hasta sus últimas consecuencias. Cuando tú organizas, orientas, diriges, tienes que llegar hasta su consecuencia, aún en una movilización pacífica. Cuando uno dice que hay que luchar, pues tienes que llegar hasta el final.

Y en este caso, a nosotros como Ejército Zapatista, el subcomandante Pedro nos demostró que no es nada más decir, sino que hay que llegar hasta donde él nos mostró. No quiero decir que no valgan las luchas pacíficas, por supuesto que sí valen, pero hay que entender que ahí también puede uno caer en varias formas, ya sea que te metan en la cárcel, ya sea desaparecido, ya sea que te maten en torturas y que no se sepa dónde está tu cuerpo. En este caso, sabemos dónde está el sub Pedro, de él sí sabemos.

Lo que él nos enseñó, su palabra, la tenemos presente cada uno de nosotros, y a cada uno de nosotros nos toca ahora demostrar que también podemos cumplir como él.

Habrá otro momento para decir más cosas, tengo muchas anécdotas de él. En los últimos meses del 93, me dijo "si algo pasa tú te encargas, cualquier cosa que pase tú te encargas". Yo no le creía, decía yo "a él le toca", y resulta que cuando estábamos ya peleando, perdemos la comunicación y no hay y no hay la comunicación con él. Mandaba yo al enlace para saber cómo estaba y no hay tampoco, hasta que tuvimos que tomar la presidencia.

Cuando recibí la señal de que había caído el subcomandante Pedro, entonces dije "¡Chin!, ahora sigue lo que me dijo, ahora ¡sí! Y en ese momento uno se olvida de que también puede ser atacado. En ese momento no me importó, tuve que pasar a la otra calle y ahí estaba el sub, le hablé pero ya no había movimiento de él. Así es que se ordenó el traslado a la posición de las compañeras sanitarias… y ahí viene una cosa muy difícil

43

por parte de los compañeros, de algunos milicianos y algunos compañeros insurgentes que lo vieron… algunos empezaron a decir "cómo es posible que un mando cae, él está preparado y todas esas cosas", como si fuera que no es posible que un mando caiga. Entonces tuve que asumir la responsabilidad, había que controlar eso pues, ese miedo, esa desmoralización. Yo les decía a los compas "las balas no respetan, no importa quien sea, pero hay que continuar".

Yo pienso que si hay que ser revolucionarios hay que serlo hasta lo último, porque eso de que uno no llegue a sus consecuencias o deje abandonada a la gente y esas cosas pues no se vale. Nosotros los luchadores, los otros hermanos de otros estados, de este mismo país México y del mundo, necesitamos asumir eso.

Una cosa que es interesante es como se encontraban el sub Pedro y el sub Marcos. A los dos subs los conocí también juntos, cuando se encontraban. Me acuerdo de una vez, y creo que fue la última o de las últimas veces que se encontraron, en una comunidad que se llama Zacatal. Estaba yo ahí, estábamos sentados los tres como en un triángulo, y escuché las indicaciones por parte del sub Marcos al sub Pedro: "Tienes que cuidarte", le decía el sub Marcos. "Tenemos que cuidarnos, porque tú eres el mando primero" decía el sub Pedro. Y entonces el sub Marcos decía "sí, pero yo te estoy diciendo que tú como mando segundo tienes que cuidarte, porque eres mi segundo, y cualquier cosa que me pase, sigues tú". Entonces decía el sub Pedro "nos tenemos que cuidar, pero los dos". Ambos entendían que los dos se tenían que cuidar, pero los dos querían salir a pelear. Se entendían y comprendían pues. El sub Pedro de por sí respetaba cuando le decían muy claras las cosas.

Cómo era la relación de mando a mando, yo lo veía que se respetaban y se querían. A veces estaban hablando y escuchaba yo las voces serias, y al rato estaban ya relajando, chistoseando ahí. Ese es el modo, que uno comprende, entiende lo que hay que corregir o lo que se tiene que aprender.

44

Capitán Federico

En otra ocasión platicaremos muchas anécdotas del sub Pedro. Ahora no se puede todo porque duele…

Capitán Primero Insurgente de Infantería
FEDERICO

Al compañero Subcomandante Insurgente Pedro yo lo conocí desde que me integré a las filas insurgentes. Desde que yo llegué vi sus cualidades como ser combatiente. Fue un buen compañero en la lucha y pues estuvo con nosotros hasta su muerte.

Cuando llegó su momento yo estuve con él en su unidad, él como subcomandante más bien fue mi mando. Él siempre tomaba con mayor decisión los planes, así se veía, era muy duro en cuestiones de seguridad, nos platicaba de la importancia de la seguridad, y en la cuestión militar aprendimos mucho de él.

Él se pegó mucho con el pueblo, convivía, compartía de lo que el pueblo comía, ya fuera pozol, frijol, o café amargo, nunca lo despreciaba. Se veía un compañero muy decidido en la lucha del pueblo. Otra cosa por parte de él, es que siempre supervisaba los trabajos que nos encargaba hacer. Yo me acuerdo un día que salí con él y me dijo: "te preparas mañana porque vamos a reconocer la picada", y caminamos y yo le decía "subcomandante ya caminamos mucho y no hay nada" y él me decía "todavía falta", y caminábamos y caminábamos, y seguíamos caminando y le volvía a decir "no hay nada ya caminamos mucho", y caminamos y caminamos y me dijo "ya falta poco, ahí está", y por fin llegamos y él decía que yo tenía razón, porque apenas estaba aprendiendo a caminar, a resistir más en las condiciones físicas. Y entonces me di cuenta de que él tenía las condiciones físicas, era un compañero resistente en caminar y soportar todas las condiciones del terreno.

El compañero apreciaba mucho a las compañeras insurgentes y también a las bases de apoyo, a las mujeres, a los niños y a los ancianos.

Para salir en 1994, él me ordena que tengo que avanzar hacia delante, él decía que tengo que tomar con mayor seguridad los trabajos. El día que íbamos a salir hacia la dirección donde se tienen que hacer las operaciones militares, el 31 de diciembre de 1993, él todavía prueba los vehículos, y me decía "Lico, voy a probar este vehículo porque se me ha olvidado la práctica". Yo me reía porque se veía que sí sabía mover la unidad. Y salimos, marchamos hacia el terreno de la operación y las últimas órdenes que dicta él son que cada quien salga al lugar que les toca cubrir. Y para mí esas son las últimas indicaciones que él nos dio.

Me acuerdo de otra cosa. A él le gustaba mucho recitar una poesía, el Tecun Uman, y a mí me daba mucha risa, y él me decía por qué te ríes. Es que algo raro, lo escucho y me doy cuenta que el Tecun Uman era Jacinto Canek, un dirigente indígena.

Capitán Primero Insurgente de Infantería NOÉ

Nuestro compañero subcomandante Pedro... primero que nada digo que todo nuestro respeto para él, aunque físicamente ya no está como miembro de este regimiento, lo seguimos respetando... para mí no está muerto.

Yo también conviví con él durante mucho tiempo, y conocí su carácter y su forma de convivir con nosotros en la montaña. Él, como otros compañeros han dicho, es muy feliz cuando está conviviendo con la tropa, él tiene un don de mando que educa, es el maestro de nosotros, nos orientó acerca de la guerra, nos orientó bien para organizar la guerra en contra del mal gobierno.

Para nosotros es como un padre, porque hay cosas que a nosotros no nos salían bien, y él te orientaba, te decía "esto no lo hiciste bien por eso te llamé la atención para que ya no lo sigas haciendo mal", y así nos dejó esa experiencia de no cometer el mismo error que a veces cometemos... así fue durante el tiempo que estuvo con nosotros.

Recuerdo que él siempre caminaba de noche, y nos probaba también a nosotros para ver cuánto habíamos aprendido a caminar de noche con armas, caminar con cuidado. Es estricto también en seguridad, cuando había cosas serias, nos ponía al tanto, siempre nos alertaba, para que así aprendiéramos.

Cuando conmemorábamos algo de algún compañero caído o un cumpleaños, recuerdo que le gustaba mucho bailar una música que se llama "El caballo blan-

Capitán Noé

co", se tiraba al suelo y se ponía a bailar. Siempre le gustaba bailar, y también la poesía de Tecun Uman la recitaba, así nos hacía contentar a la tropa.

Cuando salimos en el 94 cada rato nos decía "ahora si compañeros, llegó la hora, le tenemos que demostrar al mal gobierno que vamos a ganar la guerra porque ya es mucho lo que nos está haciendo". Así nos advertía cosas acerca de la guerra, cómo hay que prepararse, no sabíamos la fecha exacta, pero sí nos decía "entrénense, prepárense, practiquen" y todo eso. Nunca pensamos que ese primero de enero iba a caer él, pero sí estábamos claros que algunos de nosotros teníamos que caer. Nos costó un poco entenderlo pero ni modos, tenemos que seguir sus pasos de él, como nos enseñó… Eso es lo que respeto de él, porque cumplió su deber, amó a su pueblo, nos quiso como su tropa, nos enseñó y por eso seguimos aprendiendo de él, aunque ya no esté con nosotros.

Capitán Primero Insurgente de Infantería LUCIO

Pues hablando del compañero subcomandante Pedro, yo lo conocí en 1989. Antes, en la otra unidad donde andaba yo, de por sí los compañeros que regresaban de prepararse con él decían que es un compañero muy alegre, muy amable con la gente. Y desde ahí yo también andaba con que lo quería conocer. Sí lo conocía en los actos conmemorativos que se realizaban, pero no conocía su carácter personalmente, y desde ese año de

1989 lo empecé a conocer y empecé a prepararme con él, y ahí me di cuenta de que es cierto que era un compañero muy bueno, muy sacrificado, pero también muy estricto. Sacrificado se dice porque a él le gustaba más caminar de noche, y en ese tiempo caminábamos en las picadas, en las lomas. Se sufre en la noche, la lluvia, la oscuridad, la carga, el equipo…

En las cuestiones militares era estricto, porque el insurgente tiene que aprender lo que es la disciplina, lo que es la unidad, el compañerismo. No permitía que uno se sobresalga. Gracias a él tenemos para enseñar a otros compañeros que tenemos ahora. En cuestiones militares nos enseñó todo lo que teníamos que aprender de él. En lo de la política pues es igual, todo lo aprendimos de parte de él, cuando íbamos a los pueblos, hacíamos planes para hacer trabajo hacia las comunidades. Lo que yo enseño, decía, es lo que deben enseñar también a los otros y lo que deben recibir las otras comunidades. También era muy estricto en cuestiones de seguridad, para entrar a una comunidad primero teníamos que preguntar qué hay primero, para saber qué teníamos que enfrentar. La enseñanza del

compañero subcomandante Pedro nos ha servido mucho hasta la actualidad.

Capitán Lucio

Llega el momento en que se decide empezar la guerra. Ese día, aquella tarde, me preguntó, a las seis o siete de la noche, que si estaba yo dispuesto, porque en ese tiempo yo llevaba un arma que se llama SKS, y me la cambió en ese momento y me dio un arma Sten, porque me decía que tenía que tener una mero buena. Le dije "yo creo que sí estoy listo, para eso estoy". Entonces, a partir de eso, como ya explicaron otros compañeros, nos lanzamos y llegamos cerca del lugar donde se tenía que hacer la operación militar. Se distribuyeron las misiones. Nos tocó al mando el Mayor Moisés y con él nos tocó el punto donde estaba la fuerza policiaca, y ahí tuvimos que cumplir. Pasaron muchas horas, nos mandó el Mayor a ver qué pasaba en el grupo donde estaba el subcomandante Pedro. Yo me propuse para ir a verlo donde se encontraba, desgraciadamente lo encontré pero herido de balas y no revisé si todavía estaba vivo. Me encargaron otro trabajo y por eso sólo avisé que estaba herido, ahí dejé de verlo y se quedaron otros compañeros con él.

Su recuerdo que tenemos ahora es toda la enseñanza que nos dejó y que nos sirve hasta la fecha.

Capitán Primero Insurgente de Infantería CORNELIO

Yo me preparé en la unidad que mandaba el Subcomandante Insurgente Pedro, por eso sí lo conocí perfectamente, porque fue nuestro mando en esa unidad, el Sexto Batallón. En su carácter militar era muy estricto en las medidas de seguridad, en el manejo del armamento, en todas las cosas que eran peligrosas, pero también es un compañero que tiene mucha paciencia en enseñar y en corregir.

Siempre, durante todo el tiempo que estuve con él en la unidad,

49

siempre lo vi muy alegre, contento con nosotros… compartía mucho con nosotros. Cuando las cosas iban bien estaba contento, porque hay momentos en que hay problemas en los pueblos, problemas de seguridad, y pues se concentraba ahí a resolver los problemas.

De por sí siempre anduve más tiempo con él porque me nombró como su escolta. Cuando él salía a hacer reuniones en los pueblos me llevaba con él, a veces iba otro compañero, pero casi siempre iba yo. A él le gustaba caminar de noche, a veces caminábamos toda la noche, había lluvia, lodo, todo lo que es sufrimiento, hambre, y todo lo pasábamos. Cuando llegábamos al pueblo no demostraba cansancio, siempre llegaba contento, alegre, y más cuando ya conoce a los pueblos.

Al subcomandante Pedro le gustaba el café y el cigarrito, sus "Alas" de por sí, y cuando llegábamos a un pueblo ya le tenían su cajetilla de cigarros y su jarrito de café, entonces se ponía más contento, más alegre, se va el cansancio…

Cuando no nos salía bien nuestro trabajo, nos llamaba la atención, nos corregía pues, había momentos en que puteaba. Eso sí, es estricto en eso, pero lo analizábamos que de por sí tenía razón, porque nosotros no lo hacíamos bien el trabajo. Y lo bueno es que también él analiza que también se propasó, y entonces viene y nos pide disculpas y nos dice que eso de putearnos no es justo. Así es como él reconoce ese fallo.

Antes de que se confirmara la guerra, él y nosotros ya queríamos los vergazos, partir madres… Nos preguntaba a nosotros qué queríamos y le decíamos que de por sí había que empezar. Cuando se supo que de por sí se iba a hacer la guerra, pues más contento estuvo, se puso más alegre.

Cuando llegó el momento de la guerra, entonces salimos de la montaña, de por sí veníamos platicando… fuimos los últimos que salimos de la montaña, veníamos él y yo platicando de los combates, que ahora sí llegó el día, que ya llegó el momento de que vamos a partir madres. Me encargó unas cosas que yo las guardara y pues hasta ahora tengo un recuerdo, una pluma que tengo de él…

Capitán Cornelio

Cuando llegamos al punto y llegó el momento que teníamos que atacar al enemigo, nos demostró su valentía, demostró que ser vanguardia es ir a atacar al enemigo. Entonces eso es lo que tengo presente, el valor que demostró alguien que está bien decidido. Así fue como nosotros entramos al ataque, y como los ataques se hacen siempre con planes, a él le tocó ir por otro lado. Ya después fue cuando supimos que estaba muerto.

Nosotros llegamos ahí. Yo llegué personalmente en donde estaba el Subcomandante Insurgente Pedro, lo levantamos y lo llevamos a un lugar donde estaban otros compañeros. Así fue como él cayó, pero para nosotros no está muerto, sigue, yo de mi parte lo tengo presente… Es eso lo que puedo decir de nuestro compañero subcomandante Pedro.

Teniente Insurgente de Sanidad GABRIELA

Al subcomandante Pedro yo lo conocí cuando me integré a las filas del Ejército Zapatista. El compañero era muy estricto en las órdenes, en la disciplina, en el compañerismo, y cualquier fallo que teníamos como tropa, nos corregía en buena forma.

El subcomandante Pedro quería mucho a los compañeros bases de apoyo, a las compañeras, a los niños y a los ancianos, a todos pues, les explicaba cuál es la situación, por qué estamos luchando. A él le gustaba caminar en la noche, no le importaba si estaba lloviendo, y nos llevaba también a nosotros, es la forma en que nos empezó a enseñar a caminar en la noche, sin luz, no se usaba lámpara.

Me acuerdo que un día nos tocó salir, nos fuimos a un campamento que se llama "Tortuga" y el compañero subcomandante Pedro se vestía de doctor, por la seguridad que teníamos que cuidar en ese tiempo, y a nosotros nos decía que teníamos que poner ropa civil, vestido. Cuando íbamos caminando encontramos animales y empezó a disparar y nos decía que teníamos que cazar animales, porque había otros compañeros que no tenían alimento y se preocupaba cómo alimentar a su tropa.

Ya después, en la guerra, pues nos dijo al servicio de sanidad que teníamos que prepararnos más, preparar los botiquines para la guerra. Recuerdo que en los últimos momentos nos habló y nos preguntó si ya estábamos listos. Yo contesté que sí. Ya en el terreno de operaciones él me dijo que si había heridos tenía que avisar con él, pero después ya no supe que pasó. Cuando lo empecé a buscar para avisarle que había un herido, me decían que no se encontraba... Llegó el compañero Mayor Moisés para avisarme que el subcomandante Pedro había caído... Yo lo revisé, tenía varias heridas, le inyecté adrenalina pero ya no pudimos hacer nada por él. Y así fue, pero lo importante es que cumplió con su deber, que murió al frente de su tropa porque era un mando que no se quedaba atrás, y nos enseñó muchas cosas... Por eso lo tenemos presente hasta ahorita.

Comandante Abraham
Comité Clandestino Revolucionario Indígena

Así como dicen los compañeros era la vida del subcomandante Pedro. Yo lo conocí muchas veces, pero no conviví mucho tiempo. Lo conocí desde 1985 en los campamentos de los insurgentes, y también en los pueblos. Cuando empecé a conocerlo no tenía grado, después supe que ya tenía grado del ejército, de la guerrilla... El recuerdo que me ha dejado, cuando se tomó la decisión de la guerra, es cómo él aplaudía y cómo bailaba porque estaba saliendo mayoría para hacer la guerra. Él sabía que de por sí ya no había de otra y le daba gusto que se respetara la decisión de los pueblos. Ese es el recuerdo que más me ha dejado, hasta parece que lo estoy viendo...

Y también cuando te habla, cuando te explica una cosa, cuando te dice cómo resolver los problemas, cómo hacer un trabajo, te dice con cariño, te dice bien explicado. En varias ocasiones lo alcancé a platicar, él bromea, es chistoso como nosotros que bromeamos. Ya el mero día del enfrentamiento no salí con él, porque salió con otros compañeros, a nosotros nos tocó en otro lado.

Nosotros lo tenemos en la mente presente, pues seguimos su ejemplo, su lucha de ese compañero que murió con nosotros.

Teniente Gabriela

Compañero Gerardo
De los primeros pueblos zapatistas

En el caso del subcomandante Pedro, ciertamente lo conocimos y trabajamos pues con él y nos ayudaba en muchas cosas, nos daba orientaciones. Fue una persona buena pues, lo conocí como bueno.

El compañero subcomandante Pedro era una persona consciente, donde quiera que íbamos a las reuniones él era el que nos daba pláticas en las regiones, porque antes no había municipios como hay ahora, yo me acuerdo de eso, pues trabajamos juntos un largo tiempo.

Hasta que llegó el día de la guerra del 94, hasta ahí todavía nos dio pláticas, nos orientó algunas cosas, nos dijo cómo es que nosotros tenemos que manejar nuestro pueblo como responsables, que siempre tenemos que estar concientes en cualquier momento cuando el pueblo nos necesite. Yo no pude recibir otro cargo porque estaba pobre de letra, pero sí tomaba en cuenta lo que nos decía. Siempre nos daba la orientación, nos decía que teníamos que poner el esfuerzo, la paciencia, que así vamos a lograr algunas cosas.

Los cambios que se fueron dando y que se dan ahora, pues él desde esa fecha nos orientó, nos dijo las cosas que debemos hacer. Cuando se dio la guerra, pues ya no volvimos hablar con él, pero sí recordamos lo que nos decía.

Es como si fuera que viviera, es algo doloroso, pero lo recordamos y lo respetamos.

COMPAÑERO RAÚL
Responsable regional de los pueblos zapatistas

Yo al subcomandante Pedro sí lo conocí. Él era muy alegre, donde lo ví fue en un pueblo que se llama Zulma. Ahí estaban reunidos todos los insurgentes, él se sentía muy a gusto ahí, hacía muchas muecas, muy alegre pues.

El subcomandante Pedro apoyó bastante en la guerra. Cuando hubo la reunión para decidir lo de la guerra a él lo ví cómo se sentía muy a gusto, muy alegre, porque de por sí es lo que decimos los pueblos.

Así lo recuerdo, alegre…

III
1983-2003
De la clandestinidad inicial a las Juntas de Buen Gobierno

"Veinte años son muy poco, falta", dicen los insurgentes del Ejército Zapatista de Liberación Nacional, los mismos que día tras día hacen guardia en la montaña, los que están pendientes, los que salieron la primera madrugada de 1994 dispuestos a morir sin imaginarse el camino que seguiría su lucha.

En esta parte de los testimonios, los insurgentes y los representantes de los pueblos coinciden en que después del primero de enero todo los tomó por sorpresa. "No sabíamos ni siquiera que íbamos a vivir", dicen, y sus palabras toman mayor sentido después de haberlos escuchado hablar del subcomandante Pedro.

Todos coinciden en el orgullo que les da pertenecer a una lucha "en la que no nos cuentan los avances, sino que los vemos, los vivimos, los hacemos". Si nunca imaginaron el encuentro con la sociedad civil, menos que un día los pueblos estarían organizados en las Juntas de Buen Gobierno, ésas que ahora son una realidad en territorio rebelde, donde el que manda, manda obedeciendo.

"Nuestro modo —dicen— es que primero hacemos la práctica y luego la teoría" y así explican la organización de su autonomía, el momento actual de su lucha.

¿Del gobierno? "De ese no hay que esperar nada, ya lo conocemos", coinciden cada uno por su lado. Lo que sigue, aseguran, es resistir, organizarse y seguir siendo rebeldes. "Eso siempre lo vamos a ser"...

Mayor Insurgente de Infantería MOISÉS

¿El balance de estos 20 y 10 años? Primero voy a hablar de aquellos diez primeros años en los que estábamos organizando los pueblos y formando los insurgentes y milicianos, de 1983 a 1993. La organización encontró la forma de encontrar a la gente en esos años. Nuestro EZLN supo adaptarse a nuestros pueblos indígenas, o sea que la organización supo hacer los cambios que se necesitaban para poder crecer. En el modo de reclutamiento era que nosotros nos teníamos que adaptar como comisarios políticos... Los compañeros tienen una forma de vida y encontrarles su modo hizo que avanzara mucho el trabajo para tener cada vez más pueblos.

Cuando empezamos había problemas de tierra, por ejemplo en la brecha lacandona, en Montes Azules, en los precios de sus productos, en la comercialización, y todos esos problemas lograron que los compañeros entendieran un movimiento como el del Ejército Zapatista. Nosotros les platicábamos las luchas de Lucio Cabañas, de Zapata, de Genaro Vázquez.

Nuestra organización empezó a organizarse mejor. Cuando explicamos porqué luchamos se empezó a plantear más claro lo que queremos con esta lucha y para qué. Yo de por sí hice el trabajo de comisario político, o sea que me tocó explicar nuestra lucha a grupos de familias de cada pueblo, explicaba porqué luchamos en el EZLN, se les invitaba a participar en la lucha y se les dice cómo hay que cuidarse porque todo es clandestino. Se les dice que estamos en contra del gobierno, que luchamos contra el sistema que nos tiene jodidos. Explicamos cada punto de porqué luchamos. El problema de cuando explicamos nuestra lucha es, por ejemplo, que les decimos de la salud, y ellos entienden que luego luego va a haber buena salud y buena educación. Entonces viene la explicación de que la lucha es larga, de que un día tiene que haber una guerra para poder conseguirlo, que el gobierno no ha entendido de otra manera, porque al gobierno no le interesan ni le preocupan los indígenas. Les explicamos lo que de por sí viven ellos y pues ellos saben que de por sí así está su situación y nos preguntan qué hay que hacer. Y nosotros les explicamos las luchas de Villa, de Zapata, de Hidalgo y cómo se han conseguido las cosas, les explicamos que gracias a esos movimientos se consiguieron algunas cosas pero que falta.

Entonces les explicamos nuestro sueño. Y les decimos que luchamos por buena educación, buena salud, buen techo y todo por lo que de por sí luchamos. Cuando fue pasando el tiempo la organización comenzó a mostrarse y a crecer. Empezaron los batallones de insurgentes y de milicianos. Se empezaron a construir clínicas en cada región, estas clínicas las organizábamos los insurgentes y es así como el EZLN empieza a darles servicios a los pueblos y a organizarse con ellos. Todo esto es un gran sacrificio, pero así ya empiezan los pueblos a participar más y ellos mismos ayudan a construir sus clínicas.

Nosotros como insurgentes fue un gran avance que logramos que los pueblos nos den su apoyo. El resultado del trabajo político que se hizo es que los pueblos ya mantienen a su ejército. Antes no era así. La comida de los insurgentes que estaban en montaña la traían de la ciudad. Cuando fue avanzando el trabajo político el sostén de la tropa quedó en manos de las comunidades. Ellos empezaron a sentir que son lo mismo. Es cuando empiezan a formarse estructuras ya como organización. Los pueblos nombran a sus representantes, a sus responsables locales, y esos responsables tienen la tarea de controlar, vigilar y llevar información a su pueblo. El responsable local es el enlace entre su pueblo y los insurgentes. Después se formaron las regiones, donde ya se reunían puros responsables locales. Ahí en sus

Comandante Abraham, Capitàn Lucio, Mayor Moisés, Teniente Gabriela,
Compañero Raúl, Capitán Federico, Capitán Noé, Compañero Gerardo y Capitán Cornelio

reuniones de responsables locales elegían su responsable regional, o sea un responsable de varios pueblos. Ellos necesitaban comunicarse y coordinar su trabajo, para cuidar y vigilar más. Ellos tenían que comunicarse entre pueblos para enterarse de cualquier cosa, por ejemplo si había movimientos militares o si se acercaban personas extrañas, y entonces lo comunicaban a la montaña y así ya teníamos controlado el territorio.

La organización creció tanto que tuvieron que crearse nuevos mecanismos de comunicación. Porque antes el enlace era caminando y se tardaban hasta días en contactarnos, pero luego la organización era tan grande que se tuvieron que empezar a usar los radios y así ya se tenía comunicación entre ellos y con nosotros en la montaña.

En las reuniones regionales los compañeros empezaron a sentir la fuerza de la organización, porque cada responsable sabía cuántos insurgentes y cuántos milicianos hay, y ya todos saben que somos un chingo. Y aparte que están viendo la fuerza, están viendo que la situación cada vez está más difícil, que cada vez están más jodidos y pues empiezan a querer lanzarse. Ellos ya vieron que sí pueden organizarse, ya saben cuántos insurgentes y milicianos hay, cuántos pueblos controlamos, y ahí se nace la idea de que el pueblo necesita su autonomía.

Los pueblos se dan cuenta que los proyectos que el gobierno les daban a las comunidades no eran decisión de la gente, nunca les preguntan qué quieren. El gobierno no quiere sacar adelante las necesidades de los pueblos, sólo quiere seguirse manteniendo. Y ya desde ahí nace la idea de que hay que ser autónomos, que hay que imponerse, que hay que ser respetados y que hay que hacer que se tome en cuenta lo que los pueblos quieren que se haga. El gobierno los trataba como si los pueblos no saben pensar.

Entonces poco a poco se va tomando la decisión de que está llegando su tiempo de levantarse en armas y así llegamos a 1992.

Ya son tantos miles que es cada vez más difícil controlar la seguridad. ¿Imagínate cómo se puede guardar tanto tiempo la clandestinidad entre tantos miles y miles de compañeros?

¿Cómo le vamos a hacer para conseguir buena salud, buena educación, buen techo, para todo México? Todo esto es un compromiso demasiado grande. Y pues así lo veíamos. En esos primeros diez años adquirimos muchos conocimientos, experiencias, ideas, formas de organizarnos. Y pensábamos, cómo nos va a recibir el pueblo de México (porque no le llamábamos sociedad civil). Y pues pensábamos que nos van a recibir con alegría porque de por sí vamos a pelear y a morir por ellos, porque queremos que haya libertad, democracia y justicia para todos. Pero al mismo tiempo pensábamos ¿Cómo será? ¿Será que sí nos van a aceptar?

Lo de ahora, lo de los últimos diez años, desde las últimas horas de 1993 y los primeros minutos de 1994 hasta ahorita, lo que vemos es que la gente ya sabe quiénes somos, qué buscamos y para quién es eso que buscamos. Después de los primeros días de enero lo que vimos fue la gran movilización del pueblo de México. Ellos, el pueblo, salen a defendernos, salen a las calles para decir que se pare la guerra…Yo todavía me pregunto cómo fue posible que miles y miles de personas sin saber todavía quiénes somos salieran a las calles a apoyarnos. Pero creo que de por sí vieron que estamos dispuestos a morirnos por lo que buscamos, porque ya no hay de otra.

Después el pueblo de México nos obligó a buscar otros caminos además de las armas. En todo este tiempo, en estos diez años de lucha pública, vimos que estábamos en otra etapa, porque no nos conocíamos con la gente y ni ellos nos conocían y entonces empezamos a reconocernos. Vimos que era una etapa en la que necesitábamos que nos conocieran y nosotros conocerlos a ellos.

Como Ejército Zapatista aceptamos el diálogo porque la gente así nos lo pidió. Pero ahora eso ya es historia, ahora el pueblo de México, indígenas y no indígenas, ya se dio cuenta de que con el gobierno no se puede. El gobierno y los ricos no van a renunciar a dejar de explotar, ellos van a defenderse. Ellos encarcelan, matan, torturan, desaparecen, así es su modo. Con nosotros que somos un Ejército también lo intentaron.

El gobierno y los partidos se volvieron a burlar de los indígenas. Supuestamente dialogar es para solucionar y de nada sirvió con ellos, pero sí sirvió que conocimos a la gente.

La pregunta que surgió entonces, cuando se vio que no vale para nada el gobierno, fue ¿Qué vamos a hacer si no resuelve el gobierno, si ya vimos que con ellos no se puede?

Pero el diálogo sí sirvió con el pueblo, porque nos encontramos los explotados, los pobres de muchas partes, nos conocimos entre nosotros. Y es ahí donde nosotros empezamos a aprender de ellos, de sus luchas y pues también les explicamos cómo luchamos nosotros.

Nosotros sentimos que con el pueblo de México ambos nos estamos echando la mano. Ellos se han arriesgado a venir a conocernos acá y nosotros también nos hemos arriesgado a ir a sus lugares, todo para conocernos y para escucharnos. Eso sirvió mucho para explicarles a nuestros pueblos el apoyo de otras personas a nuestra lucha. Ellos confirmaron directamente que están con nosotros el pueblo, aunque no están dispuestos a empuñar las armas.

Nosotros ya teníamos un territorio controlado y para organizarlo fue que se crearon los municipios autónomos.

Al EZLN le sobran ideas de cómo es un pueblo organizado y libre. El problema es que no hay un gobierno que obedezca, sino que hay un gobierno mandón que no te hace caso, que no te respeta, que piensa que los pueblos indígenas no saben pensar, que quieren tratarnos como indios pata rajadas, pero la historia ya les devolvió y les demostró que sí sabemos pensar y que sabemos organizarnos. La injusticia y la pobreza te hacen pensar, te producen ideas, te hacen que pienses cómo hacerle, aunque el gobierno no te escuche.

El diálogo con el gobierno no sirvió para nada pero a nosotros nos enriqueció, porque así vimos a la gente y nos dio más ideas. Nosotros desde la Marcha del Color de la Tierra dijimos que con ley o sin ley vamos a construir nuestro gobierno como lo queremos.

Nosotros de por sí tenemos el modo de que primero hacemos la práctica y después la teoría. Y así fue, después de la traición, cuando los partidos políticos y el gobierno rechazaron el reconocimiento de los pueblos indios, empezamos a ver cómo es que le vamos a hacer.

En la práctica nosotros hicimos los municipios autónomos y después pensamos en una asociación de Municipios Autónomos, que es el antecedente de las Juntas de Buen Gobierno. Esta asociación es una práctica, es un ensayo de cómo tenemos que ir organizándonos. De aquí nace la idea de cómo ir mejorando y así se da la idea de la Junta de Buen Gobierno.

Nosotros de por sí tenemos una idea y la llevamos a la práctica. Pensamos que son ideas buenas pero ya en la práctica vemos si tienen problema, o cómo vamos a ir resolviendo los problemas.

Cada municipio tiene diferentes problemas que enfrentar. Hay unos que avanzan más y otros que avanzan menos, pero cuando se juntaron y empezaron a platicar cómo resolvía cada uno sus problemas, eso hizo que se formara una estructura nueva, que son las Juntas de Buen Gobierno.

Ahora ya están teniendo encuentros entre las diferentes Juntas de Buen Gobierno y así van viendo la mejor manera de resolver los problemas. Se encuentran cuando tienen problema una Junta con otra, pero también para ayudarse en otros trabajos y para avanzar en todo lo que se le está presentando a cada Junta.

Le estamos demostrando al país y al mundo que para poder desarrollar una vida mejor, se puede sin la participación del mal gobierno. Esos avances de salud, de educación, de comercio, esos son proyectos que estamos haciendo con la sociedad civil nacional e internacional, porque juntos todos estamos construyendo esto que pensamos que es un beneficio para el pueblo.

¿Por qué nos apoya el pueblo de México y de otros países? Pensamos que porque ven que nosotros no sólo estamos pensando en nosotros. Sólo decimos que el pueblo sí puede planear y decidir cómo debe ser su economía y su gobierno, y nosotros estamos trabajando en la práctica esta manera de gobierno.

Todo este trabajo es una responsabilidad muy grande. Se siente como la canción "el tiempo pasa y nos vamos haciendo viejos" y nosotros no queremos hacernos caudillos ni dirigentes, por eso el pueblo debe estar organizado.

Hay una preparación en medio de los patrullajes, de la contrainsurgencia, de los paramilitares y en medio de muchos otros problemas. Y así, en medio de todo esto, se siguen preparando.

El que no tiene reconocimiento es el gobierno constitucional, porque si no ¿por qué las Juntas tienen ahora más trabajo que ellos? Las Juntas están resolviendo problemas que antes resolvía el Ministerio Público. Ahora los pueblos, aunque no sean zapatistas, van a buscar la justicia a las Juntas. Entonces, digo yo, los que no son constitucionales son ellos. A nosotros sí nos reconocen.

¿Qué siento en este 20 aniversario? Estos 19 años que yo llevo han sido duros, pero no es nada, falta mucho que hacer. Pero ahora la diferencia es que ya nos conocimos y ya estamos con el pueblo de México y con otros hermanos de otros países. Yo espero que sí esté en sus corazones que no estamos solos, como ellos dicen. Ahora se necesita que pasen a la práctica. Quisiéramos que un día ya no haya "ellos" y "nosotros", sino que todos seamos los mismos, los zapatistas. Vamos a ir construyendo junto con ellos el beneficio para el pueblo.

Yo la verdad no pensé que íbamos a ver esto. Resulta que no nos morimos todos y que aquí estamos, y que todavía falta más. Ahora al pueblo de México es al que le toca decir qué cosas se han logrado y sobre todo qué falta hacer.

Veinte años es muy poco. Falta…

Capitán Primero Insurgente de Infantería FEDERICO

Para mí que tanto los insurgentes como los pueblos no pensábamos que la lucha se hiciera tan pronto, que tan pronto llegáramos a este momento, aunque falta mucho... Más bien a mí como insurgente la idea y el pensamiento era que nos preparamos a hacer la guerra contra el gobierno y así seguir, como se dice en la Primera Declaración de la Selva Lacandona, que vamos a llegar peleando hasta la capital y yo estoy convencido en ese sentido.

Y es que así nos formaron, así estaba creada la idea. Y resulta de que no fue así. La lucha, la guerra, nadie lo sabía cómo se va a presentar. Los compañeros de los pueblos, por ejemplo, si tenían animales o poco dinero, pues como uno sabía que va a morir, pues había que comérselos o gastarse el poco dinero, así estábamos preparados. Estamos pensando que si nos matan es por una razón de la lucha, no que vamos a morir sólo por morir. La mentalidad en aquellos tiempos era más centrada en la cuestión militar, pensamos que el pueblo de México va a alzarse en armas y así todos juntos vamos a derrocar al gobierno.

En los primeros diez años, de 1983 a 1993, pasaron cosas buenas. La organización supo crecer, supo resolver sus problemas internos y supo cuidarse del enemigo. Aunque el enemigo descubrió nuestra presencia como grupo armado revolucionario, pero supimos salir adelante y seguir creciendo. Nuestros problemas o nuestras fallas nunca fueron tan grandes como para que nos despareciéramos, porque estamos bien claros y convencidos de la idea de nuestros primeros compañeros, que pasara lo que pasara nunca nos vamos a retroceder. Así se vio claro cuando se hicieron un chingo de pueblos y de milicianos y de insurgentes.

De estos diez años de lucha pública que también hemos intentado sin armas, aunque sin dejarlas, hemos logrado avances. Como por ejemplo en la cuestión política, desde los primeros días del primero de enero fuimos muy claros en nuestra palabra, demostrando con los hechos porqué estamos peleando y el pueblo supo entender nuestra causa. Nosotros le dijimos al pueblo realmente como vivimos, la pobreza, la situación de los obreros, la explotación. Nosotros no estamos luchando por interés nuestro, sino que es por todo México, por todo el pueblo, y es por eso que la sociedad civil apoyó y sigue apoyando.

El avance primero es que nos entendiera la sociedad civil y no sólo, sino que también junto con nosotros comenzara a exigir las demandas y a enfrentar al gobierno.

Hay otro aprendizaje, y es que nosotros vemos que hay otros pueblos que luchan y resisten, porque la explotación no sólo está en Chiapas, sino que hay esa explotación en todo México. Nosotros hemos escuchado su propia lucha de otros indígenas, también han muerto exigiendo sus demandas, y también resisten con sus propios modos.

Yo siento bueno que estamos cumpliendo 20 años y diez años. Vemos que hemos construido algunas cosas por la lucha pacífica, pero no quiere decir que ya terminamos, falta. Veo bien y siento bueno, pero siento que todavía falta un chingo…

Hablando internamente, lo más grande es la formación de las Juntas de Buen Gobierno. Nuestros propios pueblos han aprendido y están aprendiendo a organizarse sin el gobierno. Ellos, nuestros pueblos, de por sí saben gobernarse. Por ejemplo, en su educación ahí lo llevan muy distinto a la educación que da el gobierno. Ahí está su salud, su hospital. Ahí están sus pequeñas bodegas. Y pues no es otro cabrón quien nos está diciendo cómo hacer las cosas, sino que nosotros que no sabemos leer y escribir de por sí estamos sacando el trabajo adelante.

Siento orgullo de todo este trabajo, porque vemos que vamos para adelante, porque cada día vamos avanzando y eso lo vemos. Vemos que cuando decimos una cosa pues la logramos y eso da mucho orgullo. Y nuestros pueblos así mero se sienten, aunque nadie se confía. Estamos convencidos de que seguimos siendo rebeldes, eso siempre lo vamos a ser.

Capitán Primero Insurgente de Infantería NOÉ

Para mi es un logro muy grande cumplir 20 años de la formación del EZLN. Llegar a tener 20 años es algo bueno. Es un logro del sueño de los compañeros que llegaron primero. Cuando nos prepararon pensaba yo que iba a ser puro disparo. Ya después de los primeros días de 94, cuando nos dimos a conocer quién éramos y porqué luchamos pues todo se cambió, porque la sociedad civil empezó a entender nuestra lucha. Y ahí si quiero decir que gracias al compañero Subcomandante Insurgente Marcos que hizo entender a la gente que nuestra lucha no era sólo para nosotros sino para todo México, que vieran todos que estamos olvidados.

No pensamos que vamos a cumplir 20 años así. Cuando salimos a la guerra estamos pensando quién regresa y quién no. Por eso el Subcomandante Insurgente Pedro nos preguntó si estábamos decidimos y pues sí estábamos.

En estos diez años sí hemos visto logros, porque primero que nada la sociedad civil ya entendió cuál es nuestro objetivo de exigir nuestros derechos como indígenas, nuestras trece demandas para todos los mexicanos. Cuando la gente empezó a entender nuestra lucha empezaron a organizarse, a buscar cómo se van a organizar con nosotros. Entonces vienen los encuentros con el EZLN, como la Convención Nacional Democrática, y nuestra organización se apuesta más en la lucha pacífica y empezamos a trabajar junto con ellos en estos diez años. Pero aún con la lucha pacífica con la sociedad civil nunca hemos dejado las armas, porque sabemos que son la seguridad. Si no se logra por medios pacíficos nosotros seguimos dispuestos. Nosotros no llamamos a que se organicen en un ejército, sino que organicen ellos su resistencia. Nosotros, nuestros pueblos, nos estamos organizando en Juntas de Buen Gobierno, y eso demuestra que sí podemos hacer cosas sin el gobierno. Por eso se crearon estas medidas sin permiso de ellos.

Como Ejército Zapatista que somos, nosotros los insurgentes vamos a proteger a los pueblos. Ahorita las Juntas, por ejemplo, deben de mandar obedeciendo. En otros lados también pueden organizar su autonomía, porque no hay que esperar al gobierno porque nunca va a dar nada. Sólo se necesita conciencia y valor porque vas a enfrentar al gobierno y ese gobierno pues no lo va a permitir.

Hemos visto que en estos diez años públicos se ha combinado nuestra lucha, buscando alternativas para no ser tan guerreristas, como decimos nosotros. Damos chance a que se organicen afuera y nosotros también nos organizamos adentro.

Sí se puede hacer la lucha pacífica pero estamos dispuestos a usar nuestras armas, como hace diez años. De por sí somos el EZLN.

Queremos respeto a cómo nos organizamos. Estamos demostrando que podemos empezar desde chiquito y pues ir haciendo más grandes y estamos seguros que lo vamos a lograr. Nunca pensamos que vamos a lograr todo esto, pero ahora lo vemos.

Nunca me imaginé que se va a juntar tanta gente. Antes de 1994 no había temor. Pensamos que el pueblo se va a levantar con nosotros con las armas, pero no pensamos que nos va a parar la sociedad civil para conocernos. Hemos conocido muchos y ahora ya sabemos quiénes son. En estos diez años hemos aprendido cosas. En la política aprendimos que un gobierno debe mandar obedeciendo, ya lo sabíamos pero también lo aprendimos. En cuestiones militares también hemos aprendido mucho estos diez años. Hemos aprendido a resistir frente a los 75 mil soldados que nos mandaron, aprendimos a burlar cercos, sus inteligencias militares, sus estrategias que nos tendieron, y las burlamos con y sin armas. Nunca caímos en sus provocaciones pero aún así los burlamos. En lo económico pues seguimos en la resistencia. Lo que nos dé nuestro pueblo es lo que usamos. En la ideología hemos entendido que así vamos a seguir hasta que nuestros pueblos nos digan.

Capitán Primero Insurgente de Infantería LUCIO

Hablando de los primeros diez años de la lucha, fueron de preparación política y militar de nosotros los insurgentes y de nuestras comunidades. Fue mucha preparación de todos. Lo que yo veo ahora es que esos diez años, de 1983 a 1993, sirvieron mucho y siguen sirviendo, porque aprendimos mucho y eso es lo que se ve ahorita. Nuestra organización para nosotros y para mucha gente trajo algo que antes no existía. Ahorita lo que estamos viviendo es por todo lo que pasamos antes, en esos diez años atrás.

Se tenía que hacer la guerra y así se hizo. Se tenía que luchar con las armas y así lo hicimos de por sí. Estábamos claros de que la lucha es con las armas y así estábamos convencidos, porque nos preparamos para eso.

Ahora lo que veo es que después de diez años, estamos claros de que de por sí debió empezar la guerra en 1994 y que todavía puede alargarse más, porque es largo el camino, pero vemos que no le hemos fallado al pueblo.

De lo que hemos aprendido en todo este tiempo, pues es que sabemos bien dónde está el enemigo, pero también dónde están nuestros aliados de lucha.

Nosotros teníamos la idea de que vamos a luchar por mucho tiempo, pero con la lucha armada, pero resulta que tenemos que hacer otras cosas y que tenemos que aprender y que la gente nos apoya, pero no con las armas.

A mí me da orgullo este tiempo. Han sido muchas las cosas que alcanzo a ver desde que se hizo la guerra y lo que nuestros pueblos siguieron viviendo. Lo que yo veo es que nosotros no sólo decimos las cosas, sino que las hacemos.

La gente no salió a apoyarnos con las armas pero si apoya las causas y sí está en contra del gobierno. Esto no quiere decir que ya las armas no sirven. Las armas aquí están. Pero también hacemos lucha pacífica con los pueblos de otras partes de México y del mundo.

De 1994 para acá hemos tenido oportunidad de conocer mucha gente y hemos aprendido. También hemos aprendido mucho de la guerra, a defendernos y luchar, a burlarnos del enemigo. Porque antes en los primeros diez años era pura preparación, y ahora estos diez años usamos esa preparación político militar para defendernos.

Hemos recibido golpes duros, pero eso nos ha enseñado a resistir y a resolver los problemas que enfrentamos.

Yo pienso que así como hemos llevado la lucha hemos tenido la oportunidad de conocer a otras personas de México y de todo el mundo. A lo mejor de otra manera nunca los hubiéramos conocido. O sea que si nos seguimos todo el tiempo echando tiros pues quién sabe si nos da tiempo de conocernos con la gente.

Yo estoy muy claro de que ahora estamos haciendo la lucha de acuerdo a las necesidades y al crecimiento de nuestros pueblos. En eso estamos ahora y pensamos que a lo mejor otros pueblos de México van a decir o van a ver que sí se puede organizar el pueblo, aunque ellos lo hagan de otro modo.

Yo no sabía si íbamos a llegar a tener Juntas de Buen Gobierno y ahora ya las tenemos porque así se necesita y esto es muy bueno para los pueblos. Y esto va para adelante porque de por sí hay muchos planes y esto está creciendo un chingo.

Yo le veo mucha diferencia a este tiempo con otros tiempos. Nuestros niños ya están naciendo con una escuela y con una clínica, con su propio sistema de educación y de salud. Todavía está dura la cosa en cuestiones de producción y de comercialización pero ya están buscando la manera de que se solucione y que haya proyectos y esto está muy bueno, porque ya no es lo mismo que antes.

En las tropas nos seguimos manteniendo y seguimos creciendo. Nuestro trabajo es proteger el trabajo de las Juntas de Buen Gobierno y en eso estamos pendientes. Estamos esperando órdenes por si hay otra cosa, pero ahorita ese es nuestro trabajo, nuestra tarea, nuestro deber como insurgentes.

Capitán Primero Insurgente de Infantería CORNELIO

Durante estos 20 años han pasado muchas cosas pero todo es una ganancia. Antes era diferente la idea en el trabajo clandestino. Nosotros nos preparamos para una guerra por unas demandas que teníamos que alcanzar. Nosotros nos dedicamos mucho a la preparación militar y estamos claros de que vamos a pelear con las armas hasta triunfar, no estamos pensando en otra cosa o en que lo vamos a poder hacer de otra manera.

Nosotros somos militares y pues llegó su momento de salir al combate. Antes de abandonar los campamentos para salir a la guerra, yo de mi parte me despedí de la montaña. Sabía que seguía el combate y que a lo mejor voy a vivir o a morir, pero resulta que después empezamos a ver nuevas cosas y eso nos confunde un poco. Pero ya ahora, después de diez años, pues estamos muy claros. Sabemos que la lucha se puede hacer de muchos modos. Después de diez años estamos claros que todo lo que logramos es porque de por sí hicimos esa guerra. El apoyo popular, la confianza que nos tienen, es otra arma y con eso podemos lograr muchas cosas, aunque con el gobierno ya vimos que de por sí no se puede lograr nada.

Ahora lo veo cómo es realmente el desarrollo de nuestra lucha, cómo es una guerra, cómo sigue su camino. Los movimientos que hemos hecho con nuestra lucha, salir a platicar con otros pueblos de México, salir encapuchados y uniformados, todo eso lo hicimos y yo nunca pensé que se iba a poder.

Ya hasta llegamos a la mera capital pero antes pensamos que lo vamos a hacer con las armas. El gobierno de por sí no oye ni los partidos políticos, pero eso no importa porque de por sí llegamos, nos vimos con la gente y eso es mucha ganancia.

Para los pueblos sigue seguir resistiendo y seguir organizándose. Nosotros como insurgentes sigue seguir cuidando y preparándonos militar y políticamente, porque nosotros los insurgentes de por sí existimos. Seguimos preparándonos, seguimos entrenando, seguimos lo que nos toca de por sí como militares. A los pueblos les toca sacar adelante nuestros municipios autónomos, mandar obedeciendo como realmente debe gobernar una autoridad. Ya todo lo estamos poniendo en práctica porque eso es lo que toca.

Durante estos diez años los insurgentes aprendimos cómo rechazar las diferentes guerras que nos hace el gobierno, tales como la guerra psicológica, la guerra sucia, las provocaciones, los paramilitares… Nosotros ya aprendimos cómo rechazar esas guerras y aprendimos a resistir en cuestiones de la vida. Nosotros vemos cómo van mejorando nuestros pueblos y cómo aprenden a resistir y por eso decimos que nosotros mismos aprendemos de nuestros pueblos.

Yo me siento contento porque lo estamos viviendo nuestros avances, nadie nos los platica sino que nosotros lo vemos. Estos diez años ni los sentimos como pasaron, es que hay tanto trabajo que ¿acaso se sienten los años?

Teniente Insurgente de Sanidad GABRIELA

Nosotros como insurgentes explicamos a los pueblos que la lucha va a tardar muchos años. Les hablábamos a las mujeres, a los jóvenes, y así empezamos a formar batallones y luego regimientos. Y empezamos a crecer mucho y nuestra organización se hizo muy grande. Fue puro crecer esos diez primeros años y se fueron integrando cada vez más compañeros insurgentes.

Después de 1994, ya cuando salimos en la guerra, fuimos decididos de por sí para lo que pasara, pero resulta que aquí seguimos, vemos nuestros avances y nos sentimos que vivimos de por sí para seguir trabajando. Lo que veo es que cada año hay más participación y crecemos más. Por ejemplo las compañeras antes participaban muy poco, pero después de 1994 se fue abriendo más el camino para las compañeras. Las compañeras de los pueblos vieron cómo las insurgentes también salimos a la guerra y cómo empuñamos las armas y nos vieron cómo salimos como los compañeros. Ahí se vio cómo las mujeres no sólo servimos para la cocina o para mantener a los niños, sino que también podemos participar en las filas de los insurgentes.

Así fue como después de la guerra empezaron a llegar más mujeres. Ahora veinte años después siguen llegando mujeres insurgentes. O sea que siguen llegando más compañeras y realmente lo estamos demostrando que estamos creciendo. También en los pueblos están creciendo, también ya hay más mujeres como responsables locales, regionales, miembros del Comité, también se integran a los trabajos de salud, de educación y otros trabajos que de por sí se necesitan en nuestra lucha.

También hay cambio en su pensamiento de los hombres de los pueblos. Ahora ya dejan que las mujeres participen, porque antes no daban permiso. Su pensamiento de los hombres ha cambiado y, aunque falta, ya no es lo mismo de antes. Esos cambios de los hombres de por sí las compañeras han luchado por ellos, porque están conscientes de sus derechos y los obligan a que se den esos cambios.

Estos diez años pasaron bien rápido. Yo creo que así se siente por los trabajos que hay y por la participación. Aunque tenemos problemas la gente no deja de participar, ya tenemos nuestros gobiernos en los pueblos. Las Juntas de Buen Gobierno ya se encargan de resolver los problemas, pero es poco a poco. Los pueblos mandan a sus Juntas, no es que las Juntas hacen lo que quieren. Aquí el pueblo es el que manda.

Yo como parte de los servicios de salud veo que hemos crecido mucho. Al principio hicimos unas clínicas que atendían pequeñas necesidades, pero eran muy chiquitas. Pero después de 1994 el servicio ha crecido mucho, pero es poco a poco. Ahorita hay promotores de salud en cada pueblo, hay botiquines, hay explicaciones de salud. El pueblo siente que su promotor de salud los entiende porque es de ahí mismo, no es del gobierno. Ahora ya hasta tenemos hospitales y ahí se preparan los promotores que atienden en las microclínicas. Todavía hay muchas necesidades, pero las enfermedades más leves ya las atienden en los propios pueblos.

En nuestros territorios se han disminuido infecciones de vías respiratorias, parasitarias, intestinales. Todo esto se ha logrado de por sí por el trabajo y por la organización, y por la gente de la sociedad civil que ha apoyado. Los promotores dan muchas explicaciones de la higiene y por eso se ha logrado su disminución de la enfermedad.

En los hospitales poco a poco ya se atienden urgencias. Yo de por sí pensé que todo esto se iba a dar, porque aunque nos decían que nuestra lucha iba a ser larga y que se iban a dar más trabajos, también pensé que vamos a ir viendo el cambio. El Subcomandante Insurgente Pedro nos decía "si nos morimos prepárense porque va a haber más trabajo, porque va a llegar más gente".

Yo sí pensé que va a venir más gente de México y de otras partes, porque de por sí así nos decían nuestros mandos. Nos decían que los obreros, los maestros, los estudiantes, algún día van a estar con nosotros y fue cierto porque de por sí han venido. Han venido médicos hasta de otros países para ver cómo nos organizamos, para participar con nuestros promotores de salud. Hay mucha diferencia con los hospitales del gobierno, porque aquí no se cobra, los promotores trabajan gratis para sus pueblos.

Estoy orgullosa de nuestra lucha, porque se ven realmente las mejoras para nuestros pueblos, porque hay gente de otros países que nos apoya, porque estamos demostrando que no buscamos el poder, sino que luchamos para todos los marginados. Otros revolucionarios dicen que van a tomar el poder pero no hacen nada, pero nosotros decimos que no vamos a tomar el poder y sí nos organizamos. Por eso estoy orgullosa.

Nosotros somos como un puente por donde pueden pasar otros compañeros, así como dice el compañero Subcomandante Insurgente Marcos.

Compañero Raúl
Representante de los pueblos zapatistas

Nosotros nos pasamos diez años preparándonos en colectivo para una guerra larga. Sembramos frijol, caña, plátano, yuca, porque pensamos que nos va a servir para cuando el enemigo nos esté atacando a los pueblos.

Nosotros, pues, como pueblos empezamos a organizarnos para la guerra. De por sí firmamos nuestra acta de la guerra porque de por sí ya no vemos de otra. Y pensamos que de por sí nuestra lucha se va a llegar hasta la ciudad de México, pero luego vino la guerra y las cosas se fueron dando de otras maneras.

Ahorita se han dado muchos cambios en nuestros pueblos. Los compas nos decían que había que prepararnos en lo político y en lo militar, que todo iba a servir para después. Y lo vimos que sí es cierto, que todo sirve...

Al subcomandante Marcos nosotros le confiamos mucho porque él hace de por sí lo que le dice el pueblo. No es como otros que hacen lo que quieren. Él no, él está con nosotros y nosotros le confiamos y él nos confía...

73

Estamos organizados ahorita en los municipios autónomos y cada vez tenemos más trabajos. Con lo de las Juntas de Buen Gobierno pues vino más trabajo y ese de por sí no se acaba.

Al principio pensamos que la educación y la salud y todo lo vamos a conseguir sólo con las armas, pero se vio que podemos organizarnos de otras maneras sin dejar las armas, con nuestra organización y nuestro trabajo. No con el gobierno, porque de ese sí no esperamos nada, pero nosotros solos sí nos organizamos junto con la gente.

Me siento contento porque yo no me imaginé que vamos a lograr poco a poco nuestro trabajo. Por eso confiamos en nuestra organización, porque lo vemos, porque lo tenemos, no porque nos lo platican.

Yo donde vivo no hay carretera, pero sí hay educación, los niños ya van aprendiendo. En la salud ya tenemos promotores y se van resolviendo necesidades, aunque todavía falta mucho.

Nosotros nunca nos dio nada el gobierno, así es que siempre hemos resistido. No vamos a agarrar nada del gobierno, pero de por sí nunca nos dieron nada. La resistencia es lo más importante de lo que sigue para los pueblos. La resistencia y la organización.

Yo tengo 19 años en la lucha. Mi pueblo fue de los mero primeros. No me desanimo después de 19 años de lucha, porque he entendido. Sobre todo porque lo que nos han dicho ha ido saliendo, o sea que es verdad.

Compañero Gerardo
De los primeros pueblos zapatistas

Cuando nos iniciamos en 1984 en nuestra organización no lo pensamos cómo va a ser todo. Poco a poco hemos ido orientándonos, pero siempre hemos tenido adelante y en primer lugar la seguridad.

En los primeros años, hace casi 20 años, cuando los compañeros insurgentes llegaron a los pueblos, lo principal del trabajo de los pueblos era la seguridad de los insurgentes en la montaña. Esa era la tarea de los pueblos, cuidarlos.

También era sostenerlos. Les llevábamos lo que podíamos conseguir, tostada, pinolito, cañita o le que encontráramos. Nos damos cuenta de que donde están no hay nada y nosotros damos lo que se puede.

También otra tarea era seguir creciendo como pueblos y explicar la lucha. Primero unas familias y luego todo el pueblo. O sea que teníamos en esos años muchos trabajos. Era cuidar la seguridad de los insurgentes, sostenerlos poco a poco con lo que se pudiera y también ir explicando nuestra lucha y pues ir trayendo más familias y más pueblos.

Después se decide la guerra. Nosotros lo decidimos que ya tenemos que empezar. Y después siguen otros trabajos. Por eso tenemos claro ahorita que tenemos que organizarnos para lograr lo que queremos porque nadie va a venir a darnos nada. Ni el gobierno ni nadie.

En mi pueblo no había escuela antes, no había nada. Pero ahorita los muchachos ya están tomando cursos de promotores de educación, y no-

sotros en el pueblo estamos construyendo la escuela, porque de por sí nos tocan diferentes trabajos.

La resistencia quiere decir que tenemos que esforzarnos para estar bien. La gente no está pensando en migajas y come lo que le da su propio sudor. No lo vamos a dejar la resistencia, eso es lo que tenemos.

La lucha es larga y es difícil, prolongada. A veces estamos contentos, estamos echando baile; y otros tiempos es de trabajo y tenemos que entrarle. Ahí vamos, estamos animados.

COMANDANTE ABRAHAM
Comité Clandestino Revolucionario Indígena

El primero de enero de 1994 no imaginé nada de lo que está ahora. Imaginamos que íbamos a tomar las ciudades con las armas. No pensamos que vamos a vivir, pensamos que a lo mejor caemos y que otro continúa la lucha. No pensamos que va a ver gente que va a apoyar. Pensamos que van a ser pocos los que van a entender la lucha.

Fue mucho el cambio, porque vimos que mucha gente empezó a hablar de nosotros. Empezaron a decir que hay que parar la guerra y buscar otras formas, así con la política. Lo vimos que la fuerza del pueblo decía que le buscáramos por otro lado. El pueblo dijo que no a la violencia y por eso lo escuchamos.

Se ha visto mucho que la sociedad se moviliza con nosotros.

Nosotros nos emocionamos mucho en el recorrido de la Marcha. Nosotros en nuestro territorio no vemos a otras gentes, pero gracias a la Consulta y a la Marcha que pudimos conocer a otras gentes. Cuando salimos en la marcha conocimos a muchos. Es mucho gusto de ver tanta gente que no piensas que vas a encontrar. Todos gritaban que no estamos solos y fue mucha emoción.

No es preocupante que el gobierno no escuchó a la gente. Eso no nos preocupa, porque lo vimos la fuerza de la gente. Por eso no nos preocupa el gobierno ni los partidos políticos. Sólo nos dieron chance de sentarnos en sus sillones de su Cámara, o sea que sólo dieron la cara para decir que nos sentáramos, pero nada lo tomó en serio, lo tomó como relajo.

Por eso vimos que basta con el gobierno, que hay que seguir luchando, que hay que trabajar más, quiere decir que falta tiempo y que hay muchas cosas que tenemos que organizar en los pueblos.

La organización de ahorita no es porque el gobierno lo está permitiendo, sino que existe la lucha y la organización porque de por sí existe. De por sí el gobierno no da nada a la buena. Es el pueblo el que decide. Y nosotros existimos porque de por sí estamos, no nos desaparecen.

Los políticos no le pusieron importancia, pero no sorprendió porque ellos de por sí no van a hacer nada. Pero los pueblos decimos que sin ley o con ley de por sí vamos a funcionar.

Es como la guerra de 1994, el gobierno no lo permitió pero de por si salió. Así va a ser con las Juntas de Buen Gobierno, quiera o no quiera el gobierno va a salir ese trabajo.

Ahorita siento mucho orgullo. Uno de que estamos vivos y la estamos viendo la organización. Lo otro es que sí han habido cambios y sabemos que estos 20 años son muy pocos. Una lucha es larga. Eso nos dijeron desde 1984, nos dijeron que era larga y difícil y estamos claros en eso.

Son 20 años pues, pero estamos empezando.

77

Diez años de lucha
y resistencia zapatista

El primero de enero de 1994 el EZLN llegó para quedarse. Ese amanecer sus tropas sorprendieron no sólo al país, sino al mundo entero, con la toma militar de siete cabeceras municipales del estado de Chiapas. Fueron los primeros días de una guerra decidida como "una medida última pero justa", tal como lo afirmaron en la Primera Declaración de la Selva Lacandona. Una medida última contra la miseria, la explotación y el racismo, pero, sobre todo, una medida última contra el olvido. Las demandas: techo, tierra, trabajo, salud, educación, alimentación, libertad, independencia, justicia, democracia y paz.

El 17 de noviembre de 2003 se cumplen 20 años de la formación de un ejército constituido mayoritariamente por indígenas chiapanecos. Un ejército regular que también cumple, el primero de enero de 2004, diez años de haberle declarado la guerra al gobierno federal, un ejército escaso en armamento y rico en palabras y rebeldía, en dignidad y resistencia, en propuestas y paradojas.

Se cumplen diez años de clandestinidad y otros diez de vida pública. Se dice fácil, pero quién hubiera podido imaginar que un 17 de noviembre de 1983 un pequeño grupo de indígenas y mestizos, en un lugar recóndito de la Selva Lacandona, declaraba formalmente constituida la formación de un ejército regular que un día declararía la guerra al gobierno de México, en reivindicación de sus derechos más elementales. Y quién podría imaginar, también, que ese día llegaría justo con la entrada en vigor del Tratado de Libre Comercio, el primero de enero de 1994. Y aún más, quién hubiera pensado que, diez años después de ese amanecer guerrero y a 20 años de distancia de su acto fundacional, el ejército sobreviviría no sólo al poder militar gubernamental sino, fundamentalmente, a todas las embestidas políticas protagonizadas no sólo por el Poder, sino, en más de una ocasión, por grupos que en otro momento se hubieran considerado hermanos.

El presente texto evoca principalmente estos diez últimos años y, dentro de este periodo, trata de ubicar las iniciativas políticas zapatistas, su empecinamiento por una salida política a la guerra, la resistencia y rebeldía de miles de indígenas choles, zoques, tojolabales, tzotziles, mames y tzeltales. Se trata, también, de ubicar la ya larga lista de encuentros que, a lo largo de una década, ha sostenido el EZLN con la sociedad civil nacional e internacional, dentro de una estrategia construida en el camino, sobre la marcha, a base de caminar-preguntando.

La mayor parte de esta primera década el EZLN la ha dedicado a su lucha política, poniendo por delante, antes que las armas, la resistencia y organización de miles de pueblos indígenas rebeldes. Sin embargo, no por lo destacado de su andar político se pueden olvidar esos primeros combates que se celebraron en San Cristóbal de las Casas, Las Margaritas, Altamirano, Oxchuc, Huixtán, Chanal y Ocosingo. No se puede, ni se debe, olvidar el inicio de una guerra presente hasta nuestros días, porque no fue una guerra de papel, como la calificaría más tarde el entonces secretario de Relaciones Exteriores, José Ángel Gurría, sino una guerra con muertos de ambos lados, una guerra desigual en la que, por un lado, había indígenas tzotziles, tzeltales, tojolabales, choles, mames y zoques, unidos por primera vez en una insurrección y, por el otro, un ejército armado con rifles de alto poder, auxiliado por aviones, helicópteros, tanques y tanquetas; un ejército, el institucional, sorprendido por un ejército de indígenas que reclamaban, y reclaman, "democracia, libertad y justicia" para todos los mexicanos.

Tampoco se puede olvidar que el camino político de los zapatistas ha sido trazado en medio de ofensivas militares, paramilitares y policiacas que, al día de hoy, continúan enfrentando cientos de poblados de la Selva, Altos, Norte y Costa de Chiapas. Su delito: seguir pensando que un mundo mejor es posible, un mundo donde quepan muchos mundos.

1994

El levantamiento armado del Ejército
Zapatista de Liberación Nacional:
La guerra

El EZLN logró un éxito militar y político al ocupar siete ciudades de Chiapas durante la ofensiva del primero de enero de 1994. Se trató, como lo explicaron más tarde los zapatistas, de dar un golpe inicial muy fuerte con el fin de llamar la atención. Y lo lograron. A partir de ahí la historia tomaría otro giro y pronto los fusiles callarían para darle paso a la palabra, principal arma de la lucha zapatista.

La madrugada del primero de enero, el EZLN declaró la guerra al "supremo gobierno" encabezado por Carlos Salinas de Gortari y al ejército federal. Ese mismo día los zapatistas dieron a conocer un programa político de diez demandas y anunciaron, con la toma armada de siete presidencias municipales, su lucha por democracia, libertad y justicia para todos los mexicanos.

En la Primera Declaración de la Selva Lacandona, leída ese primero de enero en el balcón principal de cada una de las presidencias municipales tomadas, y distribuida a través de un pequeño y ya legendario periódico llamado *El Despertador Mexicano,* el EZLN se dirigió así al pueblo de México: "Nosotros, hombres y mujeres íntegros y libres, estamos conscientes de que la guerra que declaramos es una medida última pero justa. Los dictadores están aplicando una guerra sucia no declarada contra nuestros pueblos desde hace muchos años, por lo que pedimos tu participación decidida apoyando este plan del pueblo mexicano que lucha por trabajo, tierra, techo, alimentación, salud, educación, independencia, libertad, democracia, justicia y paz. Declaramos que no dejaremos de pelear hasta lograr el cumplimiento de estas demandas básicas de nuestro pueblo, formando un gobierno de nuestro país libre y democrático". (Primera Declaración de la Selva Lacandona. 1 de enero de 1994).

En el editorial de *El Despertador Mexicano*, los zapatistas explicaron los motivos del levantamiento armado: "Llevamos cientos de años pidiendo y creyendo en promesas que nunca se cumplieron, siempre nos dijeron que fuéramos pacientes y que supiéramos esperar tiempos mejores. Nos recomendaron prudencia, nos prometieron que el futuro sería distinto. Y

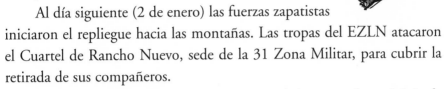

ya vimos que no, todo sigue igual o peor que como lo vivieron nuestros abuelos y nuestros padres. Nuestro pueblo sigue muriendo de hambre y de enfermedades curables, sumido en la ignorancia, en el analfabetismo, en la incultura. Y hemos comprendido que, si nosotros no peleamos, nuestros hijos volverán a pasar lo mismo. Y no es justo". (*El Despertador Mexicano*. 1 de enero de 1994).

Al día siguiente (2 de enero) las fuerzas zapatistas iniciaron el repliegue hacia las montañas. Las tropas del EZLN atacaron el Cuartel de Rancho Nuevo, sede de la 31 Zona Militar, para cubrir la retirada de sus compañeros.

Los enfrentamientos más cruentos se produjeron en el municipio de Ocosingo, donde los indígenas rebeldes fueron sitiados durante dos días por un contingente de mil 800 soldados, que al día siguiente fue reforzado por otros dos mil 400. En el mercado municipal quedó atrapado un grupo de zapatistas y civiles y el tiroteo se hizo intermitente. "Sí me dio un poco de miedo al principio, pero luego, ya cuando tiras, como que ya no sientes. Sí da miedo pero más miedo da seguirse dejando que te mate el hambre o la enfermedad. Por eso luchamos, para ya no morirnos", declaró en esos días la teniente zapatista Amalia, una insurgente de origen tzeltal que se presentó a la prensa en la comunidad rebelde de Prado Payacal.

La guerra, con su cuota de horror y muerte, estaba instalada en México. Empezaron los cierres de carreteras por parte del ejército federal, al tiempo que un microbús con indígenas del servicio de salud zapatista fue acribillado. También, las tropas gubernamentales tirotearon dos ambulancias de la Cruz Roja Internacional con un saldo de dos socorristas heridos. El ejército llegó la tarde del dos de enero a la ciudad de San Cristóbal de las Casas, la más importante de las siete cabeceras municipales tomadas, al tiempo que trascendió que el general Absalón Castellanos Domínguez, ex gobernador chiapaneco célebre por su despotismo, corrupción, y constantes represiones contra sus opositores, fue tomado como prisionero de guerra por parte de los rebeldes.

Entre el 3 y 4 de enero los soldados tomaron el control del mercado de Ocosingo. A partir de ese día y durante las horas siguientes los representantes de cientos de medios de comunicación llegaron a la zona y empezaron la contabilización de los muertos. Eran decenas. Todos los periodistas manejaron un número diferente, pero coincidieron en que la mayoría eran civiles. En ese mismo lugar los fotógrafos y camarógrafos de las grandes cadenas internacionales de noticias captaron la imagen de cinco zapatistas con tiro de gracia y las manos amarradas por la espalda.

En esos mismos momentos, en el municipio de Altamirano, los zapatistas sacaban a sus heridos del hospital local y en San Cristóbal de las Casas más de tres mil soldados del 75 Batallón de Infantería tomaban el control de la ciudad.

El hostigamiento militar pronto alcanzó a los periodistas y fueron tiroteados por el ejército federal los vehículos del periódico *La Jornada*, de la agencia France Press y de *El Financiero*.

Por las carreteras se veían pasar los convoyes militares seguidos de las caravanas de periodistas y, poco a poco, de representantes de Organismos no Gubernamentales. El paso a la zona de conflicto continuó cerrándose, pero la prensa llegó por caminos alternos. La noticia del alzamiento indígena, para esos momentos, ya estaba en todo el mundo y ocupaba las primeras planas de los principales periódicos.

Por su parte el gobierno federal, hasta el momento en silencio, hizo sus primeras declaraciones en voz de una funcionaria de segundo nivel: la subsecretaria de Gobernación, Socorro Díaz, quien leyó un documento célebre por su insensibilidad y despotismo. A partir de ese momento la política de comunicación del gobierno federal, que le había funcionado sorprendentemente bien durante el régimen salinista, sufriría sus primeras bajas y empezaría a perder, rápidamente, la batalla de la credibilidad y legitimidad.

En el documento de la Secretaría de Gobernación se menospreció la magnitud del conflicto: "se ha presentado una situación delicada en sólo cuatro de los 110 municipios de Chiapas, en los 106 restantes las condiciones son de normalidad"; se trató de deslegitimarlo: "los grupos violentos presentan una mezcla de intereses tanto nacionales como extranjeros y muestran afinidades con otras fracciones violentas centroamericanas"; y se discriminó, como tantas veces, al indígena: "algunos indígenas han sido reclutados y, sin duda, manipulados".

Mientras continuaban los enfrentamientos en las afueras de Ocosingo, Samuel Ruíz García, obispo de San Cristóbal de las Casas y hombre clave para entender la situación chiapaneca, llamó a la tregua y a la suspensión de las hostilidades. Ese mismo día, aviones y helicópteros de la Fuerza Aérea Mexicana iniciaron bombardeos en los cerros del sur de San Cristóbal de las Casas y en las montañas de la región de La Selva. Al día siguiente, el poder militar gubernamental fue sorprendido por el escaso armamento zapatista y siete aeronaves fueron tiroteadas por los rebeldes.

El balance militar de los primeros cinco días de contienda, realizado por el EZLN, arrojó los siguientes resultados: nueve muertos zapatistas y 20 heridos graves (sin contar los indígenas ejecutados con el tiro de gracia en el municipio de Ocosingo). En el ejército federal, de acuerdo al informe zapatista, se registraron 27 muertos, 40 heridos y 180 prisioneros que se rindieron y fueron liberados posteriormente. (Comunicado del EZLN. 6 de enero de 1994).

Asimismo, durante los días 1 y 2 de enero fueron liberados por las fuerzas zapatistas 230 prisioneros que se encontraban en cuatro cárceles del estado: (dos en San Cristóbal de las Casas, una en Ocosingo y una más en Las Margaritas).

El Día de Reyes el presidente Salinas dio su primer mensaje a la nación: negó que se tratara de un alzamiento indígena y ofreció el perdón a quienes depusieran las armas. Simultáneamente la sociedad civil empezó a organizarse con el fin de parar la guerra y vigilar las acciones del ejército federal, para lo que más de 15 organizaciones civiles constituyeron la Coordinadora de Organizaciones Civiles por la Paz (Conpaz).

Así, en medio de una gran resonancia, el EZLN planteó, en el primero de lo que sería una larga serie de comunicados, en una estrategia de comunicación con la sociedad que acabaría siendo su principal arma, sus condiciones para establecer el diálogo con el gobierno federal: reconocimiento como fuerza beligerante, el cese al fuego de ambas partes, retiro de

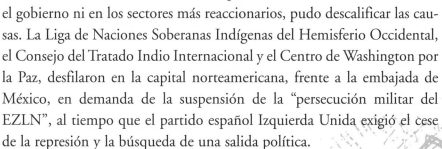

tropas federales, el cese de los bombardeos y la formación de una Comisión Nacional de Intermediación.
(Comunicado del EZLN. 6 de enero de 1994).

Mientras esto sucedía inició la solidaridad nacional e internacional con el movimiento insurgente. Los
más críticos cuestionaron su método, pero nadie, ni en
el gobierno ni en los sectores más reaccionarios, pudo descalificar las causas. La Liga de Naciones Soberanas Indígenas del Hemisferio Occidental,
el Consejo del Tratado Indio Internacional y el Centro de Washington por
la Paz, desfilaron en la capital norteamericana, frente a la embajada de
México, en demanda de la suspensión de la "persecución militar del
EZLN", al tiempo que el partido español Izquierda Unida exigió el cese
de la represión y la búsqueda de una salida política.

Asimismo, la Red de Acción Canadá realizó una vigilia en la embajada de México en Ottawa; mientras el grupo Espartaquista Mexicano, el
Movimiento Democrático Independiente, el Comité de Defensa Popular
y el Partido del Trabajo, exigieron el alto a la guerra, el respeto a los derechos humanos, la creación de las condiciones para el diálogo y respuestas
a los rezagos sociales. Mientras, en Madrid, el Comité de Solidaridad con
el Pueblo Indígena Mexicano realizaba una marcha para exigir el cese de
las hostilidades.

Los bombardeos en La Selva y Los Altos continuaban cuando Manuel Camacho Solís fue nombrado Comisionado para la Paz y la Recon-
ciliación en Chiapas y la guerra cobró su primera baja entre los
funcionarios de primer nivel: renunció el Secretario de Gobernación y ex
gobernador de Chiapas, Patrocinio González Garrido, quien fue sustitui-
do por Jorge Carpizo.

Desde Londres, Amnistía Internacional condenó los bombardeos
del ejército federal contra las comunidades indígenas, mientras en España la comunidad de intelectuales, artistas y escritores consideró necesaria
la salida política al conflicto. El Centro de Derechos Constitucionales,

con sede en Manhattan, Estados Unidos, denunció ejecuciones y bombardeos contra los indígenas.

No habían pasado ni dos semanas del inicio del levantamiento, cuando el EZLN empezó la ardua tarea de tratar de explicar su lucha, una lucha que se estaba construyendo sobre la marcha y en su sorpresivo encuentro con la sociedad civil, pero que partía de principios concebidos desde antes de la guerra. En uno de sus primeros comunicados, los zapatistas explicaron por primera vez su postura ante el Poder y los procesos electorales, misma que han mantenido (y explicado insistentemente) durante todos estos años: "El EZLN no busca que gane un partido o que gane otro, el EZLN busca que haya justicia, que haya libertad, y que haya democracia para que el pueblo elija a quien mejor le acomode a su entender y que esta voluntad, cualquiera que sea, reciba respeto y entendimiento de los mexicanos todos y de otros pueblos. El Ejército Zapatista de Liberación Nacional pide que el gobierno, de cualquier partido que sea, sea un gobierno legítimo, resultado de una elección verdaderamente libre y democrática, y resuelva las necesidades más apremiantes de nuestro pueblo mexicano, especialmente de nosotros los indígenas". (Comunicado del EZLN. 11 de enero de 1994).

Doce días después del inicio de la insurrección indígena, se anunció una movilización multitudinaria para exigir al presidente de la República el cese al fuego y el inicio de un diálogo con los indígenas insurrectos. La sociedad civil nacional levantó su voz y se hizo escuchar. Salinas se adelantó a la presión y al reclamo generalizado del pueblo de México a favor de una solución política, y decretó el cese al fuego horas antes de la movilización: "El Ejército sólo atacará si es atacado", dijo. La marcha, de cualquier forma, se realizó y más de cien mil personas colmaron el Zócalo de la ciudad de México en contra de la guerra en el sureste mexicano.

Sin embargo, 24 horas después del cese al fuego decretado, tropas militares apoyadas por helicópteros artillados atacaron una unidad zapatista en Ocosingo. La guerra se trasladó a las montañas y el cese al fuego sólo se hizo válido en las ciudades. A pesar de esto, el EZLN aceptó también el cese de las hostilidades.

El EZLN irrumpió en el país ese primero de enero, empezó la guerra y se encontró, como lo explicaron más tarde sus dirigentes, con un mundo diferente, un escenario que no contemplaban, un panorama que nunca imaginaron. Un mundo que entendió sus causas pero que marchó y se movilizó para que callaran los fusiles de ambos lados. Fue un momento decisivo para la historia del EZLN, pues ante la disyuntiva de escuchar a la sociedad civil, detenerse y enfrentar un mundo desconocido, para el que obviamente no estaba preparado; o, de otra manera, continuar con la lucha armada, para la que sí se preparó durante diez largos años, optó por lo primero y se dispuso, a partir de ese momento, a utilizar la palabra como principal arma, a escuchar, a preguntar y a tratar de entender los reclamos de esa sociedad civil que lo apoyó, pero no lo siguió con un fusil al hombro.

Febrero-diciembre de

1994

Diálogo de la Catedral de San Cristóbal
de las Casas, regreso de la delegación
zapatista a las montañas, la Convención
Nacional Democrática (CND),
las elecciones federales y estatales
y la ruptura del cerco militar

Después del cese al fuego, los acontecimientos se suscitaron en cascada. Del 13 al 24 de enero, el EZLN reconoció a Manuel Camacho Solís como representante del gobierno federal. El gobernador interino de Chiapas renunció y en su lugar fue nombrado Javier López Moreno. Muchos cambios en muy pocos días, pero ninguno, como lo explicaría después el subcomandante Marcos, de fondo.

Al perdón ofrecido por el presidente Salinas de Gortari, el vocero zapatista respondió con un texto titulado "¿De qué nos van a perdonar?", mismo que los intelectuales definieron como un magnífico e incontestable alegato de las razones de la lucha zapatista: "¿De qué tenemos que pedir perdón? ¿De qué nos van a perdonar? ¿De no morirnos de hambre? ¿De no callarnos en nuestra miseria? ¿De no haber aceptado humildemente la gigantesca carga histórica de desprecio y abandono? ¿De habernos levantado en armas cuando encontramos todos los otros caminos cerrados? ¿De no habernos atenido al Código Penal de Chiapas, el más absurdo y represivo del que se tenga memoria? ¿De haber demostrado al resto del país y al mundo entero que la dignidad humana vive aún y está en sus habitantes más empobrecidos? ¿De habernos preparado bien y a conciencia antes de iniciar? ¿De haber llevado fusiles al combate, en lugar de arcos y flechas? ¿De haber aprendido a pelear antes de hacerlo? ¿De ser mexicanos todos? ¿De ser mayoritariamente indígenas? ¿De llamar al pueblo mexicano a luchar, de todas las formas posibles, por lo que les pertenece? ¿De luchar por libertad, democracia y justicia? ¿De no seguir los patrones de las guerrillas anteriores? ¿De no rendirnos? ¿De no vendernos? ¿De no traicionarnos?... ¿Quién tiene que pedir perdón y quién puede otorgarlo?..." (Comunicado del EZLN. 18 de enero de 1994).

Una de las primeras acciones del comisionado Manuel Camacho fue el establecimiento de "dos zonas francas": San Miguel, en Ocosingo y Guadalupe Tepeyac, en Las Margaritas, pero ninguna de estas acciones evitó la efervescencia social en Chiapas, pues miles de campesinos se movilizaron en demanda de la destitución de diversos alcaldes municipales y por la entrega de tierras. En este contexto, se integró el Concejo Estatal de Organizaciones Indígenas y Campesinas (CEOIC) que agrupó a 280 organizaciones de Chiapas.

Fueron días en los que los zapatistas, en medio de una guerra que no terminaba (aún con el cese al fuego decretado), fijaban posturas, definían estrategias y ampliaban interlocutores. Así, el 20 de enero se dirigieron por primera vez a las organizaciones indígenas del país, en un comunicado que, diez años después, continúa definiendo su relación con el movimiento indio nacional: "Nosotros los zapatistas siempre hemos respetado y seguiremos respetando a las diferentes organizaciones independientes y honestas. No las hemos obligado a que se entren en nuestra lucha; cuando se han entrado es siempre por su voluntad y libremente…Si nosotros no hubiéramos levantado nuestros fusiles, el gobierno nunca se hubiera preocupado por los indígenas de nuestras tierras…Nosotros seguiremos respetándolos a ustedes y respetando sus formas de lucha. Los invitamos

a que, cada quien su organización y su forma de lucha, unamos nuestro corazón con la misma esperanza de libertad, democracia y justicia". (Comunicado del EZLN. 20 de enero de 1994).

El diálogo se acercaba y un pronóstico de que las prenegociaciones iban por buen camino fue la liberación del general Absalón Castellanos Domínguez, a cambio de que el gobierno federal liberara a cientos de indígenas zapatistas detenidos y torturados en las diferentes cárceles del Estado. La ceremonia de entrega del militar retirado sirvió de marco para la primera presentación pública de un pueblo entero en rebeldía: Guadalupe Tepeyac, mismo que, con el correr de los años, se convertiría en un símbolo de la resistencia indígena.

El acto de entrega del ex gobernador chiapaneco no sólo fue el intercambio de un prisionero de guerra cruel y despiadado, por cientos de indígenas zapatistas presos. Fue la presentación ética de un movimiento insurgente que, lejos de sacrificar a un ex gobernador acusado de diversos asesinatos, lo condenó a cargar con el perdón de aquéllos a quienes despreció, humilló y explotó durante tantos años.

Con la participación del obispo Samuel Ruiz García como mediador, se acordó el inicio del diálogo entre los rebeldes y el comisionado gubernamental, de tal manera que el 20 de febrero, a bordo de ambulancias de la Cruz Roja Internacional, llegaron a San Cristóbal de las Casas los 19 delegados del EZLN para participar en el diálogo. Eran 18 indígenas y un mestizo que los dirigía militarmente, pero que acataba las órdenes políticas de la comandancia indígena, un hombre que atrapó la atención de los medios de comunicación para difundir los motivos de su lucha y que se presentó con el nombre de Subcomandante Insurgente Marcos. El diálogo de San Cristóbal fue un momento clave dentro de la lucha zapatista. Fue su encuentro, en directo, con la prensa, con la sociedad civil nacional e internacional y con la clase política contra la que se levantaron en armas.

El comandante Tacho, del Comité Clandestino Revolucionario Indígena (CCRI), explicó posteriormente que el diálogo "sirvió para darnos a conocer y para nosotros conocer mucha gente. Sirvió, pues, para explicarles quiénes somos y por qué luchamos". Y, en efecto, aprovecharon el tiempo para conceder innumerables entrevistas a los cientos de periodistas acreditados de todo el mundo, y para entrar en contacto con representantes de ONGs, de la iglesia, de partidos políticos, de organizaciones campesinas y, principalmente, con gente común y corriente de la sociedad civil. Era el principio del aprendizaje político de un movimiento armado, el principio de una serie de encuentros y desencuentros, el inicio de la construcción de un movimiento que se caracterizaría por saber (y aprender) a escuchar, a decir su palabra, a preguntar y a caminar sumando.

El 2 de marzo terminaron las conversaciones de paz con la presentación de un documento de 34 compromisos gubernamentales que el EZLN acordó llevar a consulta. Al terminar la ronda de negociaciones los zapatistas regresaron a las montañas y continuaron sus encuentros con representantes de la sociedad civil y con un amplio espectro de las fuerzas políticas del país. Los representantes de los medios de comunicación ingresaron, a invitación de la dirección zapatista, al territorio rebelde y los reportajes sobre las comunidades indígenas zapatistas dieron, así, la vuelta al mundo.

Las consultas en los pueblos sobre las propuestas del gobierno iniciaron en las cañadas de la Selva Lacandona, pero el proceso se interrumpiría el 23 de marzo, con el asesinato del candidato presidencial del Partido Revolucionario Institucional (PRI), Luis Donaldo Colosio Murrieta.

El 10 de abril los zapatistas recordaron el aniversario luctuoso del general revolucionario Emiliano Zapata. Durante todo el mes ingresaron al territorio en rebeldía diversas caravanas de ayuda, mientras los ganaderos y finqueros intensificaron el hostigamiento contra las comunidades indígenas.

Un mes más tarde se produjo el primer encuentro entre el EZLN y el entonces candidato del Partido de la Revolución Democrática (PRD) a la presidencia de la República, Cuauhtémoc Cárdenas Solórzano, figura

política con la que los zapatistas habrían de sostener una relación de acuerdos y diferendos constantes. Los rebeldes, para esos momentos, estaban en un proceso de (re) conocimiento del panorama político nacional, por lo que sostuvieron innumerables encuentros con representantes de casi todo el espectro político de izquierda.

Pasados apenas seis meses del levantamiento, los zapatistas ya habían conformado un movimiento no sólo en torno a las demandas de los pueblos indios, sino en contra del autoritarismo gubernamental y de sus políticas sociales y económicas. En este contexto, respondieron con un "NO" a las propuestas gubernamentales, al tiempo que decidieron mantener el cese al fuego y abrir un diálogo con la sociedad civil. La estrategia de abrir diálogos y encuentros alternos con la sociedad civil, escuchar y preguntar, independientemente del proceso de negociación con el gobierno federal, caracterizaría su andar político durante los próximos años. Aprender a hablar y escuchar, caminar- preguntando, ésa sería la clave.

Así, al tiempo que interrumpieron las negociaciones con el gobierno, hicieron pública la Segunda Declaración de la Selva Lacandona, en la que llamaron a la sociedad a lograr un tránsito pacífico a la democracia, mediante la organización de la Convención Nacional Democrática (CND). El objetivo, explicaron, era "organizar la expresión civil y la defensa de la expresión popular…y exigir la realización de elecciones libres y democráticas y luchar, sin descanso, por el respeto a la voluntad popular". (Segunda Declaración de la Selva Lacandona. 12 de junio de 1994).

Mientras se organizaba el encuentro en un paraje de la selva Lacandona, Manuel Camacho Solís renunció como Comisionado para la Paz en Chiapas, dejando su lugar a Jorge Madrazo Cuéllar, hombre que no dejó ninguna huella de su paso por el estado, no logró ningún acercamiento con los rebeldes y se fue como llegó, con las manos vacías.

Del 5 al 9 de agosto, en medio de las campañas electorales en busca de la presidencia de la República, se llevó a cabo la Convención Nacional Democrática, en el primer centro de encuentro político y cultural diseñado por el EZLN, nombrado "Aguascalientes" (en alusión al estado donde se celebró la Convención de las fuerzas revolucionarias de México en 1914), en el poblado de Guadalupe Tepeyac. Ahí, cerca de siete mil mexicanos, entre representantes de organizaciones sociales, artistas, intelectuales, indígenas de todo el país, obreros, homosexuales, campesinos y personas sin organización política, respondieron a la convocatoria de los zapatistas, quienes hicieron un llamado a la sociedad civil para derrotar la vía armada, para derrotarlos a ellos como militares, y para abrir la posibilidad de seguir luchando, pero esta vez sin armas y con el rostro descubierto. Fue la CND la primera acción política a gran escala, después de la guerra, en la que el EZLN pudo medir su capacidad de convocatoria con resultados que, confesaron, rebasaron sus propias expectativas.

Los rebeldes indígenas tardaron sólo 27 días para la construcción del primer "Aguascalientes", fueron días de faena y esperanza, días en los que, del otro lado de la selva, miles de personas se organizaban para participar en la primera navegación de un barco, el de Fitzcarraldo, repleto de paradojas. "La paradoja anacrónica, la tierna locura de los sin rostro, el despropósito de un movimiento civil en diálogo con un movimiento armado" (Discurso de inauguración de la CND. 8 de agosto de 1994).

Días después de la celebración de la CND, el EZLN declaró que no interferiría en la realización de las elecciones federales ni estatales, por lo que permitiría la instalación de casillas y el libre tránsito del personal del Instituto Federal Electoral, de la Comisión Estatal Electoral y de los representantes de los distintos partidos políticos. De esta manera, y por primera vez en la historia moderna del país, se realizaron comicios en un territorio declarado abiertamente rebelde.

El 21 de agosto se celebraron las elecciones federales y, simultáneamente, estatales en Chiapas. Una elección marcada por el fraude le otorgó el triunfo al candidato del partido de Estado, Ernesto Zedillo Ponce de León, mientras el candidato a gobernador del PRI, Eduardo Robledo Rincón, se proclamó vencedor en medio de protestas y denuncias de fraude. Un mes antes de las elecciones, el candidato del PRD al gobierno de Chiapas, Amado Avendaño Figueroa, sufrió un atentado que casi le costó la vida.

Durante las semanas siguientes se llevaron a cabo actos de resistencia civil y conflictos poselectorales en el estado, con lo que se tensó el panorama militar y, en ese ambiente, se reunió por segunda ocasión la Convención Nacional Democrática, sin alcanzar propuestas concretas.

En este contexto, el EZLN dio a conocer su lectura del proceso electoral: "No es posible acabar con el sistema de partido de Estado con las mismas armas que lo sustentan y avalan ante la opinión pública. Mientras la organización de las elecciones siga en manos del partido de Estado, cualquier intento de lucha acabará en la frustración y en la inmovilidad política o la claudicación cínica. Un gobierno de tránsito, de cambio, es necesario para la democracia. Para esto, los llamados a la formación de un gran frente opositor, que una a todos esos millones de mexicanos que están en contra del sistema de partido de Estado, son vistos con esperanza". (Ensayo del EZLN. "La larga travesía del dolor a la esperanza". 22 de septiembre de 1994).

A finales de septiembre se cometió en México otro asesinato dentro de la cúpula del poder. La víctima fue el secretario general del Partido Revolucionario Institucional (PRI), José Francisco Ruiz Massieu.

Después, en el marco del 26 aniversario de la matanza estudiantil del 2 de octubre, los zapatistas continuaron su interlocución con la sociedad civil, a través de un mensaje enviado a la manifestación que con tal motivo se celebró en la ciudad de México: "Ustedes, hermanos, los estudiantes, los obreros, los colonos, los campesinos, las amas de casa, los empleados, los artistas e intelectuales honestos, los hombres y mujeres que hace 26 años participaron en uno de los movimientos más importantes de este doloroso siglo, saben lo que es luchar contra la mentira y la calumnia, lo saben sus hijos, los hombres y mujeres que, después de 1968, lucharon y luchan contra el sistema de injusticias. Hoy, como hace 26 años, el mexicano que no acepta limosnas, que no acepta opresiones, que es digno, que se rebela, que lucha, es sospechoso de no ser mexicano, de ser extranjero". (Comunicado del EZLN. 2 de octubre de 1994).

Seis días después, el 8 de octubre, el EZLN rompe oficialmente el diálogo con el gobierno federal, "para no hacerse cómplice con el engaño que lleva adelante el gobierno de Salinas de Gortari, para no avalar la cultura del crimen político que ya caracteriza al actual gobierno, para reafirmar su compromiso con la lucha contra el fraude y la imposición..." (Comunicado del EZLN. 8 de octubre de 1994).

El 17 de noviembre, en el "Aguascalientes" de Guadalupe Tepeyac, los zapatistas celebraron por primera vez un aniversario de manera pública. La prensa y la sociedad civil presenciaron los festejos del décimo primer cumpleaños del EZLN, en el que, también por primera vez, hablaron, en voz del subcomandante Marcos, de los errores cometidos: "Por el lado del Ejército Zapatista de Liberación Nacional podemos decir que hemos cometido muchos errores. Algunos de ellos son producto de nuestra torpeza política, nuestra ignorancia y las limitaciones de nuestro andar armados, sin rostro y cercados... Nuestra palabra no ha sido, muchas veces, la más acertada ni la más oportuna".

Y así, en medio de bailes insurgentes, poesías y obras de teatro, el EZLN anunció su plan: "Hoy, como en 1993, cuando preparábamos la guerra, como en 1992 cuando la decidimos, como en 1984 cuando cumplimos el primer año, como en 1983 cuando se inició el despertar de la esperanza, el plan zapatista es el mismo: cambiar al mundo, hacerlo mejor, más justo, más libre, más democrático, es decir, más humano". (Comunicado del EZLN. 17 de noviembre de 1994).

El primero de diciembre tomó posesión como presidente de la República, Ernesto Zedillo Ponce de León. El EZLN lo recibió con un comunicado titulado "Bienvenido a la pesadilla": "Ustedes deben desaparecer, no sólo por representar una aberración histórica, una negación humana y una crueldad cínica; deben desaparecer también porque representan un insulto a la inteligencia. Ustedes nos hicieron posibles, nos hicieron crecer. Somos su otro, su contrario siamés. Para desaparecernos, deben desaparecer ustedes". (Comunicado del EZLN. 1 de diciembre de 1994).

Por su parte, Amado Avendaño asumió el cargo de gobernador en rebeldía de Chiapas y los zapatistas lo reconocieron como tal, en una ceremonia colmada de ritos indígenas en la que, en la explanada del palacio de gobierno de Tuxtla Gutiérrez, le hicieron entrega del bastón de mando.

Ya para finalizar el año, el 19 de diciembre (un día después de la magna devaluación del peso mexicano, producto de la torpeza económica del nuevo gobierno, y de la fuga de capitales que dio pie a una crisis económica sin precedentes) los indígenas rebeldes, sin disparar un sólo tiro, lanzaron una nueva ofensiva política rompiendo el cerco militar tendido sobre ellos y apareciendo en 30 municipios del estado, mismos que fueron declarados municipios autónomos y rebeldes. Iniciaron así el largo proceso por el reconocimiento de su autonomía. En este ambiente, y ante el inminente reinicio de hostilidades, el obispo Samuel Ruiz inició un ayuno y, días más tarde, el gobierno reconoció a la Comisión Nacional de Intermediación (Conai) como instancia mediadora para el diálogo.

1995

La Tercera Declaración de la Selva
Lacandona. La ofensiva gubernamental del 9
de febrero. El diálogo de San Andrés Sacamch'en
de los Pobres y la movilización nacional
e internacional del zapatismo

El año nuevo de 1995, fue recibido por miles de bases de apoyo zapatistas acompañados por cientos de periodistas y personas de la sociedad civil, en el "Aguascalientes" de Guadalupe Tepeyac. Ahí, entre cantos, poesías y bailes, las bases de apoyo del EZLN y los y las insurgentes celebraron el primer año de la insurrección que dio a conocer su lucha en todo el mundo. En medio de la "alegría" (que es como suelen llamar los indígenas a sus fiestas) el EZLN anunció la Tercera Declaración de la Selva Lacandona, en la que propuso a la sociedad civil la creación del Movimiento de Liberación Nacional (MLN).

Este nuevo intento de unir a las diversas fuerzas sociales y políticas en un amplio frente opositor, se planteó como objetivo luchar "por todos los medios y en todos los niveles, por la instauración de un gobierno de transición, un nuevo constituyente, una nueva carta magna y la destrucción del sistema de partido de Estado" (Tercera Declaración de la Selva Lacandona. 1 de enero de 1995). Extendieron también el llamado a participar en el MLN a la Convención Nacional Democrática y a Cuauhtémoc Cárdenas Solórzano.

A mediados del primer mes del año se produjo un encuentro que habría de marcar los sucesos de los meses siguientes. El subcomandante Marcos y miembros del CCRI se reunieron con el entonces secretario de Gobernación, Esteban Moctezuma Barragán, en el Aguascalientes de Guadalupe Tepeyac. A bordo de un enorme helicóptero blanco arribaron Moctezuma y la subsecretaria de Gobierno, Beatriz Paredes Rangel. Todo parecía que iba bien pues, como resultado de esa reunión, el EZLN decretó el cese al fuego ofensivo, unilateral y por tiempo indefinido y, días más tarde, la dirección rebelde se reunió por tercera ocasión con Cuauhtémoc Cárdenas Solórzano.

Los días que siguieron fueron inciertos. Del 2 al 4 de febrero sesionó la Convención Nacional Democrática en el estado de Querétaro, con el fin de darle seguimiento a la Tercera Declaración de la Selva Lacandona y construir el Movimiento de Liberación Nacional (MLN), objetivo que se antojaba difícil por las claras diferencias entre las corrientes y organizaciones de izquierda. Hasta el lugar del encuentro llegaron las amenazas veladas del presidente Zedillo, quien acudió a Querétaro a celebrar un aniversario más de la promulgación de la Constitución.

El 9 de febrero se consumó la traición gubernamental pues, encontrándose en negociaciones previas al reinicio del diálogo, el presidente Ernesto Zedillo anunció en cadena nacional la supuesta identificación de los dirigentes zapatistas y ordenó su detención. El ejército federal destacado en Chiapas inició así una ofensiva militar contra las comunidades bases de apoyo de los insurgentes.

Ese día por la mañana, dos periodistas sostuvimos un encuentro con el subcomandante Marcos quien, visiblemente preocupado, sospechaba ya lo que el gobierno traía entre manos. "Díganles que vamos a ganar", fueron sus palabras de despedida. El ambiente estaba enrarecido pero el dirigente zapatista estaba lejos de imaginar que para esas horas la

106

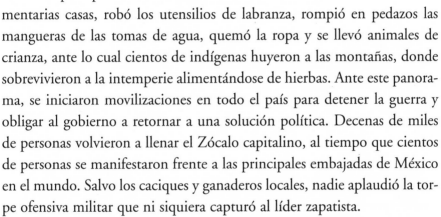

Procuraduría General de la República ya había detenido, en la ciudad de México, a la luchadora social Elisa
Benavides, acusada de ser la "comandante Elisa"; el
ejército se disponía a entrar a las comunidades en resistencia y, horas más tarde, detendrían al historiador y
luchador social Javier Elorriaga Berdegué y a Jorge Santiago, acusados de ser dirigentes del EZLN.

Durante los días siguientes el ejército federal
avanzó sobre el territorio rebelde de la Selva y Los Altos. A su paso por las comunidades destrozó las rudi-
mentarias casas, robó los utensilios de labranza, rompió en pedazos las
mangueras de las tomas de agua, quemó la ropa y se llevó animales de
crianza, ante lo cual cientos de indígenas huyeron a las montañas, donde
sobrevivieron a la intemperie alimentándose de hierbas. Ante este panorama, se iniciaron movilizaciones en todo el país para detener la guerra y
obligar al gobierno a retornar a una solución política. Decenas de miles
de personas volvieron a llenar el Zócalo capitalino, al tiempo que cientos
de personas se manifestaron frente a las principales embajadas de México
en el mundo. Salvo los caciques y ganaderos locales, nadie aplaudió la torpe ofensiva militar que ni siquiera capturó al líder zapatista.

El gobernador impuesto, Eduardo Robledo Rincón, renunció a su
cargo, mientras la Conai hizo un llamado urgente a las partes para que
reiniciaran el diálogo. Los zapatistas condicionaron su regreso a las negociaciones a la salida del Ejército de las comunidades indígenas y a la
anulación de las órdenes de aprehensión. Detenciones, escaramuzas, asesinatos, violaciones, pueblos enteros saqueados, presuntos zapatistas detenidos y torturados en Toluca (Estado de México) y en Yanga (Veracruz) y
más de 30 mil desplazados fueron el saldo de la ofensiva militar.

Decenas de periodistas llegaron a la montaña, donde cientos de
mujeres y niños sobrevivían bajo la copa de los árboles, comiendo hierbas y sin tomar agua y, sin embargo, firmes, furiosas ante la traición, sin

intenciones de doblegarse y aceptar las condiciones del gobierno. "De por sí es triste pero así es la lucha y nosotros vamos a seguirle... No, no queremos nada del gobierno, no queremos limosnas, sólo que saque de nuestros pueblos a sus ejércitos porque no los queremos, nadie los queremos", reclamaba Verónica, una joven tojolabal que, junto a sus hermanos, le arrancaba a la montaña algo que llevar a la boca.

El 11 de marzo el Congreso de la Unión discutió y aprobó la Ley para el Diálogo, la Conciliación y la Paz Digna en Chiapas, y se creó la Comisión de Concordia y Pacificación (Cocopa), conformada por diputados y senadores de todo el espectro político. En los días posteriores, el EZLN dio a conocer la situación de las comunidades zapatistas, agradeció a la sociedad civil su movilización y refrendó su compromiso de avanzar en una salida negociada.

Poco después se anunció que, tras un intercambio epistolar, el gobierno y el EZLN acordaron que la sede del primer reencuentro sería el poblado rebelde de San Miguel, en el municipio de Ocosingo. Dos días después el EZLN y el gobierno federal firmaron la Declaración Conjunta de San Miguel y el Protocolo de Bases para el Diálogo, y acordaron reunirse en el municipio de San Andrés Sacamch'én de los Pobres, nombrado a partir de ese momento sede permanente para el diálogo y la negociación.

El 20 de marzo, día programado para el reinicio de las negociaciones, se suspendió el encuentro entre zapatistas y funcionarios gubernamentales debido a la presencia de miles de indígenas bases de apoyo del EZLN, que acudieron a acompañar a sus delegados. El gobierno orquestó una campaña en los medios de comunicación con el argumento de que el diálogo no podía iniciar debido a que los indígenas se encontraban armados. Aunque nadie detectó ningún arma, al día siguiente los zapatistas agradecieron la movilización y como señal de buena voluntad pidieron a sus bases regresar a sus comunidades. De cualquier forma, la demostración de fuerza ya se había consumado y cientos de periodistas

atestiguaron el interminable desfile de miles de hombres, mujeres y niños tzotziles, que acudieron a apoyar a sus representantes.

El nuevo diálogo se inició formalmente y en él se discutieron, como primer punto, las medidas de distensión. Fueron tres rondas de negociaciones en las que se trató el mismo punto sin llegar a ningún acuerdo, pero, mientras esto sucedía, el EZLN preparaba una ofensiva política más: una consulta nacional e internacional, con el fin de conocer la opinión de la sociedad sobre el futuro político del EZLN, sobre las demandas zapatistas y sobre la necesidad de crear o no un frente opositor.

En medio de la ofensiva política zapatista (la consulta) y de la ofensiva gubernamental contra los sacerdotes extranjeros afines a la causa indígena (fueron expulsados del país tres sacerdotes extranjeros de la Diócesis de San Cristóbal), dio inicio la quinta fase del diálogo de San Andrés, en la que tampoco se alcanzaron acuerdos sobre el tema de distensión militar.

El 27 de agosto se realizó en todo el país la Consulta Nacional por la Paz y la Democracia, en la que participaron más de 50 mil promotores en la organización y se instalaron más de 10 mil mesas receptoras. La gran mayoría del millón 88 mil mexicanos que participaron respondieron afirmativamente a la pregunta de si debía el EZLN transformarse en una fuerza política de nuevo tipo. Además, en la consulta internacional participaron más de 100 mil extranjeros de 50 países. Esta fue la primera movilización convocada por los zapatistas, que aglutinó a decenas de miles de personas de México y de diferentes partes del mundo. Fue, además, el inicio de una serie de relaciones internacionales que habrían de sostener los indígenas rebeldes.

Cinco meses después del reinicio del diálogo, durante la sexta ronda de negociaciones celebrada en septiembre, se fijaron por fin las mesas de trabajo y los procedimientos: Mesa 1: Derechos y Cultura indígenas;

Mesa 2: Democracia y justicia; Mesa 3: Bienestar y Desarrollo; Mesa 4: Conciliación en Chiapas; Mesa 5: Derechos de la mujer en Chiapas; Mesa 6: Cese de Hostilidades.

A partir de aquí se incrementó la agenda zapatista: respondieron a los resultados de la Consulta con la propuesta de organizar una mesa de diálogo nacional sin el gobierno, y a nivel internacional convocaron a la realización del primer Encuentro Intercontinental por la Humanidad y Contra el Neoliberalismo. También, dentro del proceso de negociación con el gobierno, pactaron la organización de un Foro Especial sobre los Derechos de los Pueblos Indios, otro sobre la Reforma del Estado y uno más sobre la problemática de la mujer. El mensaje de los zapatistas era claro y lo explicó así el comandante David: "Nosotros no queremos que sólo nuestra palabra se escuche en el diálogo. Queremos que se oigan todas las voces de todos los hombres y mujeres que luchan como nosotros…"

Y, en efecto, la estrategia de diálogo de los zapatistas incluyó la participación de todas las voces posibles. El Comité Clandestino Revolucionario Indígena (CCRI) dio un nuevo golpe político al anunciar que invitaría a más de 100 asesores, entre dirigentes indígenas, antropólogos, historiadores, intelectuales y representantes de diversas organizaciones sociales y políticas, a participar con ellos en las negociaciones de San Andrés. Se inauguraba, así, una nueva forma de negociar con el Poder, una forma incluyente que suprimía el "toma y daca", y el modelo de "ventanilla" en el que un grupo presentaba un pliego petitorio a negociar y el poder decía "esto sí, esto no".

Muy poco tiempo duró el ambiente en calma pues, con el diálogo aparentemente encarrilado, el gobierno asestó un nuevo golpe a los zapatistas, con la detención, el 23 de octubre, de Fernando Yáñez Muñoz, acusado de ser el "Comandante Germán" del EZLN. Esta sería una constante de las rondas de negociación: cuando se pensaba que todo iba marchando bien, un nuevo golpe del gobierno interrumpía el proceso. Ante esta situación, los rebeldes se declararon en alerta roja, hasta que, a los dos días, el arquitecto

Yáñez, inquebrantable luchador social de larga trayectoria, fue exonerado y liberado por la Procuraduría General de la República (PGR).

Las pláticas se reanudaron en noviembre y, al mes siguiente, el ambiente se volvió a tensar con el anuncio zapatista de construir, para la celebración del segundo aniversario del levantamiento, cuatro nuevos Aguascalientes (lugares de encuentro político y cultural) en la Selva, el Norte y los Altos de Chiapas. El gobierno tomó estas medidas como acciones armadas y amenazó con ocupar estos espacios de reunión. Una vez más se estuvo al borde del reinicio de las hostilidades, pues los zapatistas se negaron a destruir los Aguascalientes y sus bases de apoyo, sin armas, defendieron los espacios. El 14 de diciembre, luego de suspenderse una reunión entre la Conai y el EZLN por los patrullajes militares, la Cocopa y el EZLN firmaron la convocatoria para la realización del Foro Especial sobre Derechos Indígenas. El ambiente se relajó y se logró un acuerdo para llevar a cabo las fiestas del segundo aniversario. Y así, con baile, los zapatistas celebraron el segundo año del levantamiento armado.

1996

La Cuarta Declaración de la Selva Lacandona y el llamado a la conformación del FZLN. Primeros acuerdos sobre Derechos y Cultura Indígenas. Ofensivas paramilitares. Incumplimiento de los acuerdos, suspensión del diálogo y salida de la primera zapatista de la Selva a la Ciudad de México

El primero de enero de 1996, de manera simultánea en los cinco Aguascalientes (inaugurados ese mismo día, luego de un intenso hostigamiento militar que pretendió su destrucción), el Ejército Zapatista de Liberación Nacional dio a conocer la Cuarta Declaración de la Selva Lacandona, en la que refrendó su compromiso por una solución pacífica y propuso la construcción del Frente Zapatista de Liberación Nacional (FZLN), una fuerza política de nuevo tipo, no partidaria, que no luche por el poder, independiente y autónoma, civil y pacífica, basada en el EZLN y a la que, al final de las negociaciones, los zapatistas se sumarían.

"Invitamos a la sociedad civil nacional, a los sin partido, al movimiento social y ciudadano, a todos los mexicanos, a construir una nueva fuerza política… Una nueva fuerza política cuyos integrantes no desempeñen ni aspiren a desempeñar cargos de elección popular o puestos gubernamentales en cualquiera de sus niveles. Una fuerza política que no aspire a la toma del poder. Una fuerza política que no sea un partido

113

político… Una nueva fuerza política que pueda organizar las demandas y propuestas de los ciudadanos para que el que mande, mande obedeciendo. Una fuerza política que pueda organizar la solución de los problemas colectivos aún sin la intervención de los partidos políticos y del gobierno. No necesitamos pedir permiso para ser libres. La función de gobierno es prerrogativa de la sociedad y es su derecho ejercer esa función…" (Cuarta Declaración de la Selva Lacandona. 1 de enero de 1996).

En un ambiente festivo, a pesar de las recientes agresiones militares, y con la participación de la sociedad civil y de las bases de apoyo zapatistas, en los cinco Aguascalientes del EZLN se escuchó el anuncio grabado de la Cuarta Declaración. Después se dio el debate en cascada. Articulistas y columnistas de todos los periódicos no se dieron a vasto para criticar o aplaudir la nueva iniciativa rebelde. Los cuestionamientos a los partidos políticos, la decisión de no luchar por el poder, la construcción de una fuerza política de nuevo tipo basada en el mandar obedeciendo fueron, entre otros, los puntos más cuestionados por la clase política y, al mismo tiempo, los más entendidos por una sociedad civil desencantada de los partidos políticos y de sus tiempos electorales.

Simultáneamente a la construcción de esta nueva fuerza política, durante los primeros días de enero el EZLN inició los trabajos del Foro Nacional Especial de Derechos y Cultura Indígenas, en el que más de 500 representantes de por lo menos 35 pueblos indios discutieron y llegaron a diversos consensos sobre sus demandas. La autonomía indígena, acordaron, sería el eje de la lucha por una nueva relación de los pueblos indios con el Estado. El 7 de enero, el subcomandante Marcos se trasladó sorpresivamente a San Cristóbal de las Casas para participar en el foro. Al finalizar este primer encuentro de los zapatistas con el espectro nacional de la lucha indígena, los participantes acordaron convocar a la constitución del Congreso Nacional Indígena (CNI).

"Este Foro Nacional Indígena puede ser un ejemplo de que no tenemos que pedir permiso para pensarnos libres, justos y democráticos. No

114

les pedimos que olviden sus diferencias y discusiones, no les pedimos que se unan a fuerzas o que se rinda un pensamiento a la fuerza de otro pensamiento. Les pedimos que tengamos respeto y tolerancia al que piensa diferente en el camino pero tiene el mismo anhelo de vida... Les pedimos que, juntos, le demos a este país y a este mundo que sólo nos ofrece la muerte o la humillación como futuro, una lección: la lección de la dignidad humana que salva al mundo de la estupidez y el crimen". (Discurso de inauguración del Foro Nacional Indígena. 4 de enero de 1996).

El foro fue clausurado por el subcomandante Marcos el 8 de enero y al día siguiente los representantes de los 35 pueblos indios partieron rumbo a sus comunidades. No se fueron con las manos vacías, llevaron el encargo de transmitir el nacimiento de su nueva organización: el Congreso Nacional Indígena, un espacio de encuentro sin dirigentes ni cúpulas, un espacio pensado de manera horizontal para luchar por las demandas de los indígenas de todo el país, entre ellas el reconocimiento de su autonomía.

La estrategia zapatista, delineada pero no acabada, de construir espacios de participación y encuentro no sólo a nivel indígena y nacional, sino también en el terreno internacional, continuó durante los siguientes días. El 30 de enero dieron a conocer la Primera Declaración de la Realidad contra el Neoliberalismo y por la Humanidad, en la que llamaron a la celebración de Encuentros Continentales y, posteriormente, al Primer Encuentro Intercontinental por la Humanidad y Contra el Neoliberalismo.

Después del apoyo internacional que recibieron durante y después de la guerra iniciada el primero de enero de 1994, los zapatistas empezaron a organizar la solidaridad con su movimiento durante la Primera Consulta celebrada en agosto de 1995, evento en el que corroboraron la gran influencia y penetración de su palabra en otros pueblos del mundo. Es así como, en enero de 1996, lanzaron el segundo llamado internacional

en torno a una causa específica y global: "Contra la internacional del terror que representa el neoliberalismo debemos levantar la internacional de la esperanza. La unidad por encima de fronteras, idiomas, colores, culturas, sexos, estrategias y pensamientos, de todos aquellos que prefieren a la humanidad viva". (Primera declaración de la Realidad contra el Neoliberalismo y por la Humanidad. 30 de enero de 1996).

Los zapatistas llamaron entonces a todos los individuos, grupos, colectivos, movimientos, organizaciones sociales, ciudadanas y políticas, a los sindicatos, las asociaciones de vecinos, cooperativas, todas las izquierdas habidas y por haber; organizaciones no gubernamentales, grupos de solidaridad con las luchas de los pueblos del mundo, bandas, tribus, intelectuales, indígenas, estudiantes, músicos, obreros, artistas, campesinos, grupos culturales, movimientos juveniles, medios de comunicación alternativa, ecologistas, colonos, lesbianas, homosexuales, pacifistas, feministas... a todos los seres humanos sin casa, sin tierra, sin trabajo, sin alimentos, sin salud, sin educación, sin libertad, sin justicia,

116

sin independencia, sin democracia, sin paz, sin patria, sin mañana… a participar en el Primer Encuentro Intercontinental por la Humanidad y Contra el Neoliberalismo.

Empezaron, así, el largo camino de la lucha contra la globalización y la conformación de un movimiento internacional que habría de dar grandes sorpresas en los años por venir.

El 10 de febrero las bases de apoyo zapatistas recordaron con una marcha el primer aniversario de la ocupación militar de sus comunidades, el primer aniversario de la expulsión de los indígenas de Guadalupe Tepeyac y de los presos políticos acusados de ser zapatistas. La marcha de miles de hombres, mujeres y niños con el rostro cubierto, inició en el pueblo viejo de Guadalupe Tepeyac, ocupado por el ejército, y terminó en La Realidad con un festejo cultural en el Aguascalientes. ¿El motivo del "festejo"? "Es que estamos vivos", decían los hombres y mujeres entre bailes y cantos. Por la libertad de los presos políticos y el cese del hostigamiento militar, los indígenas chiapanecos llamaron, una vez más, al pueblo de México a manifestarse.

Siguiendo en la ruta del diálogo con el gobierno, el 15 de febrero la Comandancia del EZLN dio a conocer un documento escrito en colaboración con su amplio grupo de asesores: "El Diálogo de San Andrés y los Derechos y la Cultura Indígena. Punto y Seguido", en el que anunciaron el término de la primera fase de las negociaciones, dejando claro que las demandas fundamentales de los pueblos indígenas no habían sido satisfechas del todo y que, por lo tanto, continuaría la lucha por conseguir su plena satisfacción.

En el documento se advierte que los acuerdos no cubren el grave problema agrario nacional ni la reforma que en esa materia debería hacerse al artículo 27 constitucional. Señalaron también que los compromisos mínimos entre el EZLN y el gobierno federal dejaron fuera las autonomías municipales y regionales y que, entre otras omisiones, se encontraba el problema de la transformación profunda del sistema de justicia, con el fin de que se garanticen no sólo los derechos individuales, sino también colectivos, los de los pueblos indígenas. La solución profunda a la problemática de la mujer indígena, el acceso de los pueblos indios a los medios de comunicación, el pleno ejercicio de un gobierno propio, fueron algunos de los pendientes planteados. (Documento del EZLN y asesores: "El Diálogo de San Andrés y los Derechos y la Cultura Indígena. Punto y Seguido". 15 de febrero de 1996).

Un día después de que se dio a conocer este documento, el 16 de febrero, luego de diez meses de trabajo, de una serie de encuentros y desencuentros, de tensiones y presiones, de persecuciones y hostigamientos, el EZLN y el gobierno federal firmaron los primeros acuerdos de paz, referentes a la primera mesa de negociaciones sobre Derechos y Cultura Indígena. En estos acuerdos el gobierno se comprometió a reconocer el derecho a la autonomía de los pueblos indios en la Constitución, a ampliar su representación política, a garantizar el acceso pleno a la justicia, a construir un nuevo marco jurídico que garantizara sus derechos políticos, sus derechos jurisdiccionales y sus derechos culturales. El gobierno se comprometió, además, a reconocer a los indígenas como sujetos de derecho público. Parecía que las cosas iban por buen camino, pues aunque los zapatistas advirtieron que los acuerdos representaban sólo una parte de los derechos de los pueblos indios, decidieron firmarlos y comprometerse a luchar por su cumplimiento.

No hubo ceremonia protocolaria de la firma de esos primeros acuerdos, pues la delegación zapatista, encabezada por los comandantes Tacho, David y Zebedeo, señaló que, por el momento, sólo eran papeles y habría que vigilar su cumplimiento. El tiempo les daría la razón y, por lo pronto, cada delegación firmaría por separado.

Las negociaciones sobre el segundo punto, referente a Democracia y Justicia, iniciaron con malos augurios, pues cuando el EZLN dio a conocer su lista de asesores e invitados conformada por más de 300 personas de las diferentes tendencias políticas, el panorama se enturbió con la irrupción violenta del grupo paramilitar "Paz y Justicia", que destruyó un templo católico en el municipio de Tila.

Pese a todo, los zapatistas no descuidaron sus otros frentes, sus verdaderos espacios de diálogo. El 3 de marzo de 1996, saludaron la celebración del II Encuentro Nacional de Comités Civiles para el Diálogo Nacional, que se llevó a cabo en la ciudad de Poza Rica, Veracruz. Se conformó entonces la Comisión Especial Promotora del FZLN, y con ella arrancó la organización de los comités civiles de diálogo, como estructura mínima de participación en la nueva fuerza política zapatista: el FZLN.

Simultáneamente, los rebeldes atendían el frente indígena, por lo que enviaron también su propuesta para la conformación de una Comisión Promotora del Foro Nacional Indígena Permanente, misma que habría de organizar la construcción del Congreso Nacional Indígena. Los principios con los que habría de trabajar la Comisión Promotora, mismos que después se trasladarían al CNI en su conjunto, fueron: servir y no servirse, representar y no suplantar, construir y no destruir, obedecer y no mandar, proponer y no imponer, convencer y no vencer, y bajar y no subir.

Los zapatistas promovían la organización del FZLN, del CNI, de los encuentros internacionales contra el neoliberalismo y, paralelamente, continuaban el diálogo con el gobierno, así como su organización y movilización interna. El 8 de marzo, las mujeres bases de apoyo zapatistas tomaron la ciudad de San Cristóbal de las Casas, en una manifestación sin precedentes en la que se volvieron a escuchar las voces de las mujeres indígenas insurrectas. Las calles se llenaron de miles de mujeres con pasamontañas y vestidos multicolores, muchas cargando niños en la espalda o tomados de la mano, con pancartas y consignas, gritos, cantos y bailes. Así celebraron las mujeres rebeldes el Día Internacional de la Mujer.

"Las mujeres zapatistas, las combatientes y las no combatientes, luchan por sus propios derechos como mujeres. Enfrentan también la cultura machista que en los varones zapatistas se manifiesta en muchas formas. Las mujeres zapatistas no son libres por el hecho de ser zapatistas,

tienen todavía mucho que luchar y mucho que ganar", dijeron las indígenas, al tiempo que saludaron a las mujeres que luchan en cualquier parte del mundo. (Discurso del EZLN. 8 de marzo de 1996).

Además de organizar la marcha de las mujeres, los rebeldes dieron en ese mismo mes su apoyo económico para comprar petroquímicas, sostuvieron un diálogo con caricaturistas, saludaron la lucha del pueblo tepozteco contra el club de golf, pidieron a Estados Unidos y Europa suspender la venta de armas a México.

A pesar de que la represión y los desalojos violentos se incrementaron en el Estado, continuaron las negociaciones con el gobierno federal y, en medio de ellas, se efectuó un nuevo operativo policiaco en el municipio de Nicolás Ruiz, en el que murieron cuatro campesinos. La nueva matanza de indígenas tensó el ambiente en la recién instalada mesa de negociaciones y el diálogo nuevamente estuvo en crisis.

Por si fuera poco, en la mesa de negociaciones los representantes del gobierno guardaron absoluto silencio. No fueron a dialogar ni a escuchar, sólo a hacer acto de presencia, lo cual fue calificado no sólo por los zapatistas, sino por todos los participantes, como una nueva burla a la paz.

Sin embargo, siempre de acuerdo con su estrategia de abrir simultáneamente otros canales de diálogo, del 4 al 8 de abril se celebró en La Realidad, municipio de San Pedro de Michoacán, el Primer Encuentro Continental por la Humanidad y Contra el Neoliberalismo, foro en el que miles de participantes del Continente Americano se reunieron para discutir, por vez primera, propuestas para enfrentar las políticas neoliberales impuestas en todo el mundo.

Hombres y mujeres de Canadá, Estados Unidos, México, Guatemala, Costa Rica, Venezuela, Puerto Rico, Ecuador, Brasil, Perú, Chile, Uruguay y Argentina, además de observadores de Francia, Alemania y el

Estado Español, se reunieron en la comunidad tojolabal de La Realidad para preparar lo que sería en agosto el Primer Encuentro Intercontinental por la Humanidad y contra el Neoliberalismo, mejor conocido como "el intergaláctico".

"El poder tratará de evitar otros encuentros como el de La Realidad. Y nosotros debemos defender este sueño, traerlo bien guardado en el bolsillo del pantalón y sacarlo cada tanto para una caricia o para un aliento", fueron las palabras proféticas del discurso de clausura. (Discurso del EZLN. 7 de abril de 1996).

En las siguientes dos fechas conmemorativas, el 10 de abril y el 1 de mayo, aniversario luctuoso del general Emiliano Zapata y Día del Trabajo, respectivamente, el EZLN envió sendos saludos a las manifestaciones que con esos motivos se celebraron en la ciudad de México.

La mesa de diálogo con el gobierno federal continuaba sin avances cuando, el 3 de mayo, un juez de Tuxtla Gutiérrez sentenció a los luchadores sociales Javier Elorriaga Berdegué y Sebastián Entzin Gómez, bajo los cargos de conspiración, rebelión y terrorismo, a 13 años y 6 años de prisión, respectivamente. El EZLN declaró entonces que la sentencia significaba que para el gobierno los zapatistas eran terroristas, peligrosos delincuentes a los que había que encarcelar y matar. La resolución del juez, dijeron, era una provocación a la paz y una violación a la Ley para el diálogo, por lo que suspendieron su participación en una negociación en la que, además, sólo ellos hablaban y proponían.

"El proceso de diálogo entre el EZLN y el gobierno federal ha recibido, con estos argumentos, un golpe definitivo… El único futuro que el gobierno nos ofrece al final del proceso de diálogo y negociación, es el de la prisión y la muerte. Todos los esfuerzos de diálogo y de lucha pacífica que el EZLN ha emprendido desde su aparición pública, en enero de 1994, y a los que ha llamado una y otra vez al pueblo de México, son condenados junto a los presuntos zapatistas", advirtió la Comandancia General. (Comunicado del EZLN. 5 de mayo de 1996).

Más adelante, en una larga carta dirigida a los legisladores de la Cocopa, el EZLN fue tajante: "Libres o presos los presuntos zapatistas, el Diálogo de San Andrés es insostenible si el EZLN se define, ante cualquier poder federal, estatal o local, como una organización terrorista". (Carta del EZLN a la Cocopa. 18 de mayo de 1996).

El ambiente se volvió a tensar y, por si fuera poco, el grupo paramilitar del municipio de Chilón, conocido como "los Chinchulines", atacó con armas de alto poder a un grupo de campesinos de Bachajón e incendió varias casas. La Comisión Nacional de los Derechos Humanos pidió al gobernador de Chiapas la investigación de los hechos pero no hubo respuesta y, días después, se efectuó otro ataque, esta vez protagonizado por el grupo paramilitar Paz y Justicia, en la comunidad de Usipá, municipio de Tila.

Las fuerzas paramilitares, entrenadas por el ejército federal, incendiaban casas, templos, escuelas, asesinaban a hombres y mujeres bases de apoyo del EZLN, y todo quedaba en la impunidad. Ese era el ambiente cuando, tras una intensa movilización nacional e internacional, la Corte apeló la resolución del juez y fueron liberados Javier Elorriaga y Sebastián Entzin. El EZLN respondió con la suspensión del estado de alerta y, días después, Elorriaga, historiador y luchador social, se incorporó al Frente Zapatista de Liberación Nacional.

De esta manera, a principios de junio la Cocopa logró restablecer el contacto directo con los rebeldes, con miras a la reanudación del diálogo. Sin embargo, a punto de reiniciarse las negociaciones entre el EZLN y el gobierno federal, hizo su primera aparición en el estado de Guerrero el Ejército Popular Revolucionario (EPR), grupo armado producto de una coalición de diversas fuerzas revolucionarias. Fue el 23 de junio, a un año de la matanza de 17 campesinos guerrerenses en el Vado de Aguas Blancas, la fecha que eligió el EPR para ingresar al ya enrarecido panorama político. El ambiente se tensó pero los zapatistas se desmarcaron de ese movimiento y se pudo concretar el Foro Especial para la Reforma del Estado, segundo espacio de encuentro pactado dentro de las negociaciones,

en el que participaron más de mil 300 personas, entre representantes de organizaciones políticas, sociales, sindicales y ciudadanas, así como intelectuales y personalidades del ambiente político y cultural.

El Foro Especial para la Reforma del Estado se llevó a cabo del 30 de junio al 6 de julio en la ciudad de San Cristóbal de las Casas y formó parte de los trabajos de la segunda mesa de negociaciones, referente a Democracia y Justicia. Al evento se trasladó una delegación del EZLN conformada por un grupo de comandantes de todas las regiones rebeldes y por el subcomandante Marcos. El encuentro fue un éxito, pues convocó a un amplio y plural espectro político que se planteó la conformación de un nuevo proyecto de nación.

En el foro, una vez más, los zapatistas plantearon más preguntas que respuestas: "¿Cuántas apariciones de grupos guerrilleros son necesarias y en qué lugares, para que sociedad y Estado reconozcan que hay estados de la federación que se manejan como haciendas porfirianas? ¿Cuánta inestabilidad política y económica es necesaria para recordar que la cerrazón política del poder representado en Porfirio Díaz generó la guerra más cruenta que han tenido los mexicanos en su historia? ¿Cuántos muertos, cuánta destrucción, cuánta cárcel, cuánta impotencia, cuántos magnicidios, cuántos criminales refugiados en Irlanda o en Manhattan, cuánta inseguridad económica, cuántos gobernadores narcotraficantes, cuánto país destruido? ¿Cuánto es necesario para reconocer que algo no funciona, que algo se pudre, que algo se muere definitivamente en el sistema político mexicano?". (Discurso del EZLN. 30 de junio de 1996).

Durante las semanas que siguieron, el gobierno federal decidió aprovechar el deslinde de los zapatistas de la nueva guerrilla del EPR, para llevar a cabo una campaña para distinguir entre una "guerrilla buena" (el EZLN) y una "guerrilla mala" (el EPR). Los rebeldes chiapanecos denunciaron la estrategia gubernamental y, sin caer en el juego, continuaron sus encuentros políticos y su diálogo con la sociedad.

En julio, los zapatistas incrementaron sus encuentros con la sociedad civil, pero esta vez a nivel internacional. Del 27 de julio al 3 de agosto, inauguraron una nueva fase de la lucha contra el neoliberalismo en todo el mundo, con la puesta en marcha del Primer Encuentro Intercontinental por la Humanidad y contra el Neoliberalismo, en el que cerca de cinco mil personas de 42 países participaron en mesas de discusión en los cinco Aguascalientes zapatistas, ubicados en las comunidades de Oventik, La Realidad, La Garrucha, Morelia y Roberto Barrios.

La inauguración del evento se realizó en el Aguascalientes de Oventik, municipio de San Andrés Sacamch'en de los Pobres, y hasta ahí llegaron hombres y mujeres provenientes de los cinco continentes: delegaciones de Italia, Brasil, Gran Bretaña, Paraguay, Chile, Filipinas, Alemania, Perú, Argentina, Austria, Uruguay, Guatemala, Bélgica, Venezuela, Colombia, Irán, Haití, Dinamarca, Nicaragua, Zaire, Francia, Ecuador, Grecia, Japón, Kurdistán, Irlanda, Costa Rica, Cuba, Suecia, Noruega, Holanda, Sudáfrica, Suiza, Estado Español, Estados Unidos, Portugal, País Vasco, Cataluña, Canarias, Turquía, Canadá, Puerto Rico,

Bolivia, Australia, Mauritania y de todo México, se dieron cita en los Altos de Chiapas para de ahí distribuirse en el resto de los Aguascalientes.

En medio de la neblina de Oventik, frente a los miles de personas de diferentes colores, los zapatistas dijeron su palabra: "Detrás de nosotros estamos ustedes. Detrás de nuestro pasamontañas está el rostro de todas las mujeres excluidas. De todos los indígenas olvidados. De todos los homosexuales perseguidos. De todos los jóvenes despreciados. De todos los migrantes golpeados. De todos los presos por su palabra y pensamiento. De todos los trabajadores humillados. De todos los muertos de olvido. De todos los hombres y mujeres simples y ordinarios que no cuentan, que no son vistos, que no son nombrados, que no tienen mañana... Hoy, miles de seres humanos de los cinco continentes gritan su '¡Ya basta!' aquí, en las montañas del Sureste mexicano. Gritan '¡Ya basta!' al conformismo, al nada hacer, al cinismo, al egoísmo hecho dios moderno. Hoy miles de pequeños mundos de los cinco continentes ensayan un principio aquí, en las montañas del Sureste mexicano: el principio de la construcción de un mundo nuevo y bueno, un mundo donde quepan todos los mundos". (Discurso del EZLN. 27 de julio de 1996).

El Encuentro Intergaláctico finalizó el 3 de agosto con la lectura de la Segunda Declaración de la Realidad por la Humanidad y contra el Neoliberalismo, documento con el que nació el acuerdo de conformar una red colectiva de todas las luchas y resistencias contra el neoliberalismo, en la cual se reconocieran las diferencias y se conocieran las semejanzas. Esta red intercontinental de resistencias, se propuso, no tendría estructura organizativa, ni centro rector ni decisorio, ni mando central ni jerarquías. Era, pues, el nacimiento de una red que, con el tiempo, habría de conformar el movimiento mundial antiglobalización.

Una vez finalizado el encuentro, los rebeldes intentaron continuar con los trabajos de la Mesa sobre Democracia y Justicia, pero el gobierno federal propuso dejar de lado el tema y avanzar a la siguiente mesa, lo que fue rechazado por el grupo insurgente.

Ante la actitud gubernamental, después de una consulta a sus bases, el 3 de septiembre el EZLN anunció que suspendía su participación en las negociaciones de San Andrés. Fueron momentos de suma tensión pues, inmediatamente después del anuncio, el gobierno incrementó el hostigamiento militar contra las comunidades indígenas rebeldes.

En un comunicado los rebeldes plantearon cinco condiciones mínimas para la posible reanudación del diálogo: liberación de todos los presuntos zapatistas; una comisión gubernamental con capacidad de decisión política y que respete a la delegación zapatista; la instalación de la Comisión de Seguimiento y Verificación; propuestas serias y concretas para la mesa de democracia y justicia; y el fin del clima de persecución militar y policíaca contra las comunidades indígenas. (EZLN. Comunicado 29 de julio de 1996).

El gobierno de Ernesto Zedillo ignoró estas condiciones y, en su lugar, incrementó la violencia paramilitar en la zona.

Simultáneamente a la suspensión de las negociaciones, el EZLN envió una carta a los combatientes y mandos del Ejército Popular Revolucionario, en la que no sólo rechazaron el apoyo militar ofrecido por esta organización armada, sino que aprovecharon para, una vez más y en tono

categórico, explicar su lucha y su estar armado y sus enormes diferencias con respecto a las guerrillas tradicionales: "la diferencia no está, como insisten ustedes y otros en ver, en que ustedes no dialogarán con el gobierno, en que sí luchan por el poder y en que no han declarado la guerra, y en cambio nosotros sí dialogamos (ojo: no sólo con el gobierno, también, y sobre todo en proporción muy superior, con la sociedad civil nacional e internacional); no luchamos por el poder y sí le declaramos la guerra al ejército federal (desafío que nunca nos perdonarán). La diferencia está en que nuestras propuestas políticas son diametralmente distintas y esto es evidente en el discurso y la práctica de las dos organizaciones. Gracias a su aparición de ustedes, ahora mucha gente podrá entender que lo que nos hace diferentes de las organizaciones políticas existentes no son las armas ni los pasamontañas, sino la propuesta política. Nosotros nos hemos trazado un camino, nuevo y radical. Tan nuevo y radical que todas las corrientes políticas nos han criticado y nos ven con fastidio, ustedes incluidos. Somos incómodos. Ni modos, así es el modo de los zapatistas..." (Carta del EZLN. 30 de agosto de 1996).

Los zapatistas continuaron organizándose con los indígenas del resto del país, por lo que respondieron afirmativamente a la invitación de enviar a una representante rebelde al Congreso Nacional Indígena, a celebrarse en la ciudad de México. El gobierno federal y la clase empresarial reaccionaron con aspavientos ante la posibilidad de que una zapatista arribara al Distrito Federal. Vinieron, una vez más, tensiones y hostilidades. El gobierno insistió en que la ley para el diálogo no facultaba a los zapatistas para transitar libremente por el país. Los rebeldes, por su lado, defendieron su decisión de romper el cerco militar y partir a la capital del país. La Cocopa, en esos momentos, fue clave para que las negociaciones llegaran a buen término y la comandante Ramona, mujer indígena, enferma

pero resuelta, fue la representante rebelde encargada de desafiar no sólo al poder militar gubernamental, sino a la clase política y empresarial.

El 12 de octubre, después de una manifestación de decenas de miles de indígenas y por primera vez en el Zócalo de la Ciudad de México, una integrante de la dirección del EZLN, la comandanta Ramona, pronunció un discurso que culminó con el lema que habría de acompañar la lucha por el reconocimiento de los derechos y la cultura indígenas: "Nunca más un México sin nosotros".

La presencia de la comandanta Ramona en el Primer Congreso Nacional Indígena le dio al evento una envergadura internacional. Cientos de indígenas de todo el país dialogaron y reflexionaron acerca de la problemática en sus respectivas comunidades, coincidieron en fortalecer su lucha por el cumplimiento de los Acuerdos de San Andrés y en caminar juntos por el reconocimiento de su autonomía.

Los indígenas regresaron a sus pueblos y poco después, el 7 de noviembre, los zapatistas lograron la instalación de la Comisión de Seguimiento y Verificación. Por el EZLN participaron destacadas personalidades, tales como Rodolfo Stavenhagen, Amalia Solórzano y el obispo Bartolomé Carrasco.

Después, del 24 al 29 de noviembre, se reunieron el EZLN, la Cocopa y la Conai para redactar la iniciativa de reformas constitucionales sobre derechos y cultura indígenas. El gobierno y el EZLN aceptaron que fueran los legisladores de la Cocopa quienes redactaran una propuesta legal para ser aceptada o rechazada sin modificaciones.

Al final de la reunión, la Cocopa presentó su propuesta final y el EZLN la aceptó como muestra de buena voluntad, pero dejó claro que no se contemplaron varios aspectos de los Acuerdos de San Andrés. El secretario de Gobernación, Emilio Chuayffet, de manera verbal también dio su aprobación pero pidió que regresara Ernesto Zedillo de un viaje para formalizar el acuerdo.

Este fue uno de los momentos cruciales de la negociación, pues la Secretaría de Gobernación dio marcha atrás a su decisión original y el proceso de negociación sufrió un golpe hasta el momento irreparable. Chuayffet se entrevistó con la Cocopa para informarle nuevos inconvenientes sobre la iniciativa de ley sobre Derechos y Cultura Indígenas, es decir, se retractó de su palabra en cuanto a aceptar la iniciativa tal y como estaba e hizo señalamientos de fondo. Nunca como entonces la comisión de legisladores tuvo en sus manos la posibilidad de ejercer su autonomía y actuar con dignidad. Los diputados y senadores se reunieron entonces con el presidente Zedillo para demandarle la aprobación de la propuesta de ley y éste les pidió un plazo de quince días para darles una respuesta. La respuesta fue "no" y, desde entonces, el cumplimiento de los Acuerdos de San Andrés, aprobados el 16 de febrero de 1996, ha sido el eje de las movilizaciones de los zapatistas, de los indígenas de todo el país y de sectores importantes de la sociedad civil nacional e internacional.

El tercer año de la guerra terminó así con malos augurios. Ante la incertidumbre de la respuesta zapatista a la contrapropuesta presidencial, el gobierno incrementó la presencia militar y policíaca en las comunidades indígenas rebeldes.

"Si este cuarto año es de guerra o de paz dependerá de que el supremo poder acepte la historia y de que reconozca o no que los diferentes merecen un lugar para su palabra y para su paso. Este cuarto año será, como todos los pasados y todos los que vendrán, de… ¡vivir por la patria o morir por la libertad!", dijeron los indígenas rebeldes en medio del ya tradicional baile con el que, a pesar de aviones, helicópteros y tanquetas amenazantes, conmemoraron los mil 95 días desde que inició el levantamiento. (Mensaje del EZLN. Madrugada del 1 de enero de 1997).

129

1997

Movilizaciones por el cumplimiento de los Acuerdos, incremento de las acciones paramilitares en la zona Norte, inauguración del silencio zapatista como arma, marcha de los 1,111 bases de apoyo a la ciudad de México, clímax de la violencia paramilitar en Los Altos, refugiados y masacre de indígenas en Acteal

El año arrancó con malos presagios. En los primeros días de 1997, el EZLN respondió si aceptaba o no las modificaciones sustanciales que el gobierno de Ernesto Zedillo realizó a la propuesta de ley sobre Derechos y Cultura Indígena elaborada por la Comisión de Concordia y Pacificación. Iniciativa que, a pesar de dejar fuera aspectos importantes de los acuerdos firmados en febrero de 1996, fue aceptada por los insurrectos.

El 11 de enero, en la comunidad de La Realidad, en el marco de una reunión con los legisladores de la Cocopa y los miembros de la Conai, los zapatistas rechazaron tajantemente la contrapropuesta de ley realizada por Zedillo, y señalaron que no regresarían a la mesa de negociaciones hasta que se cumplieran los Acuerdos de San Andrés. Al día siguiente de este anuncio, el gobierno incrementó la presencia militar, el hostigamiento contra las comunidades indígenas y el asedio a los zapatistas.

"El señor Zedillo se niega a cumplir lo firmado en San Andrés por sus representantes. Esto es inaceptable, hoy es el desconocimiento de los compromisos adquiridos sobre derechos indígenas, mañana será el incumplimiento de los cada vez más lejanos acuerdos de paz... La contrapropuesta del gobierno federal pone en crisis todo el proceso de paz en México, cuestiona en su fundamento la posibilidad de una solución rápida y pacífica del conflicto y vuelve a tender la sombra de la guerra sobre los pueblos indios de México", denunció el EZLN ante los cada vez más inermes legisladores de la Cocopa.

Un mes más tarde, en febrero, coincidiendo con el aniversario de la firma de los acuerdos, más de 10 mil indígenas zapatistas marcharon en San Cristóbal de las Casas, exigiendo al gobierno el cumplimiento de su palabra con la aceptación de la iniciativa propuesta por la Cocopa.

"Mientras firmaba los primeros acuerdos de paz, el supremo gobierno preparó primero, y ejecutó después, el incumplimiento de lo acordado en San Andrés. Mientras se faltaba a la palabra empeñada, decenas de miles de soldados continuaron cercando, hostigando y persiguiendo a las comunidades indígenas. Así cumplió el gobierno su palabra de seguir por la vía del diálogo y la negociación para resolver la justa guerra de los zapatistas", señalaron los indígenas rebeldes durante la multitudinaria y colorida concentración.

En el acto denunciaron el acoso gubernamental a las instancias de coadyuvancia: "Ciego, el mal gobierno no sólo golpea a los indígenas rebeldes, sino también a quienes asesoran la paz y a quienes, como la Cocopa y la Conai, coadyuvan y median para evitar la guerra. La iniciativa de ley indígena elaborada por la Comisión de Concordia y Pacificación, instancia del poder legislativo federal, ha sido atacada una y otra vez por el ejecutivo federal. Ahora se acusa a los legisladores de 'falsos redentores' y a la iniciativa de ley se le achaca el pretender 'la fragmentación de la Nación mexicana'... Escudándose inútilmente en tecnicismos jurídicos, el gobierno federal trató de ocultar lo esencial: no está dispuesto a cumplir su palabra, no reconoce las demandas auténticas de los indígenas mexicanos, y no quiere resolver la guerra zapatista por la vía del diálogo y la ne-

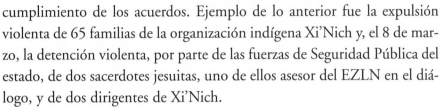

gociación", explicaron en un texto firmado por el Subcomandante Marcos.

El 4 de marzo, la Cocopa renunció a la posibilidad de ejercer una actitud digna y autónoma, al abandonar, de facto, la defensa de su proyecto de ley. La respuesta del gobierno federal fue, una vez más, la represión y el hostigamiento, ya no sólo contra los zapatistas, sino contra todos aquellos que luchaban por el cumplimiento de los acuerdos. Ejemplo de lo anterior fue la expulsión violenta de 65 familias de la organización indígena Xi'Nich y, el 8 de marzo, la detención violenta, por parte de las fuerzas de Seguridad Pública del estado, de dos sacerdotes jesuitas, uno de ellos asesor del EZLN en el diálogo, y de dos dirigentes de Xi'Nich.

En este contexto, el EZLN respondió al comunicado de la Cocopa advirtiéndoles que su postura empeoraba la situación política y militar en la zona. En una carta fechada el 9 de marzo, los zapatistas hicieron un recuento de los daños y recordaron a la Cocopa todo el proceso de negociación. Por la importancia del documento, a continuación se reproducen fragmentos del mismo.

Esta es la historia: "A finales de agosto de 1996 (8 meses después de que se firmaran unos acuerdos y no se cumplieran), las bases de apoyo del EZLN ordenaron al CCRI-CG que suspendiera su participación en el diálogo de San Andrés. La suspensión se dio por la falta de seriedad gubernamental en el diálogo. El incumplimiento de acuerdos pactados, los presos políticos, el hostigamiento militar y paramilitar, el mantenimiento de una delegación racista e incapaz, y la falta de propuestas serias en el tema de Democracia y Justicia, son sólo botones de la gigantesca muestra de que el gobierno jugó, y juega, con la guerra en contra de los indígenas mexicanos. Se plantearon entonces nuestras cinco demandas para la reanudación del diálogo. (Por cierto, el EZLN demandó y demanda un interlocutor gubernamental con capacidad de decisión, voluntad política y respeto a la delegación zapatista, y no el 'fortalecimiento de la interlocución gubernamental', como dicen ustedes en su carta. El hecho de que el señor Zedillo desconozca los acuerdos a los que llegó su delegación confirma que los señores Bernal y Del Valle no tenían, ni tienen, ninguna capacidad de decisión. De su carencia de voluntad política y su falta de respeto habla su historia).

"La Cocopa se propuso entonces una serie de iniciativas para reanudar el diálogo. Se pactaron las llamadas 'reuniones tripartitas' entre la Conai, la Cocopa y el EZLN para discutir y acordar salidas que no sólo resolvieran esa crisis, sino que redefinieran el marco del diálogo y lo volvieran más expedito. En los hechos, la delegación gubernamental había sido desplazada y un nuevo actor, la Cocopa, aparecía. Los señores Bernal y Del Valle habían llevado el proceso de crisis en crisis y el fracaso de su método estaba ya comprobado.

"Después de lograr la instalación de la Comisión de Seguimiento y Verificación (no sin antes haber librado importantes obstáculos interpuestos por los señores de Gobernación), la Cocopa se abocó a resolver el punto del cumplimiento de los acuerdos firmados por el gobierno y el EZLN en la mesa de Derechos y Cultura Indígenas. El EZLN aceptó la proposición de que la Cocopa elaborara una iniciativa de reforma constitucional, tarea que le posibilitaba su papel de coadyuvante. Entonces, para construir esa iniciativa, la Cocopa se asumió como correo en esa etapa (a pesar de nuestra advertencia de que no resultaría) y presentó las propuestas de cada parte a su contrario. Después de fracasado este método (como ya había fracasado en la mesa de San Andrés), las partes acordaron que la Cocopa redactara un documento sobre los acuerdos y que, sobre ese documento, se pronunciarían tanto el EZLN como el gobierno federal.

"Recordarán ustedes que, habiendo obtenido este acuerdo de las partes para que la Cocopa redactara un solo documento ('para no estar intercambiando infinitamente propuestas', palabras textuales de ustedes) y que sobre ese documento se definirían las posiciones respectivas, trabajaron una propuesta de iniciativa de ley. Ustedes presentaron su documento el 29 de noviembre de 1996 advirtiéndonos que ese era el último esfuerzo de la Cocopa, que sólo aceptaban un sí o un no al documento y que, en caso de una respuesta negativa de cualquiera de las partes, la Cocopa consideraría que había fracasado en su labor de coadyuvancia y se desintegraría. En esas fechas ustedes nos dijeron que idéntica advertencia le habían hecho al gobierno federal. Nosotros reconocimos que el esfuerzo de la Cocopa era útil y que, a pesar de que no incorporaba la totalidad de los acuerdos de San Andrés en ese tema, significaba un avance.

"Después (sigamos pidiendo ayuda a la memoria), como recordarán ustedes, el secretario de Gobernación (creo que todavía es Emilio Chuayffet Chemor) aceptó el documento y sólo les pidió que esperaran el regreso del señor Zedillo (en ese entonces de viaje) para hacer pública su aceptación. Posteriormente siguió la cobardía del señor Chuayffet y su falta de honestidad, cuando negó que hubiera aceptado el texto, alegando que ni siquiera lo había leído y que su respuesta había sido afirmativa porque entonces estaba bajo el influjo de una conocida (para él) bebida alcohólica llamada chinchón (o algo así). Entonces, el señor Zedillo habló con ustedes y nos pidió a nosotros tiempo para dar su respuesta (o tal vez para dejar que el señor Chuayffet se recuperara de los chinchones). Dos semanas después, el

gobierno respondió con una auténtica contrapropuesta que no sólo ignora la de la Cocopa, sino que pretende renegociar toda la mesa sobre Derechos y Cultura Indígenas. Nosotros conocimos el documento del gobierno y, por supuesto, lo rechazamos. Entonces, hace dos meses ya, les pedimos que la Cocopa fijara su postura ante esas pretensiones del gobierno.

"El 'No' zapatista a la contrapropuesta de Zedillo desató un intenso y rico debate, nacional e internacional, sobre el tema de los derechos indios. Particularmente, los puntos sobre autonomía, normatividad y participación política de los pueblos indígenas suscitaron intervenciones y opiniones interesantes y esclarecedoras. El señor Zedillo encontró nulo apoyo inteligente a sus ya endebles argumentos en contra del reconocimiento de los derechos históricos de los pueblos indios.

"En menos de dos semanas, el gobierno perdió el debate nacional y no pudo sostener más alguna razón de peso para rechazar la propuesta de Cocopa. Entonces vinieron el silencio y los intentos de minimizar la crisis final del diálogo entre el gobierno y el EZLN. Pronto quedó claro que el gobierno no tenía, ni tiene, ningún argumento para rechazar la propuesta de la Cocopa y no cumplir con su palabra. La verdadera razón: nunca hubo intención del Ejecutivo federal de cumplir los acuerdos y resolver el conflicto por la vía pacífica, se reveló con nitidez y contundencia. Sólo el autoritarismo, la prepotencia y la ceguera, que son intrínsecos al presidencialismo, llevaron la crisis a su peor punto, éste que ahora delinea su respuesta, señores legisladores". (EZLN. Carta a la Cocopa, 9 de marzo de 1997).

El diálogo entró entonces en un impasse difícil de romper, y las movilizaciones nacionales e internacionales no se hicieron esperar. Tal como lo señaló el EZLN en una carta dirigida a los Comités de Solidaridad, el incumplimiento gubernamental de los acuerdos sirvió para algo positivo, pues las protestas dejaron claro que las demandas indígenas zapatistas no eran sólo de Chiapas, sino que respondían a las aspiraciones de todos los pueblos indios del país y reflejaban, con sus particularidades específicas, los anhelos de los indígenas de todo el continente americano. Además de que, una vez más, las movilizaciones fueron espejo del respaldo internacional a la causa indígena.

El gobierno, por supuesto, no entendió lo que estaba sucediendo y, por enésima ocasión, a las demandas de los pueblos indios respondió con violencia. Días después se llevó a cabo una incursión policíaca en la comunidad zapatista de San Pedro Nixtalucum, municipio San Juan de la Libertad. El saldo: cuatro campesinos zapatistas muertos, 29 heridos y 80 familias expulsadas.

En abril, el gobierno federal nombró un nuevo representante para las negociaciones: Pedro Joaquín Codwell, ex secretario de Turismo y ex gobernador de Chiapas, en sustitución de Marco Antonio Bernal. Cambio de nombres, nada más.

Los meses siguientes se caracterizaron por el incremento de la militarización del estado, acompañada de la violencia extrema de los grupos paramilitares contra los zapatistas civiles. Los asesinatos, las expulsiones, la quema de poblados enteros, actos todos cometidos por los paramilitares auspiciados por el ejército federal y el gobierno local, fueron la constante mientras en Chiapas y en todo el país se realizaban las dispendiosas campañas electorales de 1997.

El EZLN inauguró el silencio como arma y respuesta. A las provocaciones gubernamentales se les respondió con la ausencia de ruido, y frente al estruendoso proceso electoral los zapatistas reaccionaron callando.

En este contexto, apenas tres días antes de las elecciones federales, el 3 de julio, el EZLN anunció su decisión de llamar a los pueblos rebeldes a no participar en unos comicios celebrados en medio del hostigamiento militar y paramilitar y, en ese mismo documento, explicaron su silencio: "En estos días pasados nosotros callamos. Para mirarnos dentro, para sembrarnos de nuevo, para más fuertes hacernos, para que el corazón y la palabra encontraran nuevos lugares para hacerse. Para esto sonó nuestro silencio".

En medio de unas elecciones en las que la izquierda partidaria tenía posibilidades de triunfo en la capital del país, los zapatistas acusaron que algunos grupos "progresistas" les pidieron callar y no estorbar. Les pidieron, dijeron, "humildad a los humildes, silencio a los siempre mudos".

Entonces, una vez más, explicaron su propuesta política: "En coyunturas electorales o fuera de ellas, nuestra posición política es y ha sido clara. No es partidaria pero tampoco es antipartido, no es electoral pero tampoco es antielectoral. Es contra el sistema de partido de Estado, es contra el presidencialismo, es por la democracia, la libertad, la justicia, es de izquierda, es incluyente, es antineoliberal".

A pesar de las críticas recibidas por parte de la clase política —o precisamente por ellas— por buscar construir la "otra" política, el EZLN insistió en la explicación: La "otra" política, señalaron, "no busca ocupar el espacio de la política partidaria, nace de la crisis de ésta y tiende a ocupar el espacio que no es cubierto por el quehacer partidista. La 'otra' política busca organizarse para 'voltear' la lógica de la política partidaria, busca

construir una nueva relación de la Nación con sus partes: ciudadanos que tienen derecho a serlo de tiempo completo, diferenciados y específicos, unidos por una historia y por lo que deviene esta historia. Esta nueva relación implica tanto al gobierno y los partidos políticos, como a los medios de comunicación, las iglesias, el ejército, la iniciativa privada, las policías, el Poder Judicial, el Congreso de la Unión".

Su postura, mantenida durante estos cuatro años (y durante los seis que vendrían), advertía que la política es un asunto de élites y que democratizarla no significa ampliar esas élites o suplirlas por otras, sino "liberar" la política del secuestro en que la mantienen los políticos y "llevarla hacia abajo", hacia quienes deben mandar y en quienes reside la soberanía: los ciudadanos. El "mandar obedeciendo" zapatista, insistieron, implica este "volteo" de la política y es un proceso, no un decreto. Se trata, explicaron en ese turbulento 1997, de "una revolución que haga posible la revolución".

En ese mismo comunicado los rebeldes puntualizaron sus posturas con respecto al presidencialismo, al ámbito electoral, a la democracia, al voto como posibilidad de rebeldía y al voto como legitimación del autoritarismo, entre otras.

Las elecciones federales se celebraron y el Partido Revolucionario Institucional perdió la mayoría absoluta en la Cámara de Diputados, mientras que Cuauhtémoc Cárdenas, del Partido de la Revolución Democrática, obtuvo el triunfo como jefe de gobierno de la Ciudad de México.

En medio de una "democracia" instalada por decreto y con las comunidades sitiadas y asediadas por el ejército, el 27 de julio el EZLN, fiel a su estrategia de abrir canales de comunicación con la sociedad civil, salió por primera vez del país representado por un hombre y una mujer bases de apoyo de la insurgencia, con destino al Estado Español, para participar en el Segundo Encuentro Intercontinental por la Humanidad y Contra el Neoliberalismo.

Una vez más, el Ejército Zapatista de Liberación Nacional decidió continuar con su caminar-preguntando. El objetivo ya no era sólo encontrarse con la sociedad civil en territorio rebelde, sino romper el cerco militar y alcanzar la ciudad de México. Pasada la coyuntura electoral, anunciaron la marcha de mil 111 bases de apoyo con destino a la ciudad de México.

El 8 de septiembre partieron del estado de Chiapas los más de mil delegados rebeldes. Se trató de una movilización masiva con varios objetivos: a) movilizar a la sociedad civil nacional e internacional en un momento postelectoral en el que, debido al triunfo en la capital del perredista Cuauhtémoc Cárdenas, el gobierno federal dictaba por decreto que las condiciones democráticas del país estaban dadas para la incorporación del EZLN a la vida institucional. b) explicar a lo largo de la marcha las causas de su alzamiento, las condiciones de militarización y paramilitarización y su proceso de autonomía. c) difundir los Acuerdos de San Andrés, protestar por su incumplimiento y recoger adhesiones para la aprobación de la iniciativa de ley sobre Derechos y Cultura Indígena elaborada por la Cocopa, en el contexto de un nuevo Congreso. d) romper el cerco militar y paramilitar tendido sobre las comunidades en resistencia. e) establecer contactos directos con la sociedad civil, con organizaciones políticas fuera de los partidos, con ONG's, con organismos eclesiales de base, con universitarios, con trabajadores y campesinos e indígenas de todo el país. f) explicar su lucha y conocer las de los demás. g) caminar y preguntar….

Las bases de apoyo zapatistas salieron de Chiapas el 8 de septiembre en medio de un acto multitudinario de despedida, y a su paso por Oaxaca, Puebla y Morelos fueron sembrando su palabra y cosechando adhesiones a su causa. Indígenas y no indígenas encontraron en la marcha un espacio de movilización y protesta, no sólo por la falta de cumplimiento de los Acuerdos de San Andrés, sino por los innumerables agravios que el neoliberalismo va dejando a su paso.

El recibimiento de los capitalinos (el 12 de septiembre) fue multitudinario y entusiasta. En la ciudad de México, los delegados zapatistas

participaron en el Congreso de Fundación del Frente Zapatista de Liberación Nacional, donde explicaron los motivos por los que no podrían adherirse, en esos momentos, al recién constituido Frente. El subcomandante Marcos envió un saludo y señaló que mientras el gobierno no cumpliera su palabra en el proceso de negociación, los zapatistas no podrían ser parte de una fuerza política civil.

El Frente Zapatista de Liberación Nacional nació, así, como una organización hermana del EZLN.

En su mensaje, el EZLN aclaró: "Pero no sólo hay zapatistas en el EZLN. No sólo hay zapatistas armados y clandestinos. Hay también zapatistas civiles y pacíficos. Hay también zapatistas en el FZLN y en otras partes… Pero tampoco podemos seguir deteniéndolos ni pidiéndoles que nos esperen, que no avancen, que no crezcan, que no se hagan grandes, que no se organicen hasta que haya paz justa y digna y el EZLN pueda compartir con ustedes presente y futuro".

Los mil 111 zapatistas participaron también en la Segunda Asamblea del Congreso Nacional Indígena, donde representantes de casi todos los pueblos indígenas del país, refrendaron su compromiso de luchar por el cumplimiento de los Acuerdos de San Andrés, que contemplan el reconocimiento de su autonomía, entre otros aspectos de sus derechos y su cultura.

Las bases de apoyo regresaron a sus comunidades no sin antes dejar clara su postura frente a las agresiones militares: "Seguiremos haciendo todo lo posible por que sean estas acciones civiles y pacíficas y no la guerra, las que construyan la paz para los mexicanos", dijeron en su discurso de despedida de la ciudad de México, el 17 de septiembre.

Durante los meses siguientes los gobiernos federal y estatal respondieron a la gran movilización con el incremento de la guerra sucia contra los indígenas rebeldes. El 4 de noviembre, el obispo Samuel Ruiz y su coadjutor Raúl Vera sufrieron un atentado en el municipio de Tila, con un saldo de varias personas heridas, por parte del grupo paramilitar Paz y Justicia. Dos días después, en San Cristóbal de las Casas, María de la Luz Ruiz García, hermana del obispo Samuel Ruiz García, sufrió un atentado.

"Los recientes atentados tienen el objetivo de hacer llegar al EZLN un mensaje claro: Ni mediación, ni diálogo, ni paz", señalaron los zapatistas en un comunicado tres días más tarde.

Vinieron entonces semanas de extrema violencia por parte de los grupos paramilitares. Miles de indígenas sufrieron sus agresiones en el municipio de Chenalhó, en los Altos de Chiapas. El *impasse* del diálogo generó una situación peligrosa y una violencia auspiciada por el gobierno y su ejército. Con la protección de policías y soldados, los paramilitares reclutan por la fuerza, cobran impuestos y queman casas de indígenas opositores al gobierno local y federal. Ante este panorama, miles de indígenas huyeron de la violencia y se refugiaron en la comunidad zapatista de Polhó, donde sobreviven aún hoy en condiciones infrahumanas.

Junto con las agresiones vinieron las protestas. El 29 de noviembre las bases de apoyo zapatistas de las zonas Altos, Norte, Selva, Sierra, Frontera y Costa, marcharon pacíficamente en San Cristóbal de las Casas y unieron sus protestas a la marcha que, simultáneamente, miles de personas realizaron del Ángel de la Independencia al Zócalo capitalino. "Contra la violencia y la impunidad", fue la principal consigna de la movilización.

Durante los primeros días de diciembre, continuaron los desplazamientos de miles de indígenas rebeldes en los Altos de Chiapas. La situación se tornó crítica y así lo denunció el EZLN el 12 del mismo mes: "Más de 6 mil desplazados de guerra son el resultado de los ataques de las bandas paramilitares y la policía del estado, dirigidas ambas por el gobierno estatal, con el beneplácito del gobierno federal. Tan sólo en la comunidad de Xcumumal se encuentran refugiados más de 3 mil 500 indígenas. Están completamente aislados, pues permanecen sitiados por las guardias blancas y policías de seguridad pública del estado".

142

"Los zapatistas de Chenalhó viven a la intemperie y sufren, además de la falta de vivienda, vestido y alimentación, enfermedades que alcanzan ya el rango de epidemias", denunció el grupo rebelde.

De esta manera, mientras el gobierno estatal fingía un diálogo para el retorno de desplazados, el priísmo chiapaneco se dedicó al saqueo y destrucción de las pertenencias de los expulsados de sus comunidades. Café, ganado, ropa y utensilios domésticos se repartieron entre los paramilitares agresores.

Vinieron entonces los reportajes en prensa y televisión sobre la dramática situación en que se encontraban sobreviviendo miles de indígenas del municipio de Chenalhó. Un reportaje para la televisión hecho por el periodista Ricardo Rocha, entre otros destacados en la prensa escrita, mostró a la sociedad "un pequeño botón de la gigantesca muestra de intolerancia y crimen con los que el Partido Revolucionario Institucional y los gobiernos federal y estatal pretenden doblegar la rebeldía zapatista".

En este contexto de suma gravedad, la Cocopa se dio su tiempo. Informó que durante la segunda semana de enero sus integrantes viajarían a Chiapas, estado en el que, reconocieron, la situación era peor que en los primeros días del levantamiento, pues éste, dijeron "no produjo el número de muertos que hay ahora".

Por su parte, la Comisión Nacional de Intermediación, la Conai, y el Centro de Derechos Humanos Fray Bartolomé de las Casas advirtieron que las negociaciones presentaban una serie de dificultades debido "al entrecruzamiento de intereses estatales y una estrategia contrainsurgente". El mismo día de esta advertencia un grupo de 50 indígenas priístas realizaron disparos y mantuvieron un retén en la zona de Chimix. Los priístas armados (paramilitares) patrullaron todo el día las carreteras que comunican los poblados de Acteal y La Esperanza.

Este era el panorama cuando se produjo, el 22 de diciembre, una de las matanzas más atroces y anunciadas que se recuerden en el país. En la comunidad de Acteal, ubicada en el municipio de Chenalhó, en Los Altos de Chiapas, 45 indígenas, la mayoría niños y mujeres pertenecientes al grupo civil "Las Abejas", fueron masacrados con armas de fuego y a machetazos por 60 hombres armados de una banda paramilitar integrada por indígenas priístas y del frente cardenista (PFCRN). En el ataque resultaron heridas otras 25 personas, varios de ellos niños. La balacera duró más de seis horas y, mientras, decenas de policías de Seguridad Pública permanecieron a 200 metros de donde ocurría la matanza, escuchando los disparos y los gritos sin intervenir.

En los meses siguientes fueron consignadas 125 personas, incluyendo al alcalde priísta y varios jefes policiacos, pero no se deslindaron responsabilidades a funcionarios de mayor peso. A casi siete años de ocurrido, el crimen de Acteal permanece impune.

El EZLN responsabilizó directamente a Ernesto Zedillo Ponce de León y a su secretario de Gobernación, Emilio Chuayffet, quienes dos años antes habían aprobado la estrategia de contrainsurgencia del ejército federal. Así, quedó en evidencia que el gobierno federal diseñó una estrategia paralela de diálogo simulado, sin ninguna intención de cumplir lo acordado, sino con el fin de dar tiempo a la preparación de los escuadrones de la muerte.

La matanza de Acteal provocó cientos de movilizaciones de protesta en México y en todo el mundo. Después de la insurrección del primero de enero de 1994, éste fue el momento en que mayor difusión tuvo el estado de Chiapas. El descrédito y la desaprobación internacional cayeron sobre Zedillo, quien, lejos de ser sensible a lo ocurrido, continuó incrementando el hostigamiento y provocando el éxodo de decenas de miles de indígenas. El 26 de diciembre llegaron más de dos mil soldados a Chenalhó.

Esta vez el repudio internacional no sólo fue de los grupos simpatizantes al movimiento, sino que incluyó al gobierno de Estados Unidos, al primer ministro de Francia, Lionel Jospin, al Papa Juan Pablo II, a la Unión Europea, al secretario de la Organización de las Naciones Unidas, a centenas de personalidades de la cultura, el periodismo y la política del Estado Español, Francia, Italia, Uruguay, Brasil, Estados Unidos, entre otros.

El año terminó, una vez más, con el aumento de efectivos militares en la zona. El pretexto: la conmemoración del cuarto aniversario del levantamiento que, según el ejército federal, aprovecharían los zapatistas para tomar cabeceras municipales. La vigilancia militar se reforzó entonces en los municipios de Las Margaritas, Comitán, Ocosingo, Altamirano, Chilón, Citalá, Oxchuc, Palenque, Tila, Sabanilla, Tumbalá, Salto de Agua, Simojovel, Huitiupán, Jototol, El Bosque y San Cristóbal de las Casas. Sin embargo, para variar, los zapatistas no dejaron de bailar...

1998

Incremento de la violencia militar, paramilitar y policíaca. El silencio zapatista como respuesta. La movilización nacional e internacional. La convocatoria a la Consulta por el Reconocimiento de los Derechos y la Cultura Indígenas y por el Fin de la Guerra de Exterminio

Este año inició con la continuación de la extrema violencia que caracterizó el año anterior. Durante los primeros días del año, aún con el luto y el dolor provocado por la atroz matanza de 45 tzotziles en Acteal, las comunidades indígenas rebeldes recibieron nuevos golpes militares, paramilitares y policíacos.

La respuesta gubernamental a la masacre fue el envío de miles de soldados a las comunidades. Desde las primeras horas de 1998, se inició la persecución de miembros y simpatizantes del EZLN, con el fin de provocar choques armados, desmantelar los municipios autónomos y golpear a las bases de apoyo de la insurgencia.

El primero de enero el ejército atacó la comunidad tzeltal de Yaltchilpic, en el municipio de Altamirano, donde destruyó y robó pertenencias de los indígenas del poblado, bajo la justificación de que ahí se encontraba un supuesto arsenal insurgente. Ese mismo día, los pobladores tzeltales de San Caralampio, en el municipio de Ocosingo, recibieron las agresiones de las tropas federales, las cuales detuvieron al responsable local del EZLN en ese ejido, acusado de tener una pistola que nunca encontraron.

Además, el 3 de enero, un agrupamiento de tropas del ejército federal mantuvo sitiada la comunidad tojolabal de La Realidad por espacio de 17 horas continuas. Durante el operativo el ejército fustigó a indígenas del poblado, interrogándolos —con acciones físicas y amenazas— sobre el paradero de la Comandancia General zapatista. Simultáneamente, los soldados del ejército tomaron por asalto la comunidad tzeltal de Morelia, municipio de Altamirano, donde catearon casas y amenazaron a los pobladores. Horas más tarde, cuatro personas de este ejido fueron detenidas y torturadas en el camino que va a la cabecera municipal.

El 5 de enero, la comunidad "10 de Abril", también en el municipio de Altamirano, fue sitiada por el ejército federal y, ese mismo día, mientras el gobierno negaba la ofensiva, tropas de asalto intentaron tomar el poblado tzotzil de Aldama, en el municipio autónomo San Andrés Sacamch'en de los Pobres.

Como consecuencia de la indignación nacional e internacional por la masacre de Acteal fue destituido el secretario de Gobernación, Emilio Chuayfett, y el cargo fue ocupado por Francisco Labastida Ochoa. El gobernador interino de Chiapas, Julio César Ruiz Ferro, renunció y en su lugar Zedillo designó a Roberto Albores Guillén. Cambios de nombres pero ningún cambio de estrategia y, al contrario, el gobierno incrementó el hostigamiento a las comunidades indígenas.

Simultáneamente a las incursiones militares, Zedillo presentó al Congreso de la Unión una iniciativa de ley sobre Derechos y Cultura Indígena que, obviamente, desconoció los principales puntos de la propuesta de la Cocopa y de los Acuerdos de San Andrés.

El 12 de enero, las bases de apoyo zapatistas y la sociedad civil en Chiapas, el Distrito Federal y otras partes del país, marcharon en protesta por la violencia gubernamental. Las bases de apoyo que se movilizaron por la paz fueron reprimidas en la cabecera municipal de Ocosingo, donde fueron atacadas por la policía de Seguridad Pública del estado, quienes dieron muerte a Guadalupe Méndez López, mujer zapatista de la comunidad de La Garrucha.

La muerte y la represión dieron pie a una carta dirigida a la Comisión Nacional de Intermediación, en la que el EZLN recordó las reiteradas muestras de su compromiso con una paz justa y digna a lo largo de cuatro años, justo desde el 12 de enero de 1994. Ejemplos de estas iniciativas pacíficas, recordaron, fueron el diálogo de Catedral y la Convención Nacional Democrática en 1994; el diálogo de San Andrés y la Consulta Nacional e Internacional por la Paz en 1995; la convocatoria a la formación del FZLN, la celebración del Foro Nacional Indígena, la firma de los primeros acuerdos con el gobierno federal (que siguen sin cumplirse), el Encuentro Continental, el Foro Nacional para la Reforma del Estado, el Encuentro Intercontinental por la Humanidad y contra el Neoliberalismo; las reuniones tripartitas Cocopa-EZLN-Conai en 1996; y la marcha

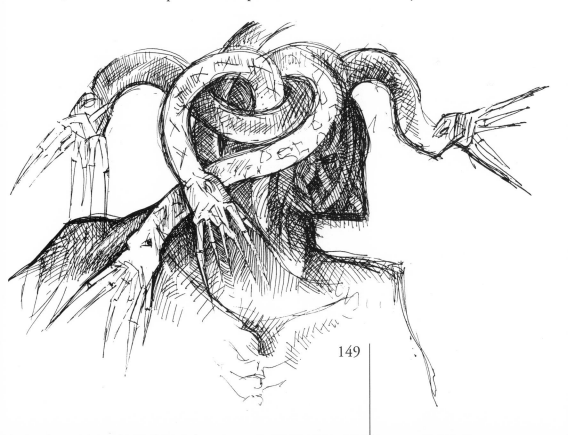

de los 1,111 bases de apoyo al Distrito Federal en 1997. (Carta del EZLN. 14 de enero de 1998).

La respuesta gubernamental a las iniciativas y movilizaciones pacíficas fue el incumplimiento de los primeros acuerdos firmados, la activación de grupos paramilitares, el asesinato de las bases de apoyo, la persecución de la dirección rebelde, y la saturación de militares en todo el territorio chiapaneco. Ejemplo del recrudecimiento militar fue, en esos días, el permanente hostigamiento a la comunidad de La Realidad, donde el ejército federal dobló el número de vehículos artillados, de militares y de recorridos. Cuatro veces por día, hasta 38 unidades motorizadas patrullaron la comunidad indígena tojolabal. Aviones militares realizaron vuelos diurnos y nocturnos a diferentes horas y, de día, sobre las chozas indígenas ejecutaron maniobras "de picada" (usadas en combate aéreo para el ametrallamiento y bombardeo de posiciones fijas).

La sociedad civil nacional e internacional, a la que tanto apela el EZLN, no dejó de protestar ni un solo momento. Del 22 de diciembre de 1997 (día de la masacre de Acteal) al 13 de enero de 1998 (un día después del asesinato de Guadalupe Méndez, base de apoyo zapatista), hubo movilizaciones en 130 ciudades de 27 países de los 5 continentes. En especial, el 12 de enero de este año, decenas de actos de diferentes tamaños se realizaron en México y en diferentes partes del mundo, todos con un mismo reclamo: alto a la guerra de exterminio, castigo a los responsables de la matanza de Acteal, y cumplimiento de los Acuerdos de San Andrés.

De manera paralela a la represión, el movimiento pro zapatista en México y en el mundo se incrementó. La respuesta de la sociedad civil fue del tamaño de las agresiones y, además de marchar y gritar sus protestas, se fueron organizando nuevas maneras de movilización, sin cabezas ni dirigentes, sin protagonistas, sin que nadie dijera qué y cómo. Florecieron entonces los bailes, cantos, poesías, marchas, pintas, gritos y mucha indignación, dentro de un espectro cultural y social cada vez más

150

amplio y plural: indígenas, mujeres, jóvenes, amas de casa, estudiantes, feministas, homosexuales, sindicatos, campesinos, obreros, comités de solidaridad, intelectuales, artistas, sin papeles, etcétera, gente con y sin nombre: "Gente de esa que dice. ¡Ya Basta! y escribe la historia que vale y cuenta. Gente que nos habla, gente a la que escuchamos, gente a la que ahora le escribimos. Gente como ustedes, como nosotros". (Carta del EZLN. 20 de enero de 1998).

En esos mismos días cambió, una vez más, el Comisionado gubernamental para la Paz en Chiapas. El lugar ocupado por un gris y mediocre Pedro Joaquín Coldwell, fue llenado por otro de características similares: Emilio Rabasa, quien entró con el cargo de coordinador de un diálogo inexistente, bajo las órdenes del también recién nombrado Secretario de Gobernación, Francisco Labastida Ochoa.

La estrategia gubernamental consistió en, con una mano, golpear a las comunidades indígenas y, con la otra, ofrecer de cara a los medios de comunicación el reinicio del diálogo. Labastida Ochoa envió a los zapatistas la "oferta" de "revisión de las posiciones del ejército a cambio de renegociar el tema indígena", lo que fue calificado por la insurgencia como un nuevo engaño para confundir a la opinión pública. "Así que el gobierno aumenta la presencia militar y la persecución para negociar que vuelva a su nivel anterior a cambio de que el EZLN dé marcha atrás en su demanda de cumplimiento de los Acuerdos de San Andrés; golpea a los municipios autónomos y ofrece remunicipalizar a cambio de 'quitarles' su esencia indígena; propone que los comandantes del CCRI-CG del EZLN reciban directamente el dinero del gobierno para administrarlo; y ofrece 'olvidar' la rebelión que sacudió México y le amargó al Poder su cena de fin de siglo y milenio".

"Siéntate con mis condiciones o te mato", fue como leyeron los zapatistas los mensajes y propuestas gubernamentales. Se trataba, advirtieron, de que las amenazas de aniquilación hicieran preferible, en la opinión pública, la renegociación: "Y detrás de la renegociación que el gobierno pretendía del tema indígena, estaba —denunciaron— la negación de San Andrés, la negación de 'otra política', de la política que se extendió y profundizó cuando la mesa de San Andrés dejó su imagen de arena de pugilato y se convirtió en ancha y profunda mesa de encuentro y nacimiento..."

Apenas era el segundo mes del año de 1998 y ya se hablaba de la sucesión presidencial del año 2000. El gobierno federal, en el entretanto, trataba de obtener ventajas antes del proceso electoral. Su apuesta consistía en tratar de "deschiapanizar" la agenda nacional, obtener un respiro para recomponer su imagen internacional y para aliviar el desgaste de los militares. Pero para esto necesitaba, con o sin el aval del legislativo, el desconocimiento de la ley para el diálogo del 11 de marzo de 1995, la reactivación de las órdenes de aprehensión y el consiguiente reinicio de la persecución.

En este contexto, antes de sumergirse, por segunda ocasión, en un estruendoso y estratégico silencio, el EZLN anunció su decisión de seguir resistiendo y mantenerse firme en la lucha por el reconocimiento de los derechos de los pueblos indios. Los zapatistas se comprometieron a seguir "tratando de encontrar el o los caminos para tender de nuevo los puentes de diálogo con la sociedad civil nacional e internacional y las organizaciones políticas y sociales de México". (Ensayo del EZLN. 27 de febrero de 1998).

A la sociedad civil le pidió continuar por el camino trazado: seguir en la construcción de una mesa de diálogo "donde nos sentemos los todos que somos, una mesa muy otra, ancha y profunda como la que ustedes y nosotros construimos en San Andrés hace 2 años, una mesa que tenga el ayer como fundamento, el presente como cubierta y el futuro como alimento, una mesa que dure mucho y no se rompa, una mesa hecha de piedras, de muchas piedritas, es decir, de muchas resistencias (que es la forma en que la esperanza se viste cuando los tiempos son adversos)…"

Mientras tanto, los gobiernos federal y estatal continuaron con una campaña abierta en contra de los

municipios autónomos. El 8 de abril un impresionante operativo policiaco y militar detuvo a líderes indígenas evangélicos en la colonia La Hormiga, en San Cristóbal de las Casas. Tres días después, en Taniperla, sede del municipio autónomo Ricardo Flores Magón, más de mil soldados, policías y agentes de Migración realizaron un operativo para detener y encarcelar a civiles zapatistas y a un grupo de observadores. En total, 16 personas fueron detenidas y encarceladas, entre ellas el profesor universitario Sergio Valdez y el estudiante Luis Menéndez. Doce extranjeros fueron expulsados del país.

El Ejército Zapatista decidió entonces no hablar. Respondieron a las provocaciones militares con acciones de resistencia pacífica, a la contrapropuesta gubernamental que desconoció lo pactado, respondieron con el silencio como arma.

El primero de mayo, otro operativo policíaco y militar intentó el desmantelamiento del municipio autónomo Tierra y Libertad. Cientos de

153

soldados y policías se enfrentaron con los pobladores de la comunidad Amparo Aguatinta, sede del municipio rebelde. La policía quemó y saqueó las oficinas del nuevo ayuntamiento y golpeó a varias mujeres. En este operativo fueron detenidas 53 personas bases de apoyo zapatistas, de las cuales ocho fueron consignadas y encarceladas.

El 5 de mayo un nuevo operativo tomó el municipio de Nicolás Ruiz, dominado por la oposición. Miles de militares y policías disolvieron un acto de protesta y allanaron las casas para detener a 150 comuneros perredistas.

Los operativos para "restaurar el Estado de Derecho" provocaron serias violaciones a los derechos humanos y todavía faltaban más. El clímax de la violencia contra los municipios y pueblos zapatistas llegó el 13 de junio con un amplio operativo en la comunidad de El Bosque, donde fuerzas combinadas de militares y policías atacaron tres poblados. En Chavajebal, los militares dispararon armas de fuego y bazukas y tres campesinos y un policía perdieron la vida. En Unión Progreso, donde nadie se resistió —según el testimonio de los lugareños—, siete jóvenes

campesinos bases de apoyo zapatistas fueron ajusticiados por la policía. Decenas de indígenas fueron detenidos.

El diálogo, o la posibilidad del mismo, sufrió un nuevo golpe el 7 de junio, día en que Samuel Ruiz García renunció a la Comisión Nacional de Intermediación (Conai) y ésta se disolvió, dejando así sin instancia mediadora un proceso de negociación interrumpido, pero no roto oficialmente. La Conai dejó claro que su disolución se debía a la falta de voluntad política gubernamental.

Más adelante, el 17 de julio, el EZLN rompió el silencio con un análisis de la situación nacional y, dos días después, dio a conocer la Quinta Declaración de la Selva Lacandona, en la que convocó a la realización de la Consulta Nacional por el Reconocimiento de los Pueblos Indios y por el fin de la Guerra de Exterminio.

Asesinatos, intimidaciones, decenas de detenidos torturados y encarcelados, hostigamientos militares y paramilitares, miles de desplazados y quema de instalaciones autónomas fueron la constante durante estos siete meses del año. La respuesta de los rebeldes, una vez más, fue caminar preguntando, convocar a una nueva movilización masiva, enfrentar la violencia gubernamental con iniciativas de paz.

El EZLN definió como su único interlocutor a la sociedad civil. Con el gobierno, en esas condiciones, no había diálogo posible. Ya no había instancia mediadora y la Cocopa se encontraba debilitada y ridiculizada, tras su decisión de no defender su iniciativa de ley.

La estrategia gubernamental de aniquilar a las bases de apoyo zapatistas y desmantelar sus municipios autónomos, a pesar de la violencia extrema con la que se llevó a cabo, no dio resultados. El EZLN sobrevivió como organización a una de las ofensivas más feroces que en su contra se habían desatado, conservó su capacidad militar, expandió su base social y se fortaleció políticamente al evidenciarse la justeza de sus demandas.

Su política de caminar-preguntando continuó aún en medio de la represión, por lo que tendieron puentes con otras organizaciones sociales y políticas y con miles de personas sin partido; y, junto a otros, siguieron tendiendo puentes a todo el mundo, contribuyendo a crear una gran red que lucha por medios pacíficos en contra del neoliberalismo. Al mismo tiempo, contribuyeron al nacimiento de un movimiento cultural nuevo y fresco en torno a una demanda humanista central: "un mundo donde quepan muchos mundos".

En la Quinta Declaración de la Selva Lacandona, el EZLN explicó su silencio y los costos del mismo: "Silencio, dignidad y resistencia fueron nuestras fortalezas y nuestras mejores armas. Con ellas combatimos y derrotamos a un enemigo poderoso pero falto de razón y justicia en su causa... No obstante que, en el tiempo que duró este nuestro estar callado, nos mantuvimos sin participar directamente en los principales problemas nacionales con nuestra posición y propuestas; aunque el silencio nuestro le permitió al poderoso nacer y crecer rumores y mentiras sobre divisiones y rupturas internas en los zapatistas, y trató de vestirnos con el traje de la intolerancia, la intransigencia, la debilidad y la claudicación; pese a que algunos se desanimaron por la falta de nuestra palabra y que otros aprovecharon su ausencia para simular ser voceros nuestros, a pesar de estos dolores y también por ellos, grandes fueron los pasos que adelante nos anduvimos y vimos". (Quinta Declaración de la Selva Lacandona. 17 de julio de 1998).

La Quinta Declaración dejó claro lo que diferentes organizaciones políticas y sociales, intelectuales, académicos, gente de la cultura y sectores importantes de la sociedad civil, ya habían señalado en diferentes tiempos y espacios: "No habrá transición a la democracia, ni reforma del Estado, ni solución real a los principales problemas de la agenda nacional, sin los pueblos indios. Con los indígenas es necesario y posible un país mejor y nuevo. Sin ellos no hay futuro alguno como Nación", advirtieron los zapatistas, al tiempo que convocaron a todos los pueblos indios del país, a la sociedad civil mexicana, a las organizaciones políticas y sociales independientes y a la sociedad civil internacional, a celebrar una Consulta

156

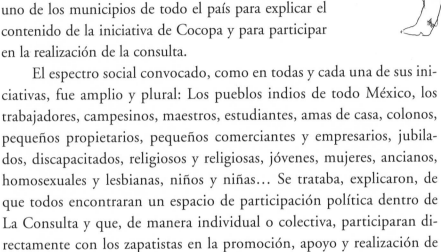

Nacional sobre la Iniciativa de Ley Indígena de la Comisión de Concordia y Pacificación, y por el Fin de la
Guerra de Exterminio.

La iniciativa-movilización reveló una vez más el
carácter creativo y audaz de las convocatorias zapatistas. El EZLN enviaría una delegación propia a cada
uno de los municipios de todo el país para explicar el
contenido de la iniciativa de Cocopa y para participar
en la realización de la consulta.

El espectro social convocado, como en todas y cada una de sus iniciativas, fue amplio y plural: Los pueblos indios de todo México, los
trabajadores, campesinos, maestros, estudiantes, amas de casa, colonos,
pequeños propietarios, pequeños comerciantes y empresarios, jubilados, discapacitados, religiosos y religiosas, jóvenes, mujeres, ancianos,
homosexuales y lesbianas, niños y niñas… Se trataba, explicaron, de
que todos encontraran un espacio de participación política dentro de
La Consulta y que, de manera individual o colectiva, participaran directamente con los zapatistas en la promoción, apoyo y realización de
la misma.

La comunidad científica, artística e intelectual también fue convocada, al igual que las organizaciones sociales y políticas independientes y los
propios partidos políticos "honestos y comprometidos con las causas populares". El Congreso de la Unión fue también interpelado y, por supuesto, hubo un llamado a la Comisión de Concordia y Pacificación para que,
cumpliendo con sus labores de coadyuvancia en el proceso de paz, allana-
ra el camino para la realización de la consulta sobre su iniciativa.

Como en cada una de las iniciativas zapatistas, la organización de la
Consulta se convirtió en la movilización de sectores importantes de la sociedad civil en torno a una tarea concreta. Dicho en otras palabras, la organización era la movilización en sí misma, independientemente de los
resultados.

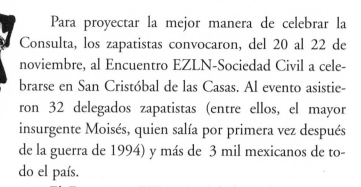

Para proyectar la mejor manera de celebrar la Consulta, los zapatistas convocaron, del 20 al 22 de noviembre, al Encuentro EZLN-Sociedad Civil a celebrarse en San Cristóbal de las Casas. Al evento asistieron 32 delegados zapatistas (entre ellos, el mayor insurgente Moisés, quien salía por primera vez después de la guerra de 1994) y más de 3 mil mexicanos de todo el país.

El Encuentro EZLN-Sociedad Civil sirvió también como marco para una reunión entre los dirigentes zapatistas y los legisladores de la Cocopa. Fue una reunión infructuosa en todos sentidos. No había mucho que dialogar con los diputados y senadores rebasados por la situación de violencia, sin poder de decisión, sin interlocución con el poder ejecutivo, sin campo de acción y sin voluntad de defender la iniciativa de ley redactada por ellos.

Sin embargo, los resultados del otro Encuentro reflejaron el ánimo de una sociedad dispuesta a participar en las iniciativas pacíficas del EZLN. Los zapatistas, una vez más, sorprendieron a la sociedad civil con el anuncio de que serían nada menos que 5 mil mujeres y hombres bases de apoyo los que saldrían de sus comunidades para promover la realización de la Consulta. Además, dentro de los resolutivos se acordó que, tomando en cuenta las ponencias y propuestas de los participantes, el EZLN redactara la convocatoria final para llevar a cabo la Consulta.

La convocatoria se dio a conocer el 11 de diciembre de 1998. La fecha elegida fue el 21 de marzo de 1999 y las preguntas fueron las siguientes:

Pregunta 1. ¿Estás de acuerdo en que los pueblos indígenas deben ser incluidos con toda su fuerza y riqueza en el proyecto nacional y tomar parte activa en la construcción de un México nuevo?

Pregunta 2. ¿Estás de acuerdo en que los derechos indígenas deben ser reconocidos en la Constitución mexicana conforme a los acuerdos de

San Andrés y la propuesta correspondiente de la Comisión de Concordia y Pacificación del Congreso de la Unión?

Pregunta 3. ¿Estás de acuerdo en que debemos alcanzar la paz verdadera por la vía del diálogo, desmilitarizando el país con el regreso de los soldados a sus cuarteles como lo establecen la Constitución y las leyes?

Pregunta 4. ¿Estás de acuerdo en que el pueblo debe organizarse y exigir al gobierno que "mande obedeciendo" en todos los aspectos de la vida nacional?

La organización de la consulta-movilización previó, en una primera fase, la integración de brigadas de promoción y difusión y su registro en la Oficina de Contacto para la Consulta, la cual estaría a cargo directamente de los zapatistas. Se trataba, una vez más, de una iniciativa con varios objetivos: a) reivindicar los derechos de los pueblos indígenas, b) dejar claro que la paz sólo era posible con el reconocimiento de estos derechos y con el fin de la guerra de exterminio, c) continuar impulsando una nueva forma de hacer política (caminar-preguntando), una política construida "por todos, con todos y para todos", haciendo posible que todos "hagan escuchar su voz y hagan sentir su peso en las grandes decisiones

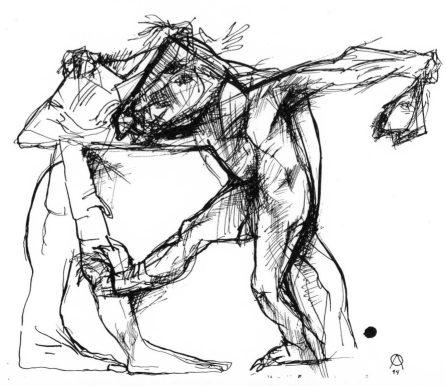

nacionales", d) impulsar la consulta popular como forma de participación libre y voluntaria, con el fin de exigir soluciones a los problemas que afectan al país, y e) promover la Consulta como parte de un proceso de movilización del pueblo de México en su lucha por la democracia, la libertad y la justicia.

Este turbulento año terminó para las comunidades zapatistas con la celebración del quinto aniversario de su alzamiento, fecha que aprovecharon para dar a conocer un análisis-balance de la situación: "El año de 1998 fue el año de la guerra gubernamental en contra de las comunidades indígenas de México. Este año de guerra se inicia el 22 de diciembre de 1997 con la masacre de Acteal… El brutal acto significó el inicio de una larga ofensiva militar y policiaca en contra de los pueblos indios de Chiapas… Los responsables intelectuales directos de la masacre de Acteal tienen nombre y apellido. La lista la encabeza Ernesto Zedillo Ponce de León, y le sigue Emilio Chuayffet, Francisco Labastida, general Enrique Cervantes, Julio César Ruiz Ferro y Adolfo Orive. Se les han sumado, en la labor de encubrimiento, Rosario Green, Emilio Rabasa Gamboa, Roberto Albores Guillén y Jorge Madrazo Cuéllar. Estos criminales ocupan u ocuparon diversos cargos gubernamentales en los ámbitos federal y estatal, y tarde o temprano habrán de comparecer ante la justicia y responder por su grado de implicación en este hecho brutal y sangriento que marcó ya definitivamente el fin del siglo mexicano…

"La activación de grupos paramilitares constituye la columna vertebral de la guerra sucia del gobierno de Zedillo en contra de los indígenas mexicanos. Desde febrero de 1995, cuando fracasó la ofensiva militar desatada por la traición gubernamental, Ernesto Zedillo conoció, aprobó y echó a andar la estrategia paramilitar para resolver mediante el uso de la fuerza la lucha zapatista. Mientras el Partido Revolucionario Institucional (PRI) ponía la mano de obra de esta empresa de muerte y el Ejército federal daba armamento, municiones, equipos, asesoría y entrenamientos, el gobierno de Zedillo iniciaba la simulación de un diálogo y una

negociación que no buscaban ni buscan la solución pacífica del conflicto… Esteban Moctezuma Barragán, Marco Antonio Bernal, Jorge del Valle, Gustavo Iruegas y Emilio Rabasa Gamboa son los distintos nombres que ha tenido la hipocresía gubernamental. Ninguno de ellos ha tenido el valor de, sabiéndose usados para la guerra, negarse a ser cómplices de los asesinatos que son el único haber del gobierno en el conflicto del sureste mexicano…"

En el documento con el que los zapatistas despidieron 1998, enlistaron la cadena de hechos violentos del quinto año de guerra: 1) ataques a los municipios autónomos, 2) ataques a la Conai y a la Cocopa y 3) ataques a los observadores internacionales. El saldo de la ofensiva: la masacre de indígenas, el ataque a los municipios autónomos, la reanudación de los combates, la destrucción de la Conai, la inmovilidad de la Cocopa, el incumplimiento de los acuerdos de San Andrés, el desprecio al Congreso de la Unión y la expulsión de observadores internacionales.

Sin embargo, los zapatistas no terminaron el año con una denuncia, sino con un exhorto: la movilización del 21 de marzo en torno a la Consulta preparada con base en cuatro preguntas: dos sobre los derechos indígenas, una sobre la guerra y una sobre la relación entre gobernantes y gobernados. Reiteraron que su principal demanda era (y es) el reconocimiento de los derechos de los pueblos indios y que, a cinco años del inicio del alzamiento, el Ejército Zapatista de Liberación Nacional seguiría luchando por democracia, libertad y justicia para todos los mexicanos. "Nuestro objetivo" —insistieron— "no es hacernos del poder, tampoco obtener puestos gubernamentales ni convertirnos en un partido político. No nos alzamos por limosnas o créditos. No queremos el control de un territorio o la separación de México. No apostamos a la destrucción ni a ganar tiempo". (Ensayo del EZLN. Madrugada del 1 de enero de 2000)

1999

El ambiente preelectoral. Cinco mil zapatistas se dispersan por todo México, la Consulta Nacional e Internacional por el Reconocimiento de los Derechos y la Cultura Indígenas y por el Fin de la Guerra de Exterminio. Encuentros del EZLN con la sociedad civil. Violencia paramilitar. Resistencia en Amador Hernández. La huelga en la UNAM y su relación con los zapatistas

El sexto año de la guerra contra el olvido, 1999, se inició en medio de un torbellino político preelectoral. La clase política mexicana se preparaba ya para la elección de candidatos para la presidencia de México. Sin escuchar ni ver a su electorado, los partidos políticos se enfrascaron en luchas internas que, como en cada proceso electoral, nada tenían que ver con las demandas del pueblo.

En este contexto, una vez más se gestó el despropósito y, a contracorriente, el EZLN abrió un espacio para construir una nueva forma de hacer política, una incluyente y tolerante, una que escuchara permanentemente, una que se construyera hacia los lados y mirara hacia arriba con dignidad, y también con las herramientas necesarias para obligar a los de arriba a estar mirando continuamente hacia abajo: La Consulta por el Reconocimiento de los Derechos de los Pueblos Indios y por el Fin de la Guerra de Exterminio, a celebrarse el domingo 21 de marzo.

En enero de 1999, en plena organización de la Consulta, el ejército federal, con la excusa de destruir unos plantíos de marihuana, incursionó en la comunidad de Aldama, municipio de Chenalhó. Los patrullajes militares aéreos y terrestres aumentaron en toda la zona zapatista y las comunidades continuaron sobreviviendo bajo el hostigamiento de la guerra sucia.

Es este el panorama en el que, en una segunda etapa de organización de la Consulta, el EZLN convocó a las brigadas de promoción a organizarse en Coordinadoras estatales, con el fin de que tanto los miembros del Frente Zapatista de Liberación Nacional como los de otras organizaciones y, sobre todo, la sociedad civil no organizada, encontraran un espacio plural, abierto, tolerante e incluyente de participación política.

Simultáneamente, se convocó a la celebración de la Consulta Internacional, en la que se llamó a todos los mexicanos y mexicanas mayores de 12 años, que vivieran en el extranjero, a que se organizaran y participaran en el evento desde sus respectivos países de residencia. También, los zapatistas llamaron a la organización de una Jornada Internacional por los Excluidos del Mundo, a celebrarse el mismo día en los cinco continentes.

De esta manera, el espectro social y político convocado por los zapatistas se fue ampliando cada vez más. En el ámbito cultural, escritores, actores, pintores, escultores y músicos, entre otros trabajadores de las artes, vieron en el zapatismo un espacio de manifestación política y cultural. Diversos grupos de rock, de México y de diferentes partes del mundo, manifestaron a partir de 1994 no sólo su solidaridad con la causa de los indígenas, sino su propia inconformidad con el modelo neoliberal.

El 8 de marzo, en ocasión del Día Internacional de la Mujer, se dio a conocer la distribución territorial de los 5 mil delegados y delegadas zapatistas que promoverían por todo el país la Consulta, quedando de la siguiente manera:

Del "Aguascalientes" de Oventik, saldrían las bases de apoyo con destino al estado de Oaxaca.

Del "Aguascalientes" de Morelia, partirían con destino a los estados de Nayarit, Jalisco, Colima, Michoacán, Guerrero, Guanajuato, Querétaro e Hidalgo.

Del "Aguascalientes" de Roberto Barrios, las bases de apoyo zapatistas saldrían con rumbo a los estados de Yucatán, Quintana Roo, Campeche, Tabasco, Veracruz y Chiapas.

Del "Aguascalientes" de La Garrucha, partirían a los estados de Baja California Norte, Baja California Sur, Sonora, Sinaloa, Chihuahua, Coahuila, Nuevo León, Tamaulipas, Durango, Zacatecas, Aguascalientes y San Luis Potosí.

Y, finalmente, del "Aguascalientes" de La Realidad, saldrían los y las zapatistas rumbo a los estados de Puebla, Morelos, Tlaxcala, Estado de México y las delegaciones del Distrito Federal.

Cada coordinadora estatal, anunciaron, enviaría una representación al "Aguascalientes" correspondiente para recoger a los delegados y delegadas zapatistas que visitarían sus municipios.

A partir del 12 de marzo de 1999 los zapatistas se concentraron en los centros Aguascalientes y se alistaron para emprender el viaje el 14 del mismo mes, día en el que, insólitamente, 5 mil zapatistas bases de apoyo salieron de sus comunidades para dispersarse por todo el país.

El esfuerzo de la sociedad civil fue enorme. En camiones, trenes, aviones, burros, caballos y a pie, los zapatistas recorrieron la República Mexicana. El contacto con la sociedad civil fue directo y se hermanaron luchas y resistencias. Finalmente, el 21 de marzo tuvo lugar la gran Consulta y en ella participaron 2 millones 800 mil personas de todo México y 48 mil mexicanos residentes en el extranjero, la gran mayoría de Estados Unidos.

Los 5 mil zapatistas regresaron a sus comunidades e informaron sobre lo que encontraron afuera: miseria, dolor, angustia por la falta de trabajo, viviendas destruidas, falta de salud y educación y, en general, un panorama desolador en el que sobreviven millones de mexicanos. Pero también encontraron luchas y resistencias, dignidad y ganas de organizarse. Encontraron apoyo a sus demandas y una disposición de la sociedad civil a seguir caminando juntos.

El éxito de la Consulta provocó aún más a los gobiernos federal y estatal, quienes montaron una obra teatral en la que supuestos insurgentes zapatistas se rendían frente al ejército federal y entregaban sus armas y uniformes. Pronto quedó al descubierto que los supuestos rebeldes en realidad eran paramilitares de grupo MIRA, y que el pago por su simulada deserción fue en especie (vacas) y dinero.

El 7 de abril, apenas 15 días después de la Consulta, fuerzas armadas de la Policía de Seguridad Pública del estado de Chiapas tomaron por asalto la presidencia del municipio San Andrés Sacamach'en de los Pobres, lugar donde despachaba el consejo municipal autónomo (elegido democráticamente de acuerdo con los usos y costumbres de las comunidades indígenas), y sede de los diálogos de San Andrés entre el gobierno federal y el EZLN.

Los gobiernos federal y estatal impusieron de esta manera una presidencia municipal ilegítima con miembros del Partido Revolucionario Institucional chiapaneco, montaron una guarnición de policías armados e iniciaron su campaña de propaganda vanagloriándose de haber "desmantelado" otro municipio autónomo zapatista.

Sin embargo, al día siguiente del desalojo, unas 3 mil bases de apoyo del EZLN, tzotziles todos ellos, retomaron pacíficamente las instalaciones de la presidencia de San Andrés Sacamch'en de los Pobres y se instalaron en el lugar para cuidar su gobierno.

Con esta acción, señalaron los zapatistas, se recuperó la sede del diálogo de paz, se defendieron los derechos y cultura indígenas y, sobre todo, "se hizo honor a la voluntad manifestada por millones de ciudadanos en la consulta del 21 de marzo de 1999, que señaló con toda claridad el sí al reconocimiento de los derechos indígenas y el no a la guerra".

166

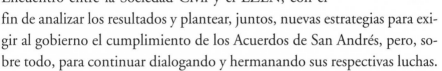

Posteriormente, los gobiernos federal y estatal iniciaron una serie de movimientos de tropas y de policías federales y estatales con el fin de retomar las instalaciones, aunque finalmente desistieron.

El recuento de la Consulta tuvo lugar casi dos meses después, del 7 al 10 de mayo, en el poblado tojolabal de La Realidad, a donde llegaron aproximadamente 2 mil personas para celebrar el Segundo Encuentro entre la Sociedad Civil y el EZLN, con el fin de analizar los resultados y plantear, juntos, nuevas estrategias para exigir al gobierno el cumplimiento de los Acuerdos de San Andrés, pero, sobre todo, para continuar dialogando y hermanando sus respectivas luchas.

Parte de una gran movilización y movimiento en sí misma, el saldo cuantitativo de la Consulta fue el siguiente:

Brigadas en México: 2 mil 358.

Brigadistas en México: 27 mil 859.

Otros países donde se difundió la consulta: 29.

Brigadas en otros países: 265.

Delegados zapatistas en México. 4 mil 996.

Total de municipios visitados en México: mil 299.

Población con la que se entró en contacto en México: 64 millones 598 mil 409.

Número de organizaciones políticas y sociales contactadas en México: mil 141.

Personas involucradas en la organización en México y sin contar Chiapas: 120 mil.

Mesas y asambleas: 14 mil 893.

Votos en México: 2 millones 854 mil 737.

Votos en otros países: 58 mil 378.

Sobre estos resultados, el EZLN se preguntó y preguntó:

"¿Qué significa que una organización cercada, perseguida, hostigada y atacada por medios militares, políticos, ideológicos, sociales y económi-cos pueda preparar a 5 mil de sus miembros para romper el cerco y cubrir los 32 estados de la Federación mexicana?

"¿Qué fuerza política, social y ciudadana se necesita para recoger a esos 5 mil transgresores de la ley en las montañas del sureste mexicano y trasladarlos a todos los rincones de México?

"¿Cómo fue posible celebrar el más gigantesco ejercicio de diálogo que haya conocido la historia de este país?

"¿Qué hay en el corazón de esos hombres, mujeres, niños y ancianos que desafiaron amenazas, mentiras y riesgos para encontrarse frente a frente con los zapatistas, viajar con ellos, comer con ellos, dormir con ellos, hablar con ellos, preguntar con ellos, responder con ellos, caminar con ellos?

"¿Dónde quedó el miedo a comprometerse, a participar, a ser actor y no espectador?

"¿Qué movió a decenas de miles de mexicanos y mexicanas en terri-torio nacional y en el extranjero a levantar la bandera de la consulta no só-lo sin recibir pago alguno, sino incluso teniendo que poner de su bolsillo?

"¿Cómo contar la dignidad, el deber, la memoria y el compromiso de todos y todas esos y esas obreros, obreras, campesinos, campesinas, in-dígenas, estudiantes, punks, chavos banda, activistas políticos y sociales, miembros de organizaciones no gubernamentales, artistas e intelectuales, homosexuales y lesbianas, comunidades eclesiales de base, sacerdotes, monjas, obispos, jubilados, y pensionados, deudores, hombres, mujeres, niños, ancianos, jóvenes?" (Mensaje del EZLN. 10 de mayo de 1999).

Pero no todo fueron cuentas alegres. El gobierno de Zedillo, en com-plicidad con el de Albores Guillén, se empeñó en incrementar la campa-ña de contrainsurgencia, por lo que, mientras en La Realidad se llevaba a cabo el Encuentro Nacional en Defensa del Patrimonio Cultural, el ejér-cito entró a la comunidad zapatista de Amador Hernández (localizada en la reserva de los Montes Azules, en la Selva Lacandona), cuyos habitantes

se oponían a la construcción de una carretera que serviría únicamente para abrir paso al ejército y a sus labores de contrainsurgencia, y para el saqueo de maderas y explotación de yacimientos de uranio y petróleo. Los rebeldes impidieron el paso de la maquinaria y de los soldados y a partir de ese momento comenzaron un movimiento de resistencia que habría de durar más de un año, tiempo durante el cual montaron un plantón permanente frente al nuevo campamento militar. Fueron meses de lucha y resistencia, ejemplo de dignidad y rebeldía. En esta ocasión, como en cada una de sus movilizaciones, no estuvieron solos, pues cientos de personas de la sociedad civil nacional e internacional acudieron a acompañar diversos momentos del plantón, aún con las abiertas amenazas lanzadas por el gobernador Roberto Albores Guillén, quien, para esos momentos, ya era mejor conocido como "El Croquetas".

El ambiente en contra de los observadores nacionales y extranjeros se recrudeció en todo el territorio rebelde: se incrementaron los retenes militares y de migración, y se continuó con una campaña de hostigamiento

y persecución, a través de los medios de comunicación, en contra de todo aquél que tuviera alguna participación de solidaridad con alguna comunidad indígena zapatista.

Sin embargo, los zapatistas, lejos de interrumpir o disminuir sus contactos con la comunidad nacional e internacional, los incrementaron y, en los meses siguientes, protagonizaron una serie de encuentros con diferentes grupos de la sociedad civil. La Comandancia General del EZLN sostuvo reuniones en la comunidad tojolabal de La Realidad, con el Frente Zapatista de Liberación Nacional, con maestros de la Universidad Pedagógica Nacional, con el movimiento por la defensa del patrimonio cultural, con el Sindicato Mexicano de Electricistas y, sobre todo, con estudiantes en huelga de la Universidad Nacional Autónoma de México.

Sobrevino entonces un intercambio epistolar intenso entre el Subcomandante Insurgente Marcos y un sector de la comunidad intelectual nacional, con motivo de las diferentes posiciones adoptadas frente a la huelga estudiantil más larga de toda la historia de la Universidad Nacional Autónoma de México (UNAM).

En el marco de la huelga universitaria encabezada por el Consejo General de Huelga (CGH), centenas de estudiantes acudieron a la Selva Lacandona a intercambiar experiencias con el CCRI. La postura zapatista frente a la huelga fue resumida en un intercambio epistolar entre el subcomandante Marcos y el escritor Carlos Monsiváis: "Su causa es justa, tienen razón, los apoyamos, los admiramos, los queremos, van a ganar. Además, son el síntoma de 'algo' de lo que también somos síntoma nosotros: la crisis política o del quehacer político...").

Hubo, una vez más, encuentros y desencuentros con un sector del movimiento estudiantil con demandas legítimas, pero cuyos métodos resultaron cuestionables para amplios sectores de la sociedad (sectarismo, intolerancia, verticalidad en las decisiones, etcétera). Aquí es importante señalar que fue sólo un sector del movimiento el que mantuvo este comportamiento, pues amplios grupos estudiantiles lucharon permanentemente por encontrar una salida digna al conflicto, sin renunciar a sus legítimas demandas.

La huelga en la UNAM continuaba y, simultáneamente, los tzeltales y tojolabales rebeldes siguieron resistiendo, acompañados por grupos de estudiantes en huelga, por estudiantes de la Escuela Nacional de Antropología e Historia (ENAH) y por personas de diferentes organizaciones, principalmente del FZLN, en un plantón frente al campamento militar de la comunidad de Amador Hernández. Hasta ahí llegó un mensaje de aliento de parte del Comité Clandestino Revolucionario Indígena: "El ejemplo de dignidad y valentía que ustedes están dando ahora no sólo llega a nosotros, a sus compañeros del EZLN, también está llegando a obreros, campesinos, indígenas, colonos, amas de casa, estudiantes, maestros, artistas e intelectuales, religiosos honestos, jubilados, hombres, mujeres, niños y ancianos de otras partes de México. Y también llega más allá de nuestro país que es México…

"En la radio, la televisión y la prensa que están al servicio de la mentira y el dinero, dicen que esos soldados están ahí para que se pueda construir una carretera que traerá beneficios a los pueblos indígenas… Sabemos bien que las carreteras que ha construido el gobierno no han llevado ni un solo beneficio a los indígenas. Con las carreteras no han entrado médicos, ni se han construido hospitales, ni llegan maestros, ni se hacen escuelas, ni llegan materiales para mejorar la vivienda de los indígenas, no mejora el precio de los productos que venden los campesinos ni son más baratas las mercancías que deben comprar los indígenas… Con las carreteras han llegado los tanques de guerra, los cañones, los soldados, la prostitución, las enfermedades venéreas, el alcoholismo, las violaciones de mujeres y niños indígenas, la muerte y la miseria…" (Carta del EZLN. Agosto de 1999).

El ejemplo de resistencia y dignidad que dieron las bases de apoyo zapatistas, en esta lucha para impedir la construcción de una carretera en la Selva Lacandona, es digno de estudiarse aparte. Fueron meses enteros en los que 24 horas al día los y las zapatistas hicieron guardia frente al cuartel militar. En Amador Hernández accionó por primera vez la Fuerza Área Zapatista, cuando, para contrarrestar el ruido ensordecedor con el que los militares pretendían acallar las protestas indígenas, los zapatistas "bombardearon" con cientos de avioncitos de papel el cuartel federal. En Amador Hernández cientos de hombres y mujeres de México y de diferentes partes del mundo, resistieron el frío, el calor, el hambre y el cansancio, acompañando la resistencia indígena que exigía el retiro del ejército y la devolución de sus tierras.

Simultáneamente al plantón en Amador Hernández, a la solidaridad con el movimiento estudiantil en huelga de la UNAM y a los encuentros con diversos sectores de la sociedad, el subcomandante Marcos, a nombre del CCRI del EZLN, difundió, durante el segundo semestre de 1999 y los primeros meses del 2000, diversos artículos sobre el neoliberalismo y la globalización, sobre la guerra y la situación nacional e internacional y sobre el papel de los intelectuales y la izquierda; además de una serie de cartas con múltiples destinatarios, entre ellos intelectuales, diversos sectores sociales tales como los estudiantes, los trabajadores del periódico *La Jornada*, los homosexuales y las madres de los desaparecidos políticos, así como una larga misiva dirigida a la Relatora Especial de la ONU para Ejecuciones Extrajudiciales, Sumarias o Arbitrarias, Asma Jahangir.

La situación para finales de este año estuvo marcada, por una parte, por el incremento del hostigamiento y de la guerra sucia en contra de los pueblos rebeldes y de todo aquél, nacional o extranjero, que participara activamente con los zapatistas; y, por otra parte, por el aumento de los encuentros personales y epistolares del EZLN con diversos sectores de la comunidad nacional e internacional.

Después de seis años de guerra, la militarización y paramilitarización era alarmante en el estado de Chiapas (y en muchos otros estados como Oaxaca, Hidalgo y Guerrero). Según cifras oficiales, para ese año eran 30 mil los elementos del Ejército Mexicano destacamentados en Chiapas. Sin embargo, cálculos no oficiales aseguran que eran cerca de 70 mil.

La militarización en Chiapas, denunciada por organizaciones de derechos humanos, campamentos de paz y muy especialmente por la organización no gubernamental Enlace Civil, era, y es, alarmante. A partir del primero de enero de 1994, el gobierno federal envió a la zona de conflicto a cerca de diez mil soldados del Ejército Mexicano; 200 vehículos (jeeps artillados y tanquetas, entre otros) y 40 helicópteros. Pero en diez días de conflicto el número de efectivos se incrementó a 17 mil. En ese mismo año (1994), el gobierno federal restringió el conflicto armado a cuatro municipios: San Cristóbal de las Casas, las Margaritas, Ocosingo y Altamirano. Y luego se extendió. En 1999 el Ejército Mexicano amplió su radio de acción a 66 de los 111 municipios de Chiapas.

Para la guerra en el sureste mexicano (de acuerdo a datos contenidos en el ensayo del EZLN sobre la Guerra Geoestratégica en Chiapas, fechado el 20 de noviembre de 1999), el ejército federal está organizado en la séptima Región Militar, que cuenta con 5 zonas militares: la 30 con sede en Villahermosa, la 31 en Rancho Nuevo, la 36 en Tapachula, la 38 en Tenosique, y la 39 en Ocosingo. Además cuenta con las siguientes bases aéreas militares: Tuxtla Gutiérrez, Ciudad Pemex, Copalar.

Oficialmente, la fuerza principal del Ejército federal, la llamada Fuerza de Tarea Arcoiris contaba en Chiapas con 11 agrupamientos: San Quintín, Nuevo Momón, Altamirano, Las Tacitas, El Limar. Guadalupe Tepeyac, Monte Líbano, Ocosingo, Chanal, Bochil y Amatitlán. Sin embargo, en un recorrido por la zona se pudo verificar la existencia de muchas otras guarniciones no contempladas oficialmente, tales como las que se encontraban en San Caralampio, Calvario, Laguna Suspiro, Taniperla, Cintalapa, Monte Líbano, Laguna Ocotalito, Santo Tomás, La Trinidad, Jordán, Península, Ibarra, Sultana, Patiwitz, Garrucha, Zaquilá, San Pedro Betania, Yulomax, Florida, Ucuxil, Temó, Toniná, Chilón, Cuxuljá, Altamirano, Rancho Mosil, Rancho Nuevo, Chanal, Oxchuc, Rancho el Banco, Teopisca, Comitán, Las Margaritas, Río Corozal, Santo Tomás, Guadalupe Tepeyac, Vicente Guerrero, Francisco Villa, El Edén, Nuevo Momón, Maravilla Tenejapa, San Vicente, Rizo de Oro, La Sanbra, Flor de Café, Amador Hernández, Soledad, San Quintín, Amatitlán, Río Euseba (en la zona Selva); Chenalhó, Las Limas, Yacteclum, La Libertad, Yaxmel, Puebla, Tanquinucum, Xoyeb, Majomut, Majum, Pepentik, Los Chorros, Acteal, Pextil, Zacalucum, Xumich, Canonal, Tzanen Bolom, Chimix, Quextik, Bajoventik, Pantelhó, Zitalá, Tenejapa, San Andrés, Santiago El Pinar, Jolnachoj, El Bosque, Bochil, San Cayetano, Los Plátanos, Caté, Simojovel, Nicolás Ruiz, Amatenango del Valle, Venustiano Carranza (en Los Altos); Huitiupán, Sabanilla, Paraíso, Los Moyos, Quintana Roo, Los Naranjos, Jesús Carranza, Tila, E. Zapata, Limar, Tumbalá, Hidalgo Joexil, Yajalón, Salto de Agua, Palenque, Chancalá,

Roberto Barrios, Playas de Catazajá, Boca Lacantún (en la zona Norte).

Además, según diversas organizaciones indígenas y sociales de Chiapas (distintas y distantes al EZLN), el Ejército Mexicano tenía, en 1999, 266 posiciones militares en Chiapas, lo que significaba un considerable incremento respecto a los 76 puestos que tenía en 1995. En una carta dirigida a Ernesto Zedillo y al secretario de la Defensa Nacional, Enrique Cervantes Aguirre, las agrupaciones sociales e indígenas con presencia en las cañadas de la Selva de Chiapas, manifestaron que tan sólo en los municipios de Ocosingo, Altamirano, Las Margaritas, La Independencia y La Trinitaria se encontraban destacamentados 37 mil soldados. En esos cinco municipios, señalaron, la población no llega a los 300 mil, lo que significaba que había un soldado por cada nueve habitantes.

Aparte de las fuerzas "regulares" encuadradas en las zonas militares del Ejército y Fuerza Aérea en Chiapas, el gobierno contaba con 51 Grupos Aeromóviles de Fuerzas Especiales (GAFE), de los cuales cuando menos cinco estaban en Chiapas, donde también operaba un cuerpo de Infantería de Defensas Rurales, 6 batallones de infantería, 2 regimientos de caballería motorizada, 3 grupos de morteros y 3 compañías no encuadradas. Además de 12 compañías de Infantería no encuadradas en Salto de Agua, Altamirano, Tenejapa y Boca Lacantún.

La paramilitarización en la zona, a seis años del estallido armado zapatista, arrojaba cifras igualmente alarmantes pues se sabía de, cuando menos, la acción de siete grupos paramilitares. Sus nombres: Máscara Roja, Paz y Justicia, MIRA, Chinchulines, Degolladores, Puñales, Albores de Chiapas.

El año terminó y a los zapatistas les sobraron motivos para bailar: estaban vivos, las comunidades siguieron firmes y resistiendo, ampliaron su influencia a más pueblos y regiones, se encontraron cada vez con más gente de México y del mundo. Zapata vivía y la lucha, ni hablar, seguía.

2000

El silencio zapatista ante el torbellino electoral.
Solidaridad con los estudiantes presos.
Postura ante los comicios presidenciales.
Despedida a Ernesto Zedillo y anuncio
de la Marcha de 23 comandantes
y un subcomandante
a la Ciudad de México

El nuevo siglo fue recibido en México en medio de una turbulencia preelectoral pocas veces vista. Enfrascados en la lucha por la presidencia de la República, los partidos políticos empezaron a definir sus estrategias con respecto a la guerra en Chiapas, tema ineludible aunque fuera sólo en el discurso.

Después de una encarnizada lucha por la candidatura a la presidencia, Francisco Labastida Ochoa, uno de los principales promotores y ejecutores de la guerra sucia en Chiapas, fue elegido (designado) candidato del Partido Revolucionario Institucional (PRI). Por parte del Partido Acción Nacional (PAN), el ex gerente de la Coca Cola y exgobernador de Guanajuato, Vicente Fox Quesada, les ganó la partida a los panistas doctrinarios y con el apoyo del grupo autodenominado "Los amigos de Fox", ingresó formalmente a la competencia por la presidencia. Cuauhtémoc Cárdenas Solórzano, del Partido de la Revolución Democrática (PRD), se alistó para competir por tercera ocasión en las elecciones presidenciales.

177

Durante esos meses, Vicente Fox optó por una clara estrategia de mercadotecnia que le indicaba no enfrentar al zapatismo, por lo que insistió en que su postura con respecto a Chiapas estaría basada en el diálogo y en el respeto a la insurgencia; Labastida Ochoa se empeñó en tratar despectivamente el conflicto; y, por su parte, Cárdenas Solórzano intentó, como en otras ocasiones, mantener una "sana distancia" con respecto al grupo insurgente.

El EZLN rechazó entrar al juego electoral y, una vez más, optó por el silencio como arma y estrategia. Sólo durante los primeros meses del año el subcomandante Marcos continuó con el envío de misivas a diferentes personalidades del ámbito intelectual y cultural: una carta póstuma al escritor, historiador y periodista Fernando Benítez; un saludo y reconocimiento a Pablo González Casanova; un ensayo sobre la derecha intelectual y el fascismo liberal titulado "¡Oximoron!"; un saludo al músico y luchador social René Villanueva y uno más a las mujeres insurgentas en ocasión del Día Internacional de la Mujer.

En febrero, la Policía Federal Preventiva (PFP) violó la autonomía universitaria e ingresó a las instalaciones de la Universidad Nacional Autónoma de México con el fin de romper la huelga estudiantil, en una

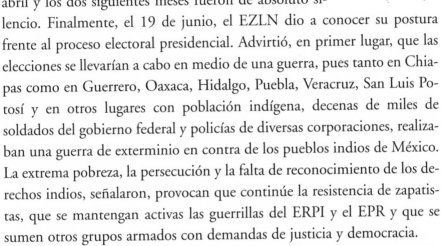

acción en la que tomaron presos a los estudiantes miembros del Consejo General de Huelga. Días después, el EZLN manifestó su solidaridad incondicional con el movimiento universitario, su rechazo al uso de la violencia para romper la huelga y la exigencia de libertad a los estudiantes recluidos.

La correspondencia zapatista se interrumpió en abril y los dos siguientes meses fueron de absoluto silencio. Finalmente, el 19 de junio, el EZLN dio a conocer su postura frente al proceso electoral presidencial. Advirtió, en primer lugar, que las elecciones se llevarían a cabo en medio de una guerra, pues tanto en Chiapas como en Guerrero, Oaxaca, Hidalgo, Puebla, Veracruz, San Luis Potosí y en otros lugares con población indígena, decenas de miles de soldados del gobierno federal y policías de diversas corporaciones, realizaban una guerra de exterminio en contra de los pueblos indios de México. La extrema pobreza, la persecución y la falta de reconocimiento de los derechos indios, señalaron, provocan que continúe la resistencia de zapatistas, que se mantengan activas las guerrillas del ERPI y el EPR y que se sumen otros grupos armados con demandas de justicia y democracia.

En ese mismo documento (Ensayo del EZLN. 19 de junio de 2000), denunciaron que el uso indiscriminado de "encuestas" desplazó al voto ciudadano como elector y, por lo mismo, ya no importaba disputar una elección en las urnas, sino ganarla o perderla en los encabezados de la prensa escrita y de los noticieros de radio y televisión.

Vaticinando el posible triunfo de un partido de oposición, advirtieron que su llegada a la silla presidencial no significaría el tránsito a la democracia, en tanto el poder sexenal se siguiera concentrando en una sola persona, y los poderes encargados de legislar e impartir justicia continuaran como elementos decorativos.

En este sentido, insistieron en que un poder legislativo autónomo e independiente del ejecutivo es imprescindible en una democracia, se

pronunciaron en contra de un voto de unidad a favor de un proyecto de derecha encabezado por Vicente Fox, y por la celebración de una contienda electoral limpia, equitativa, honesta y plural.

Finalmente, reiteraron la postura política mantenida durante más de seis años. "El tiempo electoral no es el tiempo de los zapatistas. No sólo por nuestro estar sin rostro y nuestra resistencia armada. También, y sobre todo, por nuestro afán en encontrar una nueva forma de hacer política que poco o nada tiene que ver con la actual… En la idea zapatista, la democracia es algo que se construye desde abajo y con todos, incluso con aquellos que piensan diferente a nosotros. La democracia es el ejercicio del poder por la gente todo el tiempo y en todos los lugares".

El 2 de julio, día de las elecciones presidenciales y legislativas, los zapatistas, de acuerdo a una postura preestablecida, permitieron la instalación de casillas electorales en las zonas rebeldes, se abstuvieron de realizar actos de sabotaje o acción alguna en contra de instalaciones electorales, funcionarios del IFE y votantes; no llamaron a votar por ninguno de los candidatos o sus partidos, y conminaron al pueblo de México que veía en las elecciones una posibilidad de lucha, a luchar en ese terreno y con esos medios, y a defender el voto.

La noche de ese 2 de julio terminó la continuidad de más de 70 años de gobiernos presidenciales emanados del Partido Revolucionario Institucional, con la confirmación del triunfo en la presidencia de México del panista y ex gerente de la Coca Cola, Vicente Fox Quesada. Más tarde, Pablo Salazar, candidato de una alianza de todos contra el PRI, se impuso en la elección de gobernador del estado de Chiapas.

Tras un largo silencio de casi seis meses, el EZLN volvió a la escena. A finales de noviembre los zapatistas despidieron al presidente saliente, Ernesto Zedillo Ponce de León, con una carta similar a la que difundieron cuando le dieron la bienvenida. En el documento el subcomandante Marcos recordó la pesadilla que significó el sexenio zedillista para millones de mexicanos y mexicanas: "magnicidios, crisis económica, empobrecimiento masivo, enriquecimiento ilícito y brutal de unos cuantos, venta de la soberanía nacional, inseguridad pública, estrechamiento de ligas entre el gobierno y el crimen organizado, corrupción, irresponsabilidad, guerra... y chistes malos y mal contados". (Carta del EZLN. 28 de noviembre de 2000)

Con respecto al conflicto armado, el EZLN esbozó la estrategia de Zedillo durante los seis años que se mantuvo en el poder, años que se caracterizaron por la doble estrategia de fingir disposición al diálogo y continuar el camino de la vía violenta, años en los que el ejecutivo "intentó repetir la historia de la traición de Chinameca (el 9 de febrero de 1995), derrochó miles de millones de pesos tratando de comprar la conciencia de los rebeldes; militarizó las comunidades indígenas (y no sólo las de Chiapas); expulsó a observadores internacionales; entrenó, equipó, armó y financió paramilitares; persiguió, encarceló y ejecutó sumariamente a zapatistas y no zapatistas; destruyó el tejido social del campo chiapaneco;

y siguiendo la consigna de su hijo putativo, el grupo paramilitar 'Máscara Roja' ('mataremos la semilla zapatista'), mandó masacrar a niños y mujeres embarazadas en Acteal, el 22 de diciembre de 1997".

La carta terminó con un elocuente: "Usted se va al exilio. Nosotros aquí seguimos". Dos días después, el primero de diciembre, el EZLN dio a conocer su lectura acerca del proceso electoral. En un ensayo titulado "México 2000, ventanas abiertas, puertas por abrir", dedicado a la insurgente Lucha, quien había muerto el 9 de septiembre anterior, los rebeldes hicieron un balance de los comicios: "El punto común en estas campañas fue un profundo desprecio al ciudadano. Más cercanas a la publicidad mercantil, las campañas por la Presidencia concibieron al ciudadano como un desmemoriado comprador que paga al contado, no hace muchas preguntas y no exige garantía. En su empeinada marcha con rumbo divergente al de la ciudadanía, la clase política mexicana padeció la disparidad entre sus ofrecimientos y las expectativas de la gente".

El triunfo de la oposición, luego de 71 años de gobiernos priístas, fue leído por los zapatistas como el resultado de una gran manifestación ciudadana que dijo NO a la continuidad del sistema: "...una multitud anónima de mexicanos y mexicanas le dieron el tiro de gracia a un sistema político que, por más de siete décadas, sembró de catástrofes y cadáveres la historia nacional. Los muertos en el camino no eran pocos: la justicia, la democracia, la libertad, la soberanía nacional, la paz, la vida digna, la verdad, la legitimidad, la vergüenza y, sobre todo, la esperanza. Esos muertos que reviven cada tanto: 1965, 1968, 1985, 1988, 1994, 1997". (Ensayo del EZLN. 1 de diciembre de 2000).

Además, el EZLN pidió no confundir alternancia ("porque eso y sólo eso es la llegada de Fox") con transición, y señalaron que los únicos culpables de que la mayoría de los ciudadanos ligaran la democratización del país a la derrota del PRI, fueron los propios priístas, con sus políticas económicas y sociales, su manejo discrecional del presupuesto y sus ligas con el narcotráfico.

Sobre la campaña presidencial del PRD, que encabezó Cuauhtémoc Cárdenas, el grupo insurgente indicó que fue una campaña que empezó obsesionada por el centro (y en política, dijeron, el centro no es más que la derecha en tránsito de asentarse) y, aunque luego se corrió hacia la izquierda, en el camino dejó varios lesionados: la credibilidad, la confianza, la coherencia y la esperanza.

Finalmente, el subcomandante Marcos señaló que con el ascenso de Fox, primero dentro del PAN, luego en la campaña, y ahora con el triunfo, "la ultraderecha vio el paraguas, el reflector y la tribuna que buscaba. Así, en torno a Acción Nacional se da una lucha sorda entre ultras y moderados de derecha. En el transcurso del diferendo el partido se va desvaneciendo, va perdiendo perfil y, así parece, sólo aporta a un Fox triunfante dos cosas: el color azul y el cuerpo que habrá de ser responsable de los errores del nuevo Ejecutivo federal".

"El 2 de julio el PRI no sólo perdió la presidencia de la República, también tuvo una derrota histórica. Esta derrota es producto de muchas luchas. El no reconocerlo y no comportarse en consecuencia es una mezquindad", indicaron los zapatistas en el ensayo político dado a conocer un día antes de que Fox asumiera la presidencia.

Los indígenas rebeldes convocaron a una insólita conferencia de prensa para el día 2 de diciembre, es decir, para un día después de la toma de posesión del nuevo presidente de México. Se generó entonces una gran expectativa por la palabra del grupo armado, y al poblado de La Realidad acudieron decenas de periodistas de casi todos los medios acreditados en el país, además de parte de la prensa extranjera que había llegado a México para cubrir el acto protocolario del cambio presidencial.

Como pocas veces, los zapatistas llegaron puntuales a su cita. El subcomandante Marcos apareció junto al mayor Moisés y el comandante Tacho y dieron inicio a la conferencia con la lectura de cuatro comunicados. En el primero le dieron la bienvenida, a la manera zapatista, al presidente Vicente Fox: "Con los zapatistas usted parte de cero en lo que se refiere a credibilidad y confianza (...) No debe haber duda: nosotros somos sus contrarios. Lo que está en juego es si esta oposición se da por canales civiles y pacíficos; o si debemos continuar alzados en armas y con el rostro cubierto hasta conseguir lo que buscamos, que no es otra cosa, señor Fox, que democracia, libertad y justicia para todos los mexicanos..." (Carta a Vicente Fox Quesada. 2 de diciembre de 2000).

En esa misma misiva, el subcomandante Marcos hizo el recuento de 2 mil 525 días de guerra: "Durante estos casi siete años de guerra los zapatistas hemos resistido y nos hemos enfrentado a dos Ejecutivos federales (autodenominados 'presidentes'), dos secretarios de la Defensa Nacional, seis secretarios de Gobernación, cinco comisionados de 'paz', cinco 'gobernadores' de Chiapas y una multitud de funcionarios medios... Durante estos casi siete años los zapatistas hemos insistido, una y otra vez, en la vía del diálogo. Lo hemos hecho porque tenemos un compromiso con la sociedad civil, que nos exigió callar las armas e intentar un arreglo pacífico".

En algún lugar de la ciudad de México, el nuevo presidente escuchaba la voz de los rebeldes: "Si elige la vía del diálogo sincero, serio y respetuoso, simplemente demuestre con hechos su disposición. Tenga la seguridad de que tendrá una respuesta positiva de los zapatistas. Así podrá reiniciarse el diálogo y, pronto, empezará a construirse la paz verdadera".

En el segundo comunicado, leído por el vocero y jefe militar zapatista, dieron a conocer las tres señales mínimas que exigían al ejecutivo federal para poder reiniciar el diálogo: la aprobación del proyecto de ley elaborado por la Cocopa, la liberación de todos los zapatistas presos dentro y fuera de Chiapas, y el retiro y cierre de siete de las 259 posiciones que el ejército mantenía en el estado: Amador Hernández, Guadalupe Tepeyac y Río Euseba (cerca del Aguascalientes de La Realidad), Jolnachoj (cerca del Aguascalientes de Oventik), Roberto Barrios (cerca del Aguascalientes del mismo nombre, en la zona Norte del estado), La Garrucha (cerca del Aguascalientes del mismo nombre, en la zona Selva), y Cuxuljá (cerca de la comunidad de Moisés Gandhi).

El Ejército Zapatista de Liberación Nacional anunció, en el tercer documento leído, que una delegación rebelde marcharía a la ciudad de

México para demandar al Congreso de la Unión la aprobación de la iniciativa de ley sobre Derechos y Cultura Indígenas, elaborada en noviembre de 1996 por la Cocopa.

La delegación zapatista, anunciaron, estaría conformada por 24 miembros del CCRI, en representación de los pueblos tzotzil, tzeltal, tojolabal, chol, zoque, mame y mestizo. Sus nombres: Comandantas Esther, Fidelia, Susana y Yolanda; y comandantes Abel, Abraham, Alejandro, Bulmaro, Daniel, David, Eduardo, Filemón, Gustavo, Isaías, Ismael, Javier, Maxo, Mister, Moisés, Omar, Sergio, Tacho, Zebedeo; y Subcomandante Insurgente Marcos.

Finalmente, en el cuarto y último mensaje difundido esa tarde, el Ejército Zapatista saludó la designación de Luis H. Álvarez como nuevo comisionado de Paz, y señaló que una vez que se cumplieran las señales demandadas, le otorgarían el carácter de "interlocutor válido".

La organización de la marcha arrancó al día siguiente. Vinieron entonces comunicados para la prensa, para el Congreso Nacional Indígena y para la sociedad civil nacional e internacional.

El 8 de diciembre tomó posesión como gobernador de Chiapas Pablo Salazar Mendiguchía, a quien, al igual que a Vicente Fox, los zapatistas confirieron el beneficio de la duda: "El señor Salazar Mendiguchía tiene ahora la posibilidad de contribuir, primero, a la reanudación del diálogo y, posteriormente, a que éste avance con seriedad y responsabilidad hasta llegar al fin de la guerra y el inicio de la construcción de la paz con justicia y dignidad. (Comunicado del EZLN. 8 de diciembre de 2000).

El 22 de diciembre, a tres años de la matanza de Acteal, donde fueron masacrados por grupos paramilitares 45 niños mujeres, hombres y ancianos, indígenas todos, el EZLN exigió castigo para los verdaderos culpables, el desmantelamiento de los grupos paramilitares y el cumplimiento de las señales demandadas para un posible reinicio del diálogo.

Ese mismo día, el gobierno ordenó el retiro del ejército de la posición que mantenía en la comunidad de Amador Hernández desde el mes de agosto de 1999. Además, se anunció la derogación del decreto de expropiación, dictado por el gobierno de Zedillo, que despojaba de sus tierras a los indígenas de esa comunidad tzeltal.

Durante 16 meses, día tras día, minuto a minuto, miles de indígenas rebeldes dieron una de las mayores muestras de organización, ingenio, creatividad y resistencia pacífica frente a un campamento militar. No querían la construcción de una carretera que permitiera el ingreso de los militares y de la prostitución y la salida de los recursos naturales de la selva. Impusieron su resistencia y lograron su objetivo.

El EZLN saludó la salida de los militares pero, siempre cauteloso, llamó a la sociedad civil nacional e internacional a continuar la movilización para el cumplimiento del resto de las demandas.

Así llegó el fin de año y con él los festejos del séptimo aniversario del levantamiento armado. Una vez más miles de indígenas se concentraron en los cinco Aguascalientes zapatistas para festejar con cantos y bailes los siete años de su estar vivos, de su resistencia y, sobre todo, de su persistencia.

2001

La Marcha del Color de la Tierra, la esperanza y movilización. México y el mundo reciben a los zapatistas. La traición de los partidos políticos y la promulgación de una contrarreforma sobre Derechos y Cultura Indígenas. Más hostigamiento y persecución, ahora con el gobierno del "cambio"

El año y el siglo empezaron, quizás como ningún otro, con esperanza y optimismo. Iniciaba el año 7, el séptimo de la guerra contra el olvido, el año de la Marcha del Color de la Tierra. Los zapatistas amanecieron, como es ley, bailando al son de la marimba y de los teclados electrónicos. La paz se vislumbraba como una posibilidad real y los rebeldes, aunque con desconfianza, le apostaban a alcanzarla.

En el discurso del séptimo aniversario del levantamiento, los zapatistas hicieron un recuento, año por año, de los reflejos que había producido su andar armado:

"En el primer reflejo fuimos viento de abajo, despertar inesperado. De muy lejos en el tiempo, la memoria se hizo aliento de fuego…

"Con el reflejo segundo, labios fuimos para la palabra y oído para el corazón del otro. Quieto quedó el fuego y el pecho aprendió a conjugar ensanchando el nosotros…

"Con el destello del tercer reflejo acuerdo hicimos con el que mandaba para que los que somos color y sangre de la tierra, con todos un lugar digno tuviéramos. El que mandaba no cumplió su palabra, pero como quiera nosotros nos convertimos en puente para otros mundos…

"Fue en el reflejo cuarto que quienes nos mandan y sustentan tomaron el paso primero. Un mil ciento once veces miró nuestra mirada a la soledad por fin derrotada. Sin embargo, la estupidez que mandaba con sangre quiso tapar tanto mirar. 'Acteal' se llama donde no se cerrarán ya los ojos jamás.

"El quinto reflejo fue de crecer la resistencia, de hacerla escuela y lección que señalaba. Allá, del lado del que dijo que mandaba, la guerra, la destrucción, la mentira, la intolerancia. Acá, la callada dignidad, el silencio rebelde, el gobierno de los propios.

"El reflejo sexto caminó mucho, cinco veces mil, y a todas las tierras de quienes llamamos hermanos. A ellos preguntamos, a ellos escuchamos. Guardamos su palabra para que madurara y, a su tiempo, su tiempo encontrara.

"Vino por fin el séptimo y con él cayó lo que ya tambaleante estaba. Vino el otro con muchos rostros y sin cara, con nombre e innominado, y anónimo completo, no el final, pero sí una escala... Nos hablaron y nos dijeron que en el siete era el momento para llegarse a la tierra que se crece hacia arriba". (Discurso del EZLN. 1 de enero de 2001).

Aunque las palabras de inicio de año mostraron optimismo, el EZLN marcó también su desconfianza: "Hoy quien manda dice que quiere la paz. Lo mismo dijo quien lo antecedió y no hizo sino tratar de destruir a quienes lo desafiaban sólo viviendo. Por eso hoy queremos recordar a todos, y a quien es gobierno, que hay muchas injusticias pendientes de remediar…" (Discurso del EZLN. 1 de enero de 2001).

Los días que siguieron fueron intensos. Arrancó de lleno la organización de la marcha y los zapatistas dieron a conocer la creación del Centro de Información Zapatista (CIZ), oficina diseñada como puente entre el EZLN y la sociedad civil nacional e internacional. Nuevamente, anunciaron, se encargarían ellos mismos de la organización.

El envío de misivas salidas directamente de la Selva Lacandona se incrementó. El Congreso Nacional Indígena, la sociedad civil nacional, la comunidad internacional, la Comisión de Concordia y Pacificación, el Congreso de la Unión y la prensa fueron algunos de los destinatarios.

El 10 de enero el ejército se retiró de Cuxulhá, la segunda de las posiciones demandadas. "Estamos contentos pero no estamos contentos", dijeron las bases de apoyo mostrando siempre su desconfianza.

El 12 de enero, en el séptimo aniversario del cese al fuego, los indígenas rebeldes volvieron a tomar la ciudad de San Cristóbal de las Casas. Miles de tzotziles, tzeltales, tojolabales, choles, zoques, mames y mestizos con el rostro cubierto, invadieron las calles de la ciudad coleta para decir su palabra:

"Desde hace siete años hemos exigido que los gobernantes reconozcan los derechos y la cultura de los que le han dado historia y honor a nuestra patria, que es México....Desde hace siete años hemos insistido en el camino del diálogo con todos para llegar a la paz. Ahora que empieza un nuevo siglo y un nuevo milenio, estamos insistiendo en el camino del diálogo para terminar la guerra". (Discurso del EZLN. 12 de enero de 2001).

Para esas fechas el debate sobre la salida de la delegación ya se había levantado. El día 23 el presidente de la mesa directiva de la Cámara de Diputados, Ricardo García Cervantes, señaló que la movilización era ilegal, por lo que los rebeldes podrían ser detenidos.

Los preparativos de la marcha continuaron y el 24 de enero el EZLN dio a conocer la ruta que seguirían con destino a la ciudad de México.

Tres semanas antes de la salida de la marcha, Vicente Fox, como siempre elocuente, declaró: "El país es más que Chiapas [...] Si hay marcha, que haya marcha. Si no quieren marcha, no marchan; como gusten".

Sin embargo, días después el discurso presidencial se modificó. Los resultados de sus encuestas y la atención internacional lo obligaron al viraje: "Mi prioridad, estos días, es que la marcha del EZLN salga bien.

Pongo en riesgo mi presidencia, todo mi capital político. Hay que darle una oportunidad a *Marcos*", dijo el presidente el 23 de febrero.

Mientras el comisionado para la paz en Chiapas, Luis H. Álvarez, consideraba positivo que el EZLN buscara un diálogo con el Congreso de la Unión —a sólo unos días de la salida de la marcha— el Comité Internacional de la Cruz Roja, que había accedido a acompañar a la delegación zapatista en su viaje a la ciudad de México, se retractó argumentando que el gobierno federal había rechazado su participación en este paso para el diálogo.

Los zapatistas denunciaron el doble lenguaje del gobierno que, por un lado, aplaudía públicamente la salida de la comandancia zapatista y, por el otro, obstaculizaba la seguridad de la misma. "Ahí estaremos con ustedes. Nada nos detendrá", fue la respuesta del EZLN a la sociedad civil.

Y así fue. El 24 de febrero al mediodía, desde cinco diferentes puntos del territorio rebelde, 23 comandantes y un subcomandante partieron con destino a la ciudad de México, teniendo como primera parada la ciudad de San Cristóbal de las Casas, Chiapas. Con el rostro embozado, sin más armas que la palabra y la legitimidad de su lucha, los 24 miembros del Comité Clandestino Revolucionario Indígena (CCRI) fueron recibidos por una multitud integrada en su mayoría por las bases de apoyo que salieron a despedirlos.

En una ceremonia indígena, la delegación recibió los bastones de mando de cada uno de pueblos indios presentes. Y ahí, desde el templete en el que iniciaron el recorrido, el EZLN anunció que necesitaba del apoyo "de un luchador social, alguien que haya dedicado toda su vida a la transformación de las condiciones de vida de los mexicanos pobres, alguien que ya haya sufrido persecución y cárcel por la causa zapatista, alguien que tenga como virtudes el desinterés personal y la honestidad". Tales características, indicó el grupo armado, las reunía el arquitecto Fernando Yáñez Muñoz, a quien le solicitaron acompañar en su marcha a la delegación y

192

servir de puente entre el EZLN y los diputados y senadores, así como con las direcciones de los diferentes partidos políticos.

"Le damos pues la bienvenida y le decimos que es un honor para nosotros el que gente con su estatura humana esté a nuestro lado", dijeron los zapatistas. (Discurso del subcomandante Marcos. EZLN. 24 de febrero de 2001).

Más adelante, el jefe militar y vocero zapatista se dirigió a la multitudinaria manifestación: "Con nosotros van los pasos de todos los pueblos indios y los pasos de todos los hombres, mujeres, niños y ancianos que en el mundo saben que en el mundo caben todos los colores de la tierra". (Discurso del subcomandante Marcos. EZLN. 24 de febrero de 2001).

A las seis de la mañana del día siguiente (25), la caravana de la dignidad indígena comenzó el largo camino hacia la ciudad de México. Más de cuarenta camiones y otro tanto de automóviles, sin contar los transportes de la prensa nacional e internacional, se pusieron en marcha para acompañar a la delegación zapatista. Apenas era el inicio y la caravana ya contaba con más de 3 mil personas de diversas organizaciones y nacionalidades.

La siguiente parada fue nada menos que la capital del estado, Tuxtla Gutiérrez, sede de los poderes estatales que tanto han combatido los rebeldes. Este lugar fue una de las primeras sorpresas de la marcha, pues no se esperaba un acto masivo ni que los tuxtlecos abarrotaran las calles con

gritos y consignas de apoyo, ya no sólo para la delegación zapatista, sino para toda la caravana que conforme pasaban las horas se iba ensanchando.

Después de un breve acto, los miles de indígenas acompañados de la sociedad civil nacional e internacional, continuaron su camino con destino a Juchitán, estado de Oaxaca. En el camino se hicieron presentes las muestras de solidaridad de miles de oaxaqueños que saludaron el paso de la caravana, a la cual le acercaban fruta, agua, tortas, tortillas y todo lo que tuvieran a la mano.

En un lugar conocido como La Ventosa se hizo una parada para realizar un breve acto con grupos indígenas de la región: huaves, mixes, zapotecos y chinantecos les pidieron llevar su palabra y hacer suyas las demandas de los pueblos del Istmo.

Y, finalmente, la jornada del día 25 de febrero terminó en Juchitán, Oaxaca, donde la comandanta Esther habló de la difícil situación de las mujeres indígenas: "Principalmente nosotras las mujeres somos triplemente explotadas. Uno, por ser mujeres indígenas, y porque somos indígenas no sabemos hablar y somos despreciadas. Dos, por ser mujeres dicen que no sabemos hablar, nos dicen que somos tontas, que no sabemos pensar. No tenemos las mismas oportunidades que los hombres. Tres, por ser mujeres pobres. Todos somos pobres porque no tenemos buena alimentación, vivienda digna, educación, no tenemos buena salud. Muchas mujeres mueren en sus brazos sus hijos por las enfermedades curables". (Discurso de la comandanta Esther. EZLN. 25 de febrero de 2001).

El día 26 por la mañana los zapatistas citaron a una conferencia de prensa. El motivo: recibieron amenazas de muerte de un grupo mercenario de la localidad y, ante esta situación, respondieron: "Ninguna amenaza hará que desistamos de nuestro objetivo de llegar a la sede del poder legislativo federal para promover el reconocimiento constitucional de los derechos y la cultura indígenas".

Después del anuncio la marcha continuó su camino y al anochecer ya se encontraba en la capital del estado, donde la delegación fue recibida por una plaza colmada de indígenas de la región y de mestizos de todo el estado. "Nos ha maravillado su capacidad de organización, su combatividad, su sincero orgullo por las raíces que les dan color y nombre en estas tierras… Los indígenas oaxaqueños hacen que cualquier indígena en cualquier parte de México se sienta orgulloso de ser indígena… Esperamos que lo que buscamos todos los indígenas de México sea ahora sí posible, y que tengan ahí un lugar importante los pueblos indios de estas tierras…", dijeron los zapatistas durante el acto central en esta ciudad. (Discurso del subcomandante Marcos. 26 de febrero de 2001).

La cuarta jornada de la marcha inició en el camino rumbo a Tehuacán, estado de Puebla, donde miles de nahuas, mazatecos, popolocas y mixtecos, recibieron a la caravana. Ese mismo día, el cada vez más numeroso desfile de vehículos continuó su camino con destino a la ciudad de Orizaba, estado de Veracruz, lugar en el que se dio probablemente el acto más sorpresivo y emotivo antes de llegar a la ciudad de México.

Ante una plaza repleta de indígenas, trabajadores, colonos, niños, gente de distintas organizaciones sociales y un abanico inmenso de personas de la sociedad civil, el comandante Ismael explicó, una vez más, el concepto de autonomía que defienden las comunidades indias: "Nosotros con la autonomía lo que queremos no es dividir nuestro país México, lo que queremos es construir un México diferente, donde se incluya a todos los pobres de este país. Construir un México con futuro donde no unos cuantos se enriquecen y millones en miseria, hambre y muerte". (Discurso del comandante Ismael. EZLN. 27 de febrero de 2001)

El día terminó con un acto en la plaza central de la ciudad de Puebla, donde una vez más la gente llenó las calles. Una multitud conformada mayoritariamente por jóvenes de ambos sexos con banderas rojinegras, pero también por grupos de maestros, trabajadores, colonos, barzonistas, homosexuales, niños y mujeres de todas las edades, recibieron a la comandancia zapatista y a los miembros del Congreso Nacional Indígena.

"En cuatro días de nuestra Marcha de la Dignidad Indígena y en nuestro paso en los distintos pueblos y ciudades, junto con miles de hermanos y hermanas de la sociedad civil nacional e internacional; junto a nosotros se han sumado los pasos y los corazones de miles de hermanos y hermanas mexicanas y de otros países del mundo para acompañarnos en nuestro largo caminar, y junto con ustedes se hará más grande y más fuerte nuestra lucha", dijo visiblemente emocionado el comandante David ante decenas de miles de poblanos. (Discurso del comandante David. EZLN. 27 de febrero de 2001).

Los zapatistas pernoctaron esa noche en el Convento de las Carmelitas y en la madrugada del día siguiente partieron rumbo al estado de Tlaxcala, lugar en el que tomó la palabra el comandante Míster: "Hemos resistido más de 500 años donde nos han dividido metiéndonos su ideología, pero ahora que nos estamos uniendo ya no pasarán otros 500 años de miseria y abandono, sino antes nos tendrán que reconocer y respetar como pueblos indios que formamos parte de esta nación". (Discurso del comandante Míster. EZLN. 28 de febrero de 2001).

Después del madrugador acto en el kiosco de la plaza principal de Tlaxcala, la marcha partió rumbo a Pachuca, pasando por los municipios de Tepatepec, Emiliano Zapata y Ciudad Sahagún, donde se realizaron breves actos con multitudinaria participación.

En Pachuca el comandante Zebedeo, famoso ya por su colorida prosa, dijo su palabra: "Hagamos todos el uso de la conciencia de sumergirnos en la búsqueda de la solución pacífica al conflicto, que sea el pueblo de México el que le dé el rumbo de la convivencia digna, social y cultural". (Discurso del comandante Zebedeo. EZLN. 28 de febrero de 2001).

La jornada de actos no terminó ahí. Siguieron foros y templetes en Actopan y en Ixmiquilpan, donde un torrencial aguacero sorprendió a una multitud que no se movió de su lugar para continuar escuchando la

palabra de los zapatistas. El final del día encontró a la caravana en el municipio del Tephé, donde la delegación pernoctó en un balneario propiedad colectiva de los indígenas otomíes de la comunidad.

El primero de marzo la Marcha del Color de la Tierra sufrió su primer percance. En la ruta del Tephé a Querétaro, un autobús arremetió contra uno de los vehículos del Centro de Información Zapatista. En el percance fue arrollado un oficial de la Policía Federal de Caminos y resultaron lesionadas cuatro integrantes del equipo de apoyo zapatista. El EZLN lamentó el fallecimiento del oficial y se continuó una investigación para comprobar si se trató de un accidente o de un atentado.

La caravana continuó su camino. En la capital del estado de Querétaro se pronunció uno de los discursos más fuertes contra un jefe de gobierno estatal, conocido a partir de ese momento como "el firulais" Loyola, quien había amenazado abierta y veladamente a los integrantes de la caravana. En ese mismo lugar, el EZLN saludó a los dos zapatistas encarcelados injustamente por el gobierno de Loyola. "Aprovechamos que aún no nos han fusilado para mandarles decir a nuestros hermanos zapatistas presos en la cárcel queretana, Sergio Jerónimo Sánchez y Anselmo Pérez Robles, que no estén tristes, que pronto saldrán libres y que su lugar en la cárcel será ocupado por quienes ahora gobiernan sin siquiera conocer la historia de su entidad federativa". (Discurso del subcomandante Marcos. 1 de marzo de 2001).

Al día siguiente, la caravana se encontró ante miles de personas que colmaron las calles y la plaza de Acámbaro, estado de Guanajuato. El camino continuó por Zinapécuaro y Pátzcuaro, estado de Michoacán, lugares en los que se improvisaron sendos actos ante las exigencias de la gente. Una parada más en el municipio de Uruapan y después la llegada al destino final de la jornada: la comunidad purépecha de Nurío, donde se celebraría el Tercer Congreso Nacional Indígena.

El 3 de marzo comenzaron formalmente los trabajos del CNI, con la asistencia de representaciones de 40 pueblos indígenas del país. Delegados de los pueblos amuzgo, cora, cuicateco, chiapa, chinanteco, chocholteco, chol, chontal, guarijio, huasteco, suave, kikapu, kukapa, mame, matlatzinka, mayo, maya, mazahua, mazateco, mixe, mixteco, náhuatl, ñahñú, o'odham, pape, popoluca, rarámuri, purépecha, tenek, tlahuica, tlapaneco, tojolabal, totonaco, trique, tzeltal, tzotzil, wixaritari-huichol, yaqui, zapoteco y zoque, inundaron de lenguas, colores, pensamientos, luchas y resistencias dos días de trabajo intenso.

198

Entre sus resolutivos, el Congreso Nacional Indígena demandó lo siguiente:

Primero. El reconocimiento constitucional de nuestros derechos de los pueblos indios, conforme a la iniciativa de reforma constitucional elaborada por la Comisión de Concordia y Pacificación (Cocopa).

Segundo. El reconocimiento constitucional de nuestra existencia plena como pueblos indígenas...

Tercero. El reconocimiento constitucional de nuestro inalienable derecho a la libre determinación expresado en la autonomía en el marco del Estado mexicano.

Cuarto. El reconocimiento constitucional de nuestros territorios y tierras ancestrales...

Quinto. El reconocimiento de nuestros sistemas normativos indígenas en la construcción de un régimen jurídicamente pluralista.

Sexto. La desmilitarización de todas las regiones indígenas del país.

Séptimo. La liberación de todos los presos indígenas del país que se encuentran privados de su libertad por haber luchado por la defensa de la autonomía y el respeto a nuestros derechos, individuales y colectivos.

El 5 de marzo la caravana partió rumbo a Morelia, capital del estado de Michoacán, donde la gente se concentró en la plaza central para un matutino acto, en el que el comandante Abel habló sobre las agresiones a su territorio: "Han sido desmantelados municipios y autoridades autónomas por el sistema que hoy padecemos todos los pobres de México. A pesar de todo esto nuestros pueblos se han fortalecido, que resisten y luchan, convirtiendo en fiestas y cantos los golpes del enemigo". (Discurso del comandante Abel. EZLN. 5 de marzo de 2001).

La siguiente parada fue ya en territorio mexiquense, específicamente en el municipio de Temoaya y, ya para finalizar el día, la interminable caravana compuesta por indígenas de todo el país y sociedad civil nacional e internacional, llegó a la ciudad de Toluca, capital del estado de México.

Para estas alturas, la enorme recepción que millones de mexicanos daban a la marcha y, sobre todo, la inconformidad y rebeldía contra el gobierno que iba recogiendo a su paso, preocupaba no sólo a Vicente Fox y a su gabinete, sino a los sectores empresariales que vieron amenazados sus intereses ante una muchedumbre que reclamaba no sólo el reconocimiento de los derechos indígenas, sino justicia e igualdad para todos los mexicanos.

Fue precisamente en Toluca donde la comandancia zapatista envió un mensaje a los señores del dinero: "Tienen miedo porque dicen que los pobres se van a alzar a nuestro paso y se van a cobrar todos los agravios. Tienen miedo porque reconocen que las condiciones de vida de la mayoría de los mexicanos, y no sólo de los indígenas, están muy mal y eso puede provocar una rebelión..." (Discurso del subcomandante Marcos. 5 de marzo de 2001).

El 6 de marzo la caravana llegó a Cuernavaca, estado de Morelos donde, además de decir su palabra, los zapatistas de Chiapas dejaron una ofrenda floral a los pies del general Emiliano Zapata. La siguiente parada fue Tepoztlán, y ahí el comandante Isaías reiteró la desconfianza que les provocaba el nuevo gobierno: "Ya no queremos engaños porque el señor Vicente Fox trata de engañar al pueblo de México. Nuevamente está diciendo que ya hay democracia y que ya hay el cambio. Y no compañeros, nosotros los zapatistas desde el primero de enero de 1994 decimos ¡Ya Basta!... (Discurso del comandante Isaías. EZLN. 6 de marzo de 2001).

Al día siguiente la ciudad de Iguala, en el estado de Guerrero, abrió sus puertas y corazones a la imparable marcha de los colores. Miles de amuzgos, tlapanecos, náhuatl y mixtecos salieron de sus comunidades para unir sus voces y exigencias a las de los zapatistas y a las del resto de los pueblos indios del país. En este lugar el CCRI saludó con respeto a las organizaciones armadas ERPI, EPR y FARP. La jornada del día 7 de marzo terminó en Cuautla, Morelos, lugar en el que se habló del zapatismo de antes y del de ahora: "Caminaremos entonces el mismo camino de la historia, pero no la repetiremos. Somos de antes, sí, pero somos nuevos". (Discurso del subcomandante Marcos. 7 de marzo de 2001).

El Día Internacional de la Mujer, 8 de marzo, la caravana pasó por Anenecuilco, pueblo natal del general Emiliano Zapata, donde la delegación de 23 comandantes y un subcomandante fue recibida por los hijos del jefe revolucionario. La ruta continuó por Chinameca, lugar en el que Zapata fue asesinado a traición; y Tlaltizapán, donde se visitó el Cuartel General de los zapatistas. La ardua jornada revolucionaria culminó en Milpa Alta, ya en territorio del Distrito Federal, donde se habló de la situación de la mujer indígena y campesina.

El 9 de marzo el pueblo de San Pablo Oxtotepec recibió la interminable hilera de vehículos con decenas de miles de personas a bordo. La marcha se encontraba en la puerta de la ciudad de México, donde la gente se preparaba ya para recibir a los indígenas, campesinos, trabajadores, colonos, artistas, maestros, jubilados, estudiantes, amas de casa, gente con y sin organización, intelectuales y escritores, jóvenes de ambos sexos de todo México y de muchos países del mundo.

Un día antes de entrar al corazón de la ciudad de México, la delegación zapatista y sus miles de acompañantes estuvieron en Xochimilco, donde, una vez más, el subcomandante Marcos se refirió a las declaraciones vertidas por el sector empresarial: "El miedo perturba la ya deteriorada percepción de los empresarios. Eso y su raquítico coeficiente intelectual les impide darse cuenta de que el siglo que llamaron 'veinte' ha terminado, y que el segundo milenio quedó atrás… Pero es bueno que sepan, señores del dinero, que los tiempos de ayer no volverán a ser los de hoy ni los de mañana. Ya no escucharemos callados sus insultos…" (Discurso del subcomandante Marcos. EZLN. 10 de marzo de 2001).

Después de 15 días de camino y 12 estados de la República visitados, la marcha que partió de San Cristóbal de las Casas ya no era la misma. Millones de personas acompañaron su paso, cientos de declaraciones se vertieron a favor y en contra, las primeras fueron voces de los desposeídos, las segundas del gobierno y de los empresarios, del poder que se sintió amenazado.

La gente desbordó la Ciudad de México. Las calles se llenaron de indígenas, obreros, campesinos, maestros, colonos, choferes, pescadores, taxistas, oficinistas, empleados, vendedores ambulantes, religiosos, lesbianas y homosexuales, artistas, intelectuales, militantes, legisladores, deportistas, activistas y un largo etcétera que comprendía a decenas de miles de hombres, mujeres, niños, jóvenes y ancianos.

Un gran trailer blanco con la comandancia del Ejército Zapatista de Liberación Nacional a bordo, recorrió las calles de la ciudad desde Xochimilco hasta el Zócalo capitalino. Y ahí, frente a la gigantesca bandera que ondeaba en el centro de la Plaza de la Constitución, los rebeldes zapatistas dijeron su palabra: "México: no venimos a decirte qué hacer, ni a guiarte a ningún lado. Venimos a pedirte humildemente, respetuosamente, que nos ayudes, que no permitas que vuelva a amanecer sin que esa bandera tenga un lugar digno para nosotros los que somos el color de la tierra". (Discurso del subcomandante Marcos. 11 de marzo de 2001).

La Comandancia General del EZLN estaba ya en el Distrito Federal, específicamente en la Escuela Nacional de Antropología e Historia (ENAH), lugar que la comunidad de ese plantel ofreció a los zapatistas

202

como hospedaje en la ciudad de México. Los días que siguieron fueron intensos, y en los preparativos para lograr que el Congreso de la Unión escuchara los argumentos sobre el reconocimiento de los Derechos y la Cultura Indígenas, empezaron los primeros problemas. Los diputados y senadores invitaron a los delegados zapatistas a decir su palabra en una audiencia con las comisiones unidas de Puntos Constitucionales, Asuntos Indígenas y Asuntos Legislativos, lo cual fue calificado por el CCRI y por el movimiento indígena como una propuesta inadmisible: "No aceptamos un diálogo vergonzante con el poder legislativo, limitado a un rincón y con un grupo reducido de legisladores cuya función sería evitar que el CNI y los zapatistas puedan dialogar con todo el poder legislativo". (Comunicado del EZLN. 13 de marzo de 2001).

Los legisladores pretendieron así ignorar la dimensión histórica de la movilización nacional e internacional. Sin importar razas, posición económica, color, sexo, ideología, religión, edad o tamaño, el pueblo de México se manifestó porque se reconocieran los derechos indígenas en la Constitución y porque se cumplieran las tres señales exigidas por el EZLN como condición para iniciar un diálogo con el gobierno. Pero nada de esto parecieron escuchar los diputados y senadores.

Mientras la clase política intentaba asimilar lo sucedido, la delegación rebelde continuó sus acercamientos con la sociedad civil nacional e internacional. Durante la primera semana en la ciudad de México, el CCRI del EZLN se reunió con el Congreso Nacional Indígena, con intelectuales, con trabajadores, con rockeros, con grupos de teatro, con maestros y estudiantes y con sus anfitriones (la comunidad de la ENAH y de la colonia Isidro Fabela). También, acudieron al Instituto Politécnico Nacional y visitaron pueblos y barrios de diferentes delegaciones del Distrito Federal.

Una semana después de que los indígenas dieron a conocer su exigencia de ser escuchados en el pleno del Congreso de la Unión, los legisladores no habían respondido, y todo parecía indicar que se imponía el ala conservadora de los panistas y priistas, por lo que el 19 de marzo los zapatistas anunciaron su regreso a las montañas del sureste mexicano y un acto de despedida frente al Palacio Legislativo el 22 de marzo.

"Puesto a escoger entre los políticos y la gente, el EZLN no duda: está con la gente, de ella hemos recibido el oído atento y la palabra respetuosa. Frente a los políticos nunca bajaremos la cabeza ni aceptaremos humillaciones y engaños. No haremos cola para recibir sellos de 'recibido' en nuestras demandas históricas... La cerrazón de la clase política es clara. La gente, los pueblos indios, la sociedad civil nacional e internacional están convencidas de la justeza de nuestras demandas y las han apoyado incondicionalmente. El EZLN seguirá buscando y construyendo espacios incluyentes para la participación de todos los que desean un México verdaderamente nuevo..." (Comunicado del EZLN. 19 de marzo de 2001).

La noche de ese mismo día, el presidente Vicente Fox anunció el retiro del ejército de la comunidad de Guadalupe Tepeyac y señaló que enviaría una misiva a la comandancia zapatista. La carta no llegó y los rebeldes continuaron el recorrido planeado para antes de dejar la ciudad. Visitaron así los tres planteles de la Universidad Autónoma Metropolitana (UAM) y, finalmente, participaron en probablemente uno de los actos más emotivos del recorrido: el de la Universidad Nacional Autónoma de México (UNAM).

Tal y como lo prometieron, el 22 de marzo los zapatistas acudieron a las afueras del Congreso de la Unión a denunciar la ceguera y el racismo de un sector de la clase política que se negó a escucharlos. Mientras ellos explicaban la situación y se despedían de los miles de personas reunidas en la calle contigua al Palacio Legislativo, dentro del recinto los diputados y senadores discutían la pertinencia o no de dejar que los zapatistas hicieran uso de la tribuna más alta de la Nación.

El acuerdo llegó, y aún en contra de la totalidad de la fracción del partido del presidente Vicente Fox (PAN), legisladores del resto de las fuerzas políticas posibilitaron el encuentro con los zapatistas en el pleno del Congreso de la Unión.

El 28 de marzo, cuando todo el mundo pensaba que el subcomandante Marcos tomaría la tribuna, los zapatistas volvieron a sorprender no
sólo a la clase política, sino a buena parte de la sociedad civil nacional e
internacional. Una mujer, una indígena, una comandanta zapatista, tomó
la palabra y dijo el mensaje central a nombre del Comité Clandestino Revolucionario Indígena-Comandancia General del EZLN.

La comandanta Esther se refirió en su discurso a la terrible situación de las mujeres indígenas, a su pobreza, explotación, represión y ex-
clusión. Habló de su triple marginación: ser pobres, mujeres e
indígenas, se refirió a los beneficios que traería para los millones de indígenas del país la aprobación de la iniciativa de ley elaborada por la Cocopa, defendió el derecho a la diferencia y, finalmente, abrió de par en
par la posibilidad de un diálogo verdadero con el poder Ejecutivo. El arquitecto Fernando Yáñez, anunció, se comunicaría con el comisionado
para la paz en Chiapas, Luis H. Álvarez, con el fin de certificar el cumplimiento cabal de las tres señales demandadas. (Discurso de la comandanta Esther. 28 de marzo de 2001).

Con este importante e histórico acontecimiento los 23 comandantes
y un subcomandante se despidieron de los millones de personas que tanto en México como en otros países del mundo, acompañaron su paso. El
camino de la paz, quizás como en ningún otro momento en esos más de
siete años, se vislumbraba como una posibilidad real.

En total 37 días caminó la Marcha del Color de la Tierra a lo largo de 6 mil kilómetros. La delegación zapatista y las decenas de miles de acompañantes indígenas y no indígenas, pasaron por 13 estados de la República: Chiapas, Oaxaca, Puebla, Veracruz, Tlaxcala, Hidalgo, Querétaro, Guanajuato, Michoacán, estado de México, Morelos, Guerrero y el Distrito Federal, lugares en los que realizaron un total de 77 actos multitudinarios. ¿Alguien en su sano juicio sería capaz de desoír esta movilización? ¿Alguien podría estar tan ciego y sordo? ¿Prevalecerían los intereses políticos y económicos por encima del clamor ciudadano? ¿Se le daría la espalda a los indígenas del país y a los millones de personas que en México y en el mundo exigieron el reconocimiento de los derechos y cultura indígenas?

El 25 de abril llegó la respuesta. El Senado de la República aprobó "por unanimidad", con 109 votos de las bancadas del PRI, PAN, PRD y Verde Ecologista, una reforma constitucional en materia indígena que desconoció los principales puntos de la iniciativa de ley elaborada por la Cocopa y, por lo tanto, los Acuerdos de San Andrés.

Antes de que los zapatistas hablaran, representantes indígenas de todo el país, de organizaciones sociales y de derechos humanos, académicos, intelectuales nacionales y extranjeros, artistas y juristas rechazaron de antemano la ratificación de la reforma en el pleno del Congreso de la Unión, por considerarla hecha a la medida de las fuerzas más retardatarias de la Nación. Las reformas a la iniciativa de ley de la Cocopa finalmente fueron ratificadas, y el presidente Vicente Fox, conociendo perfectamente las consecuencias, se apresuró a saludarlas.

El 29 de abril el EZLN fijó su postura: Señaló, en primer lugar, que la recién aprobada reforma no respondió en absoluto a las demandas de los pueblos indios de México, del Congreso Nacional Indígena, del EZLN, ni de la sociedad civil nacional e internacional que se movilizó durante la marcha.

En segundo lugar, señalaron los zapatistas, la reforma traicionó los Acuerdos de San Andrés en lo general y, en lo particular, la llamada

"iniciativa de ley de la Cocopa" en sus puntos sustanciales: autonomía y libre determinación, los pueblos
indios como sujetos de derecho público, tierras y territorios, uso y disfrute de los recursos naturales, elección
de autoridades municipales y derecho de asociación regional, entre otros.

"El señor Fox saludó la actual reforma a sabiendas
que no es ni lejanamente parecida a la que presentó como propia. De esta manera se demuestra que Fox sólo
simuló hacer suya la 'iniciativa de la Cocopa' mientras
negociaba con los sectores duros del Congreso una reforma que no reconoce los derechos indígenas". (Comunicado del EZLN.
29 de abril de 2001).

Este fue otro momento decisivo del andar rebelde de los zapatistas.
A partir de aquí nada volvería a ser igual. Tal como lo señalaron en su comunicado, con esa reforma los legisladores federales y el gobierno foxista
cerraron la puerta del diálogo y la paz, pues evitaron resolver una de las
causas que originaron el alzamiento zapatista; dieron la razón de ser a los
diferentes grupos armados en México al invalidar un proceso de diálogo
y negociación; eludieron el compromiso histórico de saldar una cuenta
que México arrastra en sus casi doscientos años de vida soberana e independiente; y pretendieron fraccionar el movimiento indígena nacional al
ceder a los congresos estatales una obligación del legislativo federal. (Comunicado del 29 de abril de 2001).

El EZLN, por lo tanto, desconoció oficialmente esta reforma constitucional sobre derechos y cultura indígenas. Con esta ley, dijeron, se
traicionaron las esperanzas de una solución negociada de la guerra en
Chiapas, y se reveló el divorcio total de la clase política respecto de las demandas populares.

En consecuencia, los rebeldes anunciaron que el arquitecto Fernando
Yáñez Muñoz suspendería totalmente su trabajo de correo entre el EZLN y

el ejecutivo federal. No habría, dijeron, más contacto entre el gobierno de Fox y el EZLN, hasta que fueran reconocidos constitucionalmente los derechos y la cultura indígenas de acuerdo a la llamada "iniciativa de ley de la Cocopa". Los zapatistas, así, seguirían en resistencia y en rebeldía.

Si Ernesto Zedillo necesitó sólo dos meses para mostrar su verdadera estrategia en Chiapas, a Vicente Fox le ocupó un poco más. No sólo no resolvió el conflicto en "15 minutos", como lo prometió; sino que a los cuatro meses de su periodo perdió cualquier posibilidad de diálogo con los zapatistas.

Hasta el momento no se recuerda una iniciativa de ley tan debatida por casi todos los sectores de la sociedad. Académicos, legisladores, pueblos indígenas, analistas, organizaciones sociales, antropólogos, juristas, expertos en asuntos indígenas de otros países, politólogos, periodistas y articulistas, entre otros sectores de la sociedad civil, debatieron y reflexionaron durante cuatro largos años sobre los pros y contras de una iniciativa que, aunque no recogía en su totalidad los Acuerdos de San Andrés, fue legitimada por el EZLN, por los pueblos indios del país, y por millones de personas de la sociedad civil nacional e internacional.

El siguiente paso del gobierno federal consistió en montar una campaña de desprestigio contra los zapatistas, acusándolos de intransigentes y de no querer el diálogo. En este contexto, el comisionado para la paz en Chiapas, Luis H. Álvarez, insistió en sus llamados para la reanudación de las negociaciones, luego de señalar que "el silencio no ayudará a corregir los males que sin duda han padecido por demasiado tiempo las comunidades indígenas".

El 24 de mayo la Comisión de Concordia y Pacificación (Cocopa), cómplice de las reformas que se hicieron a su propia iniciativa, sin campo de acción, sin vergüenza y sin sensibilidad política, insistió en reunirse con Vicente Fox "para analizar los posibles escenarios que permitirían salir del impasse en que se encuentra el conflicto".

La reforma se fue después a votación a los congresos estatales, donde fue ratificada durante los meses de mayo, junio y julio, en medio de manifestaciones de protesta contra los diputados locales, a quienes les gritaron "traidores" y "judas". En algunos estados les aventaron huevos y en otros tuvieron que salir por la puerta de atrás de los recintos legislativos. No pudieron dar la cara pero aún así consumaron la traición contra los pueblos indígenas.

Paralelamente a la campaña federal de descalificativos contra los zapatistas, se incrementaron las agresiones de los grupos paramilitares en la zona y se intensificaron los patrullajes y hostigamientos militares contra las comunidades rebeldes.

A partir del mes de mayo se registraron acciones militares en casi toda la zona de conflicto, desde la conformación de nuevos retenes, patrullajes, hostigamientos e interrogatorios, entre otros. Según testimonios recogidos por organizaciones de derechos humanos, el ejército pedía a su paso información del tipo de gente que habita en las comunidades, preguntaban por los zapatistas y por "gente extraña" que no fuera de la zona.

Los retenes permanentes que "oficialmente" dejaron de existir con el gobierno de Vicente Fox, fueron sustituidos por retenes intermitentes en los cruceros de Palestina, Cintalapa, Paraíso y Chocoljá, por mencionar algunos. Además, los patrullajes que anteriormente se realizaban con tres vehículos militares, se implementaron con más de seis carros artillados con una periodicidad de tres veces al día.

Ejemplos del incremento de las acciones militares en el estado fueron los siguientes. Se inauguraron patrullajes de Caté a San Cayetano, en el municipio de San Andrés Sacamch'en de los Pobres; se instaló un retén y operativo militar de Caté a Simojovel; el 27 de mayo, en el Municipio Autónomo de Ricardo Flores Magón, llevaron a cabo patrullajes militares desde la Laguna Santa Clara hasta Cintalapa, Francisco León y Palestina, al mismo tiempo que reforzaron los campamentos militares de Cintalapa y Crucero Palestina.

También del 2 al 4 de junio, se llevó a cabo un operativo militar en la comunidad de Tzaclum, comunidad en su mayoría zapatista, con el pretexto de buscar drogas.

En este mismo sentido, durante la primera semana de julio se registraron sobrevuelos rasantes en San Miguel (municipio de Ocosingo), mientras que en la comunidad zapatista de Prado Payacal, un avión civil que sobrevoló la zona dejó caer un objeto que hizo explosión. En ese mismo mes, la comunidad de Roberto Barrios denunció hostigamientos militares, mientras que diversas comunidades de Yajalón fueron víctimas de un operativo de desarme en el que, aunque no se encontró nada, se violaron los derechos humanos de la población.

Los gobiernos federal y estatal afirmaban en los medios de comunicación que en Chiapas reinaba la calma y que el ejército federal estaba replegado y, en los hechos, el 11 de julio se incrementó, entre otros, el número de efectivos del cuartel militar de Cintalapa. La Red de Defensores Comunitarios por los Derechos Humanos denunció nuevas incursiones militares y hostigamiento contra los habitantes del Municipio Autónomo de Vicente Guerrero.

210

La nueva reforma en materia indígena y el incremento del hostigamiento militar, formaban y forman, parte de un plan general cuyo objetivo principal está encaminado a la privatización de las zonas con recursos naturales. Así, por ejemplo, las autoridades autónomas del municipio de Roberto Barrios denunciaron la apertura de una carretera como parte de las obras de construcción de un campo de golf y un centro turístico.

Por esos mismos días, diversas organizaciones de derechos humanos denunciaron las críticas condiciones en las que se encontraban los presos políticos en los diferentes penales del estado, tales como la represión que sufrían por defender sus derechos y por exigir el cumplimiento cabal de las tres señales demandadas por los zapatistas para reiniciar el diálogo con el gobierno.

Durante los meses siguientes continuaron las manifestaciones de repudio contra el Congreso de la Unión y el gobierno foxista, que insistía en que en Chiapas reinaba "una santa paz". El doble discurso de su estrategia para Chiapas se hizo aún más evidente cuando su comisionada para asuntos indígenas, Xóchitl Gálvez, declaró que era comprensible que "no todos están satisfechos con los cambios constitucionales".

Finalmente, el 14 de agosto Vicente Fox decretó las reformas a la Constitución, con la publicación de las mismas en el *Diario Oficial de la Federación*. Se decretó, también, la traición a los pueblos originarios de México.

La protesta continuó y se hizo acción cuando los indígenas y la sociedad civil empezaron a presionar a los municipios y gobiernos estatales, para que presentaran una serie de controversias constitucionales ante la Suprema Corte de Justicia de la Nación (SCJN), con el fin de evitar que la reforma constitucional en materia indígena entrara en vigor.

Entre julio y octubre del 2001 fueron presentadas ante la SCJN un total de 330 controversias constitucionales, por parte de municipios de los estados de Oaxaca, Chiapas, Guerrero, Morelos, Veracruz, Michoacán,

Jalisco, Puebla, Tabasco, Hidalgo y Tlaxcala, en contra de las reformas hechas a los artículos 1, 2, 4, 18 y 115 de la Constitución Federal, y del procedimiento empleado para su aprobación. El primer municipio en inconformarse fue Molcaxac, del estado de Puebla, el cual denunció que la reforma violaba el convenio 169 de la Organización Internacional del Trabajo, suscrito por México.

Mientras la Suprema Corte decidía el curso de las controversias, en Chiapas la situación de miles de indígenas en el exilio, en su mayoría bases de apoyo o simpatizantes del EZLN seguía, y sigue, sin resolverse. No obstante, en agosto de este año el Comité Internacional de la Cruz Roja preparaba su retiro de Chiapas a instancias del gobierno federal, bajo el supuesto de que su asistencia ya no era necesaria.

En el contexto de la resistencia civil contra la reforma constitucional en materia de derechos y cultura indígenas, el 6 de septiembre los sindicatos Independiente de Trabajadores de La Jornada (Sitrajor) y de Trabajadores de la Universidad Nacional Autónoma de México (STUNAM) presentaron ante la Organización Internacional del Trabajo (OIT), en Ginebra, un reclamo formal contra México por el total incumplimiento del Convenio 169 sobre Pueblos Indígenas y Tribales en Países Independientes, por considerar que dicha reforma era violatoria de este instrumento internacional.

Ese mismo día, la fracción del PRD en el Senado de la República, la misma que dio la espalda a los pueblos indios y apoyó las reformas promovidas por los legisladores más conservadores y retardatarios del país, demandó que se reabriera la discusión sobre la reforma constitucional en materia indígena. El pueblo de México les reclamó la traición a los perredistas y en esos momentos ellos sólo buscaban justificarse.

A casi un año del gobierno de Vicente Fox, el desencanto se dejaba sentir entre los pobres del país, es decir, entre la mayoría. Nada había cambiado, era el sentir popular cuando un acontecimiento confirmó la situación. El 19 de octubre fue asesinada en su despacho de abogada la defensora de los derechos humanos, Digna Ochoa y Plácido.

La Comandancia General de los zapatistas, que había guardado silencio desde el 29 de abril, es decir, durante seis meses, dijo su palabra: "Apenas nos hemos enterado del asesinato de Digna Ochoa y Plácido, tan largamente anunciado y tan irresponsablemente menospreciado. El crimen que manchó esta vida alcanza y sobra para estremecer de indignación a cualquier persona honesta. Cuando los luchadores sociales son eliminados, el Poder celebra fiestas, luce sus mejores galas y deja caer algunas monedas para que sus limosnas compren indiferencia. Arriba no hay más cambio que el que dicta la moda, y abajo la injusticia y la miseria se repiten en rostros y pasos. Abajo vuelve a haber dolor y rabia, pero ya no habrá impotencia". (Carta del EZLN. Octubre de 2001).

A principios de noviembre, con el cinismo de quien no tiene ya nada que hacer ni que decir, se propuso al interior de la Cocopa que el organismo se declarara en receso permanente, hasta que tuviera materia de trabajo.

Este mismo mes fueron liberados seis indígenas acusados de haber participado en la masacre de 45 tzotziles en Acteal, el 22 de diciembre de 1997. Los habitantes de Chenalhó manifestaron su indignación por la liberación de paramilitares, mientras que los zapatistas presos continuaban como rehenes de los gobiernos estatal y federal.

2002

La Suprema Corte de Justicia de la Nación cierra el círculo contra los pueblos indios de México. Polémica sobre el EZLN, las luchas en el País Vasco y ETA. Los pueblos zapatistas continúan con la organización de su autonomía. Se inaugura la Casa-Museo del Doctor Margil y nace la revista *Rebeldía*

La luz del primer día del año sorprendió a las comunidades indígenas zapatistas bailando. Celebraban el octavo aniversario del alzamiento y su entrada en nueve, como dirían ellos.

Durante los primeros meses nada parecía romper el silencio de la Comandancia General, pero los voceros de los municipios autónomos continuaron denunciando las incursiones militares en las comunidades zapatistas.

Las 330 controversias a las reformas constitucionales en materia indígena siguieron su curso. Los poderes ejecutivo y legislativo hablaron y negaron el reconocimiento de los derechos y la cultura de los pueblos indios. El poder judicial, representado por la Suprema Corte de Justicia de la Nación, tenía la palabra.

En el entretanto, los pueblos rebeldes continuaron organizando su autonomía, un proceso que iniciaron en diciembre de 1994 y que, a más de ocho años de distancia, continuaba, y continúa, siendo un reto.

Como parte de este proceso, y por poner un ejemplo de la difícil tarea de construir su autonomía sin dejar de resistir, las bases de apoyo zapatistas pertenecientes al Municipio Autónomo Olga Isabel, rechazaron la construcción de un camino que sólo serviría para el paso del ejército federal y para el saqueo clandestino de maderas. En julio organizaron un bloqueo en el acceso a la comunidad de Nichteel. En el lugar, próximo al pueblo de Bachajón (municipio oficial de Chilón), unos 200 hombres, mujeres y niños zapatistas anunciaron que el bloqueo duraría hasta que fuera retirada la maquinaria.

Las violaciones a los derechos humanos continuaron en Chiapas, por lo que representantes de Amnistía Internacional (AI) realizaron una gira por la entidad con el fin de recoger testimonios de activistas promotores de derechos humanos, víctimas de diversas agresiones por parte de autoridades federales y estatales o de paramilitares.

Entretanto, el relator de la Organización de Naciones Unidas para los Derechos Humanos de los Pueblos Indígenas, Rodolfo Stavenhagen, declaró que en México los derechos de los campesinos estaban maltrechos por violaciones, abusos, violencia selectiva y fallas en la administración de justicia, pero, sobre todo, por el viejo problema de la tenencia de la tierra. Stavenhagen señaló lo evidente: "será muy difícil lograr la paz en Chiapas porque los indígenas creen que este gobierno, igual que el anterior, no les está cumpliendo".

En el mes de julio, en la ciudad de Monterrey, estado de Nuevo León, el arquitecto y luchador social Fernando Yáñez Muñoz inauguró la Casa Museo del Doctor Margil, lugar que alberga la historia de la organización que hace más de 30 años vislumbró la creación del Ejército Zapatista de Liberación Nacional.

Al acto de apertura de tan emblemático espacio, el subcomandante Marcos envió una misiva: "Como sabemos, usted trabaja, junto con otros hombres y mujeres honestos, en el cuidado de la memoria de lucha de nuestro pueblo. Parte importante de esta memoria está guardada en la

Casa Museo del Doctor Margil, en la Ciudad de Monterrey, Nuevo León, México. En esta casa museo, se encuentran testimonios de una parte fundamental de nuestra historia como zapatistas, historia de la que estamos orgullosos y, en la medida de nuestras posibilidades, tratamos de honrar". (Carta del EZLN. Julio de 2002).

Mientras la Suprema Corte de Justicia retardaba cada vez más el fallo sobre las controversias presentadas contra la reforma en materia indígena, la violencia en Chiapas nuevamente se incrementaba. El 7 de agosto, José López Santiz, campesino tzeltal base de apoyo zapatista, fue ejecutado en las inmediaciones de la comunidad 6 de Agosto, del Municipio Autónomo 17 de noviembre. Su hijo, un niño de unos 12 años, testigo presencial del crimen, aseguró que el asesino fue Baltazar Alfonso, empresario transportista de Altamirano, con una escopeta.

Las agresiones paramilitares y los hostigamientos militares y policiacos no impidieron que la organización autónoma continuara. Todo lo contrario. Cientos de miles de bases de apoyo zapatistas siguieron construyendo un proceso reivindicativo de sus formas de gobierno. Los proyectos autónomos de salud, educación y comercialización, entre otros, continuaron trabajando; mientras que cada vez más municipios autónomos se hermanaban con localidades, alcaldías o gobiernos de otros países, principalmente europeos.

En este contexto, las autoridades del Municipio Autónomo Tierra y Libertad, decidieron recuperar "totalmente" el predio La Paz (municipio oficial de Motozintla, cerca de la frontera con Guatemala). Las tierras, señalaron, eran "propiedad de nuestro compañero Guillermo Pompilio Gálvez Pinto, del ejido Belisario Domínguez, quien las puso a disposición de los pobladores autónomos del ejido".

217

Desde mediados de agosto, la amenaza volvió a cernirse en el estado de Chiapas. Las comunidades indígenas zapatistas y de otras organizaciones, fueron advertidas de que serían desalojadas de la reserva de la biosfera de Montes Azules. La respuesta rebelde a esta amenaza vendría más tarde.

La escalada de violencia no paraba y el gobierno "del cambio" era cómplice de la impunidad con la que actuaban las bandas paramilitares. El 18 de agosto se produjo en el Municipio Autónomo San Manuel quizás el ataque paramilitar más grave después de la matanza de Acteal. Un detenido y torturado, cuatro heridos de bala y varios heridos de golpes fue el saldo del ataque perpetrado por la organización paramilitar OPDIC, en el crucero Quexil. Pese a la agresión, las bases de apoyo zapatistas dejaron claro que seguiría funcionando el retén que tenían instalado en ese crucero para impedir el tráfico de madera, autos robados y alcohol. Y lo cumplieron.

Los grupos paramilitares, inicialmente desconcertados por las derrotas electorales del PRI en la entidad y en el país, se reagruparon y retomaron las acciones ofensivas contra los municipios autónomos.

El 25 de agosto dos campesinos, bases de apoyo del EZLN, fueron asesinados a balazos en la ranchería Amaytik, por paramilitares priístas de esa comunidad y de la vecina Peña Limonar, a escasos kilómetros de Cintalapa, lugar de operaciones del Ejército. En la acción, que el Consejo Autónomo calificó de emboscada, resultaron heridos otros siete indígenas zapatistas, uno de ellos de gravedad.

Ante esta situación, la solidaridad y apoyo nacional e internacional nuevamente comenzó a manifestarse. A raíz de los ataques contra los municipios autónomos (con saldo de cuatro muertos, más de 20 heridos, familias desplazadas y fuerte tensión en las comunidades indígenas), grupos civiles, tanto de derechos humanos como ecologistas o comités de solidaridad, personajes de la cultura y académicos especializados, se manifestaron de distintas maneras contra el gobierno del "cambio" encabezado por

Vicente Fox, e iniciaron una serie de protestas frente a las embajadas de México en el extranjero.

En este contexto, el 6 de septiembre la Suprema Corte de Justicia de la Nación (SCJN) declaró improcedentes 322 de las 330 controversias constitucionales presentadas por igual número de municipios de Chiapas, Guerrero, Hidalgo, Jalisco, Michoacán, Morelos, Oaxaca, Puebla, Tabasco y Veracruz, en contra del procedimiento que se utilizó para aprobar las reformas constitucionales en materia de derechos y cultura indígenas.

El máximo tribunal de la nación determinó por mayoría de ocho votos contra tres, declararse incompetente para atender las legítimas demandas de los pueblos originarios de México. De esta manera, el poder judicial, última esperanza legal de los indígenas para el reconocimiento de sus derechos, cerró el círculo de la traición. Los tres poderes del país, el Ejecutivo, el Legislativo y el Judicial, no respondieron ni estuvieron a la altura no sólo de los justos reclamos de los indígenas, sino de la sociedad en su conjunto.

La SCJN argumentó que no tiene facultades para revisar reformas y adiciones a la Carta Magna ni al procedimiento que les da origen. De esta manera, ocho ministros ni siquiera consideraron los argumentos y los contenidos de las 330 controversias interpuestas, mientras que los otros tres indicaron que sí se debieron analizar las razones de las mismas.

El proceso al que se enfrentó la Suprema Corte no tenía precedente, y se presentaba como una oportunidad para darle paso a una real separación de poderes. Sin embargo, la mayor parte de los ministros prefirieron continuar subordinados al poder ejecutivo. El mensaje que recibieron los indígenas fue claro: los caminos legales para hacer valer sus derechos estaban cerrados.

Nuevamente Chiapas estuvo en el centro del debate nacional. Las consecuencias del fallo de la Corte eran impredecibles y el futuro no se presentaba necesariamente optimista. La Comandancia General del EZLN se mantuvo en un anticlimático silencio, mientras que diversos sectores de la sociedad nacional e internacional manifestaron su rechazo.

"El camino de la legalidad está agotado y la paz se aleja una vez que se ha cerrado a los pueblos indígenas la última puerta del Estado", advirtieron en un pronunciamiento conjunto más de 100 organizaciones indígenas y de derechos humanos, intelectuales y académicos.

"¡Que Dios nos ayude! Nos dieron el tiro de gracia", exclamó el obispo emérito de Tehuantepec, Arturo Lona, mientras que el cantante Manu Chao publicó el siguiente texto: "¿Y ahora? ¿Qué salida? ¿Qué soluciones? ¡La Corte Suprema parece haber decidido que ninguna! ...Sigue la vergüenza dictando sus leyes. Y, desde Barcelona, lo deploro con toda mi alma..."

Por su parte, fieles hasta el final a su estrategia política, los legisladores panistas y priístas aplaudieron el fallo de la Corte, mientras que los escritores José Saramago y Ernesto Sábato expresaron su desazón y desacuerdo ante la resolución y reprocharon al Estado mexicano y al presidente Vicente Fox su ominosa postura contra los pueblos originarios de la nación.

El intelectual mexicano Pablo González Casanova, por su parte, advirtió que la decisión de la Suprema Corte tendría consecuencias predecibles: "una redistribución del territorio nacional que busca el Plan Puebla-Panamá (PPP) y el Área de Libre Comercio de las Américas (ALCA)". El filósofo Adolfo Sánchez Vázquez, comentó por su lado que con esta resolución "se deja abierto el camino de la violencia al cerrar la vía legal". El rechazo de la Corte "refleja el menosprecio y racismo que desde el Estado mexicano se promueve hacia los indios", declaró Ricardo Robles, sacerdote jesuita comprometido con las causas indígenas desde hace 39 años.

Vestidos de luto, integrantes del Congreso Nacional Indígena, de la Asociación Nacional de Abogados Democráticos, la Unión de Juristas de México, Alianza Cívica y pueblos de Morelos que interpusieron controversias constitucionales, se pronunciaron frente a la Suprema Corte; mientras que grupos solidarios de varias ciudades europeas condenaron la decisión: En Madrid, España, la Plataforma de Solidaridad con Chiapas convocó a una protesta de 24 horas frente al Ministerio de Asuntos Exteriores, en tanto que diversas agrupaciones de Alemania enviaron mensajes protestando por la violencia en Chiapas y por el fallo judicial del máximo tribunal de México.

Representantes eclesiásticos de Veracruz y Michoacán también manifestaron su rechazo y, paralelamente, integrantes de organizaciones indígenas y civiles de Chiapas marcharon por las calles de San Cristóbal de las Casas en demanda de una solución para el conflicto.

Mientras esto y más sucedía, el consejero jurídico de la Presidencia de la República, Juan de Dios Castro Lozano, afirmó: "el país debe estar contento de que ahora sí funcionen las instituciones"; y, por su parte, Martha Sahagún de Fox, esposa del presidente, declaró que en el gobierno federal "le apostamos a la paz y el desarrollo, jamás a la división y al egoísmo porque de los pueblos indígenas debemos rescatar sus valores y tradiciones".

Las protestas no cesaban. Presidentes municipales indígenas de Oaxaca, Veracruz y Chiapas, y representantes sociales y de bienes comunales manifestaron que se sentían lastimados, indignados y ofendidos por la resolución de la Suprema Corte. "Lo que nos hicieron es una burla. A nuestra esperanza de justicia se respondió con cerrazón y autoritarismo", aseguraron.

Por otra parte, el Encuentro Nacional de Pueblos Indios, que reunió a unos 200 delegados de organizaciones de 13 estados del país en Chilpancingo, Guerrero, anunció una jornada de movilizaciones el 12 de octubre, con marchas en el Distrito Federal, Guerrero, Oaxaca, Morelos y Michoacán, y bloqueos de carreteras en Veracruz, Yucatán y Campeche, con el fin de continuar la lucha por el reconocimiento constitucional de los Acuerdos de San Andrés.

Más adelante, al inaugurarse el tercer Foro Nacional en Defensa de la Medicina Tradicional, unos 500 participantes de 29 pueblos indios de 20 entidades del país, desconocieron la reforma constitucional "indigenista" del 28 de abril de 2001, y declararon que ante la quiebra del Estado de de-

222

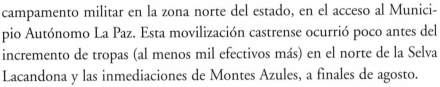

recho reconocían como "única Constitución en materia indígena la que contiene los acuerdos de San Andrés".

En el marco de las protestas, la madrugada del 16 de septiembre las principales estatuas de los héroes de la Independencia ubicadas en la ciudad de México, amanecieron con pasamontañas negros, paliacates rojos y banderas del Ejército Zapatista de Liberación Nacional (EZLN).

El discurso dialoguista del gobierno de Vicente Fox continuó y, en los hechos, se instaló un nuevo campamento militar en la zona norte del estado, en el acceso al Municipio Autónomo La Paz. Esta movilización castrense ocurrió poco antes del incremento de tropas (al menos mil efectivos más) en el norte de la Selva Lacandona y las inmediaciones de Montes Azules, a finales de agosto.

Frente a los reclamos de representantes de la comunidad triqui, en Oaxaca, por la ratificación de una ley indígena que no representaba sus intereses, y ante la advertencia de que la "violencia no sólo se da por medio de las balas, sino también cuando no hay agua ni educación", Vicente Fox llamó a los pueblos indios del país a evitar "la violencia y la intransigencia".

Paralelamente, en un acto inusitado en Roma, Italia, 275 parlamentarios italianos de todas las fuerzas políticas, desde el gobierno y hasta la oposición, incluido el partido del primer ministro, Silvio Berlusconi, hicieron pública una carta dirigida a los legisladores mexicanos en la que demandaron, "respetuosos de la autonomía y de la soberanía" del Congreso de la Unión, la aprobación de la ley indígena propuesta por la Comisión de Concordia y Pacificación (Cocopa) "que traduce los acuerdos de San Andrés".

El 17 de noviembre, en ocasión del 19 aniversario del nacimiento del EZLN, salió a la luz una nueva publicación de izquierda: la revista *Rebeldía*, esfuerzo editorial que fue saludado por los indígenas rebeldes a través de su vocero, el subcomandante Marcos.

La revista no ocultó su posición: "Somos zapatistas. No aparentamos una falsa neutralidad llena de hipocresías. Estamos comprometidos hasta el fondo. Queremos ayudar a construir una herramienta para todos aquellos que no luchamos por el poder y que nos declaramos prestos, en la sinrazón, a desafiar la Ley de la Gravedad".

El subcomandante Marcos envió a los primeros siete números de la nueva publicación, siete cuentos de Durito, en los que se refirió al zapatismo y a su relación con el Poder, entre otras temas. Algunos fragmentos de estos textos son los siguientes:

"Dice Durito que el zapatista sembró el manzano para que un día, cuando él no esté, alguien cualquiera pueda cortar una manzana madura y ser libre para decidir si se la come en un arreglo frutal, en puré, en jugo, en un pastel o en uno de esos odiosos (para Durito) refrescos de manzana". (*Rebeldía*. No. 1. Noviembre de 2002).

"...cuando el rebelde topa con la Silla del Poder (así, con mayúsculas), la mira detenidamente, la analiza, pero en lugar de sentarse va por una lima de ésas para las uñas y, con paciencia, le va limando las patas hasta que, a su entender, quedan tan frágiles que se rompan cuando alguien se siente, cosa que ocurre casi inmediatamente. Tan tan". (*Rebeldía*. No. 2. Diciembre de 2002).

"Dice Durito que los zapatistas somos unos peatones muy otros. Porque, en lugar de ver con indiferencia el paso soberbio del tren, un zapatista ya se acerca sonriendo a la vía y pone un pie. Seguramente piensa, ingenuo, que así hará tropezar a la poderosa máquina y se descarrilará sin remedio". (*Rebeldía*. No. 3. Enero de 2003).

"Dice Durito que, mientras los políticos se aglomeran y pelean por la llave frente a la puerta del poder, los zapatistas pasan de largo, se paran frente a una de las paredes del laberinto que, además, no tiene nada que ver con la habitación del poder y, con un plumón negro, marcan una 'X'...(Rebeldía No. 4. Febrero de 2003).

"Dice Durito que todas las opciones múltiples que el Poder ofrece, es-

conden una trampa: 'Donde hay muchos caminos y se nos presenta la posibilidad de elegir se olvida algo fundamental: todos esos caminos llevan a lo mismo. Así, la libertad no consiste en elegir el destino, el paso, el ritmo, la velocidad y la compañía, sino en sólo elegir el camino. Y más aún, la libertad que ofrece el Poderoso es sólo la libertad para elegir quien caminará en nuestra representación', dice Durito". (*Rebeldía*. No. 5. Marzo de 2003).

"Dice Durito que la rebeldía en el mundo es como una grieta en un muro: su primer sentido es asomarse al otro lado. Pero después, esa mirada debilita el muro y termina por resquebrajarlo por completo". (*Rebeldía*. No, 6. Abril de 2003).

"Como cualquier ave, el zapatismo nace, crece, se reproduce con otro y en otro, muere y, como es ley que hagan los pájaros, se caga en las estatuas". (*Rebeldía* No. 7. Mayo de 2003).

Más adelante, a fines de noviembre, en el marco de la inauguración de un "Aguascalientes" en Madrid, España, el EZLN volvió a romper el silencio con el envío de una carta saludando el nuevo espacio de rebeldía que, como los cinco Aguascalientes instalados en Chiapas, sería lugar de encuentro político y cultural del Estado Español.

Con la lectura de la misiva enviada a los organizadores y participan-

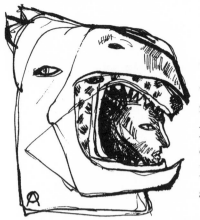

tes del evento, se inició un episodio más de esta década de lucha y rebeldía. Los zapatistas criticaron a la realeza española, al presidente José Aznar, a Felipe González y al juez Fernando Baltasar Garzón, a quien acusaron de estar "llevando adelante un verdadero terrorismo de Estado que ningún hombre y mujer honestos puede ver sin indignarse".

El "*clown* Garzón", señaló el subcomandante Marcos, "ha declarado ilegal la lucha política del País Vasco... y demuestra su verdadera vocación fascista al negarle al pueblo vasco el derecho de luchar políticamente por una causa que es legítima..."

La respuesta del juez Garzón no se hizo esperar. En el periódico mexicano *El Universal* respondió: "... le reto cuando usted quiera y donde usted quiera, a que sin máscaras ni disfraces, cara a cara, podamos hablar del terrorismo, de rebeldía, de dignidad, de lucha, de insurgencia, de política, de justicia, de todos aquellos valores que sirven para construir un país y una democracia y defender los derechos de los que menos tienen".

El 7 de diciembre correspondió el turno al EZLN. El subcomandante Marcos aceptó el reto y fijó las condiciones del encuentro: El debate se realizaría en la isla de Lanzarote, y en ese mismo lugar, en forma paralela pero no simultánea, se realizaría un encuentro entre todos los actores políticos, sociales y culturales de la problemática vasca que así lo desearan.

Si el subcomandante Marcos perdía el debate, especificó el mismo jefe militar y vocero zapatista, Garzón podría desencapucharlo, pero si perdía el juez español se tendría que comprometer a asesorar jurídicamente al EZLN en las demandas que se presentarían ante las instancias jurídicas internacionales, para exigir el reconocimiento de los derechos y la cultura indígena.

"Una oportunidad a la palabra" para hablar sobre la compleja situación del País Vasco, fue lo que pidió el subcomandante Marcos al gobierno español, al grupo ETA, a las sociedades española y vasca, y muy especialmente a la izquierda (abertzale).

Ante la organización político-militar vasca Euskadi Ta Askatasuna (ETA), el vocero zapatista dejó clara su postura respecto a las prácticas terroristas: "Consideramos justa y legítima la lucha del pueblo vasco por su soberanía, pero esa noble causa, ni ninguna, justifica que se sacrifique la vida de civiles. No sólo no produce ganancia política alguna, y aunque la produjera, el costo humano es impagable. Condenamos las acciones militares que dañan a civiles. Y las condenamos por igual, provengan de ETA o del Estado Español, de Al Qaeda o de George W. Bush, de israelíes o palestinos, o de cualquiera que, bajo nombres o siglas diferentes, aduciendo o no razones de Estado, ideológicas o religiosas, cobre sus víctimas entre niños, mujeres, ancianos y hombres que nada tienen que ver en el asunto".

A la organización ETA se le pidió entonces que decretara una tregua unilateral para que se pudiera llevar a cabo el encuentro de las fuerzas políticas vascas, ella incluida.

El 15 de diciembre, el partido político independentista vasco Batasuna agradeció al Ejército Zapatista de Liberación Nacional (EZLN) "su interés, solidaridad y apoyo a la causa vasca" y comunicó su disposición "a participar en cualquier iniciativa que con seriedad y base democrática tenga por objeto crear las condiciones políticas necesarias" que garanticen el derecho a decidir libre y democráticamente el futuro del País Vasco.

Se produjo entonces una de las polémicas más difundidas y menos comprendidas del conflicto. La mayor parte de los medios de comunicación aprovechó la confusión y difundió que el EZLN apoyaba al grupo terrorista ETA, versión que algunos intelectuales y académicos aprovecharon para deslindarse del movimiento zapatista.

Mientras el debate ocupaba las primeras planas de los periódicos y diversos espacios en los medios electrónicos, la comunidad indígena Arroyo San Pablo, asentada en la región de los Montes Azules, fue desalojada por el gobierno federal. Esta comunidad no zapatista era una de las comunidades indígenas amenazadas de ser desalojadas de este territorio.

El gobierno federal de Vicente Fox cumplía así las amenazas vertidas desde agosto, en respaldo a un proyecto neoliberal que en la Selva Lacandona, específicamente en la región de Montes Azules, contemplaba, y contempla, el retiro de las comunidades indígenas asentadas en este lugar. El pretexto del desalojo es la preservación de esta reserva ecológica. Sin embargo, los verdaderos intereses que están detrás son absolutamente empresariales. El problema real en Montes Azules es que las comunidades indígenas asentadas en el lugar, le impiden al gobierno de Fox apoyar un desarrollo turístico en la zona, que incluye hoteles y balnearios, entre otros atractivos diseñados para el turismo extranjero.

El problema se presentó primero como de índole ecológico y, más adelante, se transformó en un problema jurídico agrario, pues la reserva de Montes Azules forma parte de las más de 600 mil hectáreas que, en la década de los setentas, fueron cedidas por decreto presidencial a unas cuantas familias de indígenas lacandones, quienes ahora reclaman su pertenencia. Cabe señalar que, de acuerdo a un estudio de la organización "Maderas del Pueblo", los lacandones recibieron las tierras de parte del entonces presidente, Luis Echeverría Álvarez, y durante décadas permitieron y propiciaron su explotación y el saqueo de maderas preciosas.

Las comunidades amenazadas de desalojo pertenecen a distintas organizaciones indígenas, unas son bases de apoyo zapatistas, otras trabajan con la Asociación Rural de Interés Colectivo (ARIC) independiente, y unas más se organizan con el Partido Revolucionario Institucional (PRI).

El 29 de diciembre, dos días antes de los festejos del noveno aniversario del alzamiento insurgente, el EZLN fijó su postura y, sin aclarar cuáles poblados amenazados pertenecen a sus bases de apoyo y cuáles no, con el fin de "no descobijar a los que no son zapatistas", advirtió: "Así que es bueno que lo sepan todos y con tiempo: en el caso de los pueblos zapatistas no habrá desalojo pacífico".

228

Además, los indígenas rebeldes explicaron que los zapatistas que se encuentran asentados en la región de Montes Azules, "están ahí no porque carezcan de tierra o tengan el morboso placer de destruir la selva, sino porque se han visto obligados a dejar todo para no engrosar el silencio con que el Poder y sus intelectuales sepultan la desgracia y la muerte de los indígenas mexicanos". (Carta del EZLN. 29 de diciembre de 2002).

"Hemos hablado —señalaron en la advertencia signada por el vocero y jefe militar del EZLN— con los representantes de esos poblados zapatistas y con las autoridades de los municipios autónomos que les corresponden. Ellos nos han comunicado su decisión de mantenerse ahí, aun a costa de su propia vida, mientras no se solucionen las demandas zapatistas. Nosotros les hemos respondido que los apoyamos totalmente".

Aunque la amenaza persiste, los desalojos, por lo pronto, se interrumpieron.

Durante los días siguientes, 30 y 31 de diciembre, decenas de miles de hombres y mujeres se desplazaron de la Selva, del Norte y de Los Altos de Chiapas. Su destino, como nueve años atrás, la ciudad de San Cristóbal de las Casas.

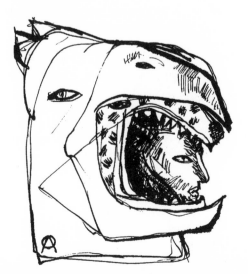

229

2003

Las definiciones del zapatismo con respecto a la clase política. Nacen los Caracoles y las Juntas de Buen Gobierno. EL EZLN consolida su autonomía y lanza iniciativas para construir y tejer redes de resistencia a nivel nacional e internacional

La madrugada del noveno año del alzamiento indígena cobijó la salida de decenas de miles de zapatistas tzotziles, tzeltales, tojolabales, choles, zoques y mames. San Cristóbal de las Casas, la ciudad colonial por cuyas calles los indígenas hasta hace poco tiempo no podían transitar por las banquetas, los recibía como nueve años atrás, nuevamente con el rostro cubierto, pero esta vez sin más armas que la palabra conquistada.

En una de las concentraciones más numerosas de estos nueve años, más de 20 mil indígenas bases de apoyo del Ejército Zapatista de Liberación Nacional tomaron la ciudad de San Cristóbal. Con machetes y antorchas en mano, organizados en columnas, los hombres, mujeres, niños y ancianos de los pueblos rebeldes, inundaron las calles en compañía de miles de personas de otras partes de México y del mundo.

La manifestación, muestra de fuerza y organización, concluyó con una concentración presidida por miembros de la Comandancia General del EZLN, quienes habían permanecido ocultos desde abril de 2001, cuando regresaron de la Marcha del Color de la Tierra. Las comandantas Esther y Fidelia y los comandantes David, Tacho, Omar, Míster y Brus Li, se dirigieron a la multitud con siete discursos en los que redefinieron su postura frente a la clase política mexicana y frente al gobierno de Vicente Fox. Hablaron también de la problemática indígena, de las mujeres, de las resistencias de otros pueblos del mundo, de los intelectuales y, por supuesto, de manera especial se refirieron a todos los que forman parte de las filas del Ejército Zapatista.

Los discursos zapatistas del noveno aniversario englobaron un proceso que inició años atrás, el 16 de febrero de 1996, cuando el EZLN y el gobierno federal firmaron los primeros acuerdos encaminados a la solución de la guerra en Chiapas. Después de un cúmulo de tensiones, los zapatistas lograron que la Comisión de Concordia y Pacificación (Cocopa) elaborara, en noviembre de ese mismo año, una iniciativa de ley que, aunque no recogió la totalidad de los acuerdos sobre Derechos y Cultura Indígenas, fue avalada por las dos partes. En enero de 1997 el poder ejecutivo se retractó y la iniciativa se congeló por más de cuatro años, tiempo que los rebeldes dedicaron a luchar para que se votara y entrara en vigor.

A lo largo de cuatro años se organizaron un sinfín de movilizaciones de apoyo a la iniciativa de ley; y se originó sobre la misma un debate sin precedentes en México y en muchas partes del mundo. Como parte de los esfuerzos para que se reconocieran los derechos de los pueblos indios, en 1997 mil 111 bases de apoyo rebeldes marcharon al Distrito Federal; en 1999 el EZLN convocó a una gran consulta nacional e internacional; y en 2001 la Comandancia General marchó a la Ciudad de México, en un recorrido en el que millones de mexicanos se unieron a su grito y exigencia.

En diciembre de 2000, sin ánimo de que se votara a favor, el poder ejecutivo envió la iniciativa de ley de la Cocopa al Congreso de la Unión. En abril de 2001, después de la Marcha del Color de la Tierra, los senadores de las tres principales fuerzas políticas del país (PAN, PRI y PRD), cambiaron la iniciativa y votaron por una ley que desconoció los Acuerdos de San Andrés. El pleno del Congreso ratificó la contrarreforma y el presidente Vicente Fox de inmediato saludó la traición. Meses después decretó su promulgación en el *Diario Oficial de la Federación*.

El siguiente paso lo dieron más de 300 municipios indígenas del país, quienes, indignados por una reforma legislativa ajena a los Acuerdos de San Andrés, promovieron controversias ante la Suprema Corte de Justicia de la Nación. En septiembre de 2002 el poder judicial desechó los recursos y así se cerró el círculo.

Sobre este proceso, el primero de enero de 2003 el EZLN definió su postura. El comandante Tacho dijo: "Los tres principales partidos políticos de México, que son el PAN, el PRI y el PRD, se burlaron de todos los pueblos indios de México, de todo el pueblo que apoyó el reconocimiento de nuestros derechos y de la gente de todo el mundo que también los apoyaba… Los tres poderes de la Unión: el Ejecutivo, el Legislativo y el Judicial, se negaron a la solución política y pacífica a las demandas de los pueblos indios de México".

"Toda esa historia de engaños y traiciones no termina con que nos han derrotado. Nosotros como zapatistas seguimos buscando caminos para que el pueblo sea soberano y para que se cumpla lo de mandar obedeciendo, así que seguirán sabiendo de nosotros y, sobre todo, seguirán sabiendo que los zapatistas no olvidamos, que no nos rendimos y que no nos vendemos…" (Discurso del comandante Tacho. EZLN. 1 de enero de 2003).

La fiesta del noveno aniversario del alzamiento fue larga, y en ella los comandantes indígenas zapatistas respaldaron el trabajo del Subcomandante Insurgente Marcos, jefe militar y vocero de la insurgencia. "Les decimos que cuando el subcomandante Marcos dice que apoya la lucha política de los pueblos, lo decimos todos los hombres, mujeres y niños zapatistas", aclaró el comandante Míster, en clara alusión al debate propiciado por la iniciativa zapatista "Una oportunidad a la palabra", que pretendía el diálogo y encuentro de las diferentes fuerzas políticas del País Vasco.

"Nosotros los indígenas sí pensamos en lo internacional y nosotros los indígenas sí tenemos el derecho a opinar y decidir lo que nosotros queramos hacer… Por eso les decimos a los poderosos del mundo que si ellos se unen para globalizar con la globalización de la muerte, entonces también nosotros vamos a globalizar la libertad". (Discurso del comandante Míster. EZLN. 1 de enero de 2001)

La definición de una postura frente "al señor Vicente Fox", le correspondió a la comandanta Esther, quien, envuelta en el mismo manto de origen tzeltal con el que habló ante el Congreso de la Unión, dijo: "Sólo te digo que el pueblo está desencantado de tus engaños que haces… Dijiste que ibas a resolver los problemas, principalmente de la lucha del EZLN. Que en 15 minutos cambias la situación de los pobres en México. Pero fue mentira. No te importan los que se esforzaron para que tú subas al poder. Lo que te interesa es quedar bien con los ricos, no con los pobres…" (Discurso de la comandanta Esther. EZLN. 1 de enero de 2003).

Para hablar del polémico y estruendoso silencio zapatista, el comandante David tomó la palabra: "Nuestro silencio lo han usado para decir que los zapatistas ya estamos acabados, que estamos divididos, que los dirigentes ya se rindieron o se vendieron, y que el mando ya se quedó solo, y que los pueblos zapatistas ya se fueron con el gobierno… Entonces, si es así ¿quiénes son los que estamos aquí presentes? ¿A poco no son los zapatistas los miles de hombres y mujeres, jóvenes, niños y ancianos que están aquí reclamando, y las decenas de miles que se quedaron en sus pueblos por no haber conseguido dinero ni transporte para llegar en esta manifestación?". (Discurso del comandante David. EZLN. 1 de enero de 2003).

Frente a la catedral de San Cristóbal, donde nueve años atrás se llevó a cabo el primer diálogo con el gobierno federal, la comandanta Fidelia se refirió a las mujeres: "Quiero invitar a las mujeres a que se organicen para que juntas nosotras podamos para defender nuestro derecho y también nosotras tengamos igualdad. Hermanas, ya no permitamos que nos sigan engañando el gobierno y el presidente de la República porque hay

muchas cosas que están viniendo sobre nosotras como mujeres que somos". (Discurso de la comandanta Fidelia. EZLN. 1 de enero de 2003).

Por su parte, el comandante Omar les habló a los millones de jóvenes que en México y en el mundo han hecho suya la rebeldía zapatista: "Por eso jóvenes de estas tierras mexicanas y del mundo, no dejemos de luchar para desafiar a los gobiernos del mundo porque esa es nuestra esperanza, que todos juntos cambiemos esos gobiernos neoliberales". (Discurso del Comandante Omar. EZLN. 1 de enero de 2003).

A los pueblos indígenas del país les habló el comandante Brus Li: "Ya es tiempo que todos nos organicemos y que formemos nuestros municipios autónomos. No hay que esperar hasta cuando el mal gobierno dé permiso. Debemos organizarnos como verdaderamente rebeldes y no esperar que alguien nos dé permiso para ser autónomos, sin ley o con ley". (Discurso del comandante Brus Li. EZLN. 1 de enero de 2003).

La manifestación, aguerrida como pocas, concluyó cerca de la medianoche con miles de ocotes encendidos y el ruido estremecedor del choque de miles de machetes, hachas de leñador, coas y otros instrumentos de labranza. "Hagamos grande la luz para que los pueblos vean que mantenemos la rebeldía", dijo el comandante David al final del multitudinario acto.

Después de esta significativa concentración indígena, los primeros días de enero continuó el debate sobre la iniciativa "Una oportunidad a la palabra", sobre la problemática del País Vasco y sobre la supuesta (y armada por los medios de comunicación y algunos intelectuales) simpatía zapatista por la organización político-militar ETA.

En una segunda carta dirigida a ETA, en respuesta a una misiva enviada por esta organización, el subcomandante Marcos fue tajante: "Nuestras armas no son para imponer ideas o formas de vida, sino para defender un pensamiento y un modo de ver el mundo y relacionarse con él que, sí, puede aprender mucho de otros pensamientos y vidas, pero también tiene mucho que enseñar. No es a nosotros a quienes tienen que exigir respeto. Con quien tienen que ganarse el respeto es con su pueblo. Y una cosa es 'respeto', y otra muy distinta es 'miedo'… No vemos por qué pudiéramos preguntarles qué hacer o cómo hacerlo. ¿Qué nos van a enseñar? ¿A matar periodistas porque hablan mal de la lucha? ¿A justificar la muerte de niños por razones de la 'causa'? Ni necesitamos ni queremos su apoyo o solidaridad. Tenemos ya la solidaridad y el apoyo de mucha gente en México y en el mundo".

El vocero rebelde dejó claras las enormes diferencias que separan los métodos de la lucha zapatista de los utilizados por ETA: "Nuestra lucha tiene un código de honor, heredado de nuestros antepasados guerreros, y contiene, entre otras cosas: el respetar la vida de los civiles (aunque ocupen cargos en los gobiernos que nos oprimen); el no recurrir al crimen para allegarnos de recursos (no robamos ni en la tienda de abarrotes); y el no responder con fuego a las palabras (por mucho que nos hieran o nos mientan). Pudiera pensarse que al renunciar a esos métodos tradicionalmente 'revolucionarios', renunciamos a avanzar en nuestra lucha. Pero, a la tenue luz de nuestra historia, parece que hemos avanzado más que quienes recurren a tales argumentos…" (Carta del EZLN. 7 de enero de 2003).

El debate continuó y, en el entretanto, la Comandancia del EZLN dio a conocer un "Calendario de la Resistencia". Fueron doce documentos, uno por cada mes del año, en los que el jefe militar y vocero insurgente detalló una radiografía de las luchas y resistencias que se dan en igual número de estados de la República.

El entrelazado de las luchas que cientos de organizaciones llevan a cabo en diferentes lugares del país, inició en Oaxaca y continuó por los estados de Puebla, Veracruz, Tlaxcala, Hidalgo, Querétaro, Guanajuato, Región Norte Pacífico, Estado de México, Guerrero, Morelos y Distrito Federal, es decir, la misma ruta que siguió la Marcha del Color de la Tierra (un caracol).

En cada uno de los documentos, llamados "estelas" (piedras grabadas, trabajadas con la técnica de bajorrelieve, que contienen representaciones de personajes, fechas, nombres, hechos… y profecías), la comandancia del EZLN reunió las resistencias que diferentes pueblos libran contra la privatización de los monumentos históricos, por la defensa de la tierra, por el respeto a los derechos humanos, en demanda de justicia para los trabajadores indocumentados (braceros), y un largo etcétera. Fue la radiografía de un sinfín de luchas que se sintetizan en el rechazo a las políticas neoliberales encabezadas por un gobierno que ignora y olvida a las clases desposeídas, a los que menos tienen, es decir, a la mayoría.

En el Calendario de la Resistencia, el EZLN explicó que "quien viene de abajo y de tan lejos en el tiempo, tiene, es cierto, lastres y dolores. Pero éstos le fueron impuestos por quienes hicieron de la riqueza su dios y su coartada. Y también, quien viene con paso tan dilatado, muy lejos puede ver y en ese lejano punto que su corazón adivina hay otro mundo, uno nuevo, uno mejor, uno necesario, uno donde caben todos los mundos... " (Calendario de la Resistencia. EZLN. Febrero de 2003).

En el documento número doce del Calendario de la Resistencia: "La duodécima estela", el EZLN desistió de su iniciativa "Una oportunidad a la palabra", en la que proponían que las fuerzas sociales y políticas vascas reflexionaran sobre la problemática de ese país y, además, consideraban la salida de una delegación zapatista a Europa, con el fin de, además de hacer acto de presencia en ese encuentro y debatir con el juez Baltasar Garzón, apelar ante los organismos internacionales para tratar de conseguir el reconocimiento a los derechos y la cultura indígenas, que las instancias nacionales negaron a los pueblos originales.

"El EZLN nunca se propuso mediar en el conflicto vasco, ni mucho menos decirle a los vascuences lo que deberían de hacer o dejar de hacer. Sólo pedimos una oportunidad para la palabra. Nuestra propuesta pudo haber sido torpe o ingenua o ambas cosas, pero nunca fue deshonesta, ni quiso ser irrespetuosa. No es nuestro modo... Si debemos abstenernos de participar en el encuentro "Una oportunidad a la palabra", no es porque nos desvelen las críticas, reproches o acusaciones mezquinas. Se debe a que no podemos, en términos de nuestra ética, participar en un encuentro que no contará con el aval de todas las fuerzas nacionalistas del País Vasco...", explicó el subcomandante Marcos, quien también dio por concluido el debate con el juez Baltasar Garzón: "El juez Garzón, a pesar de ser el retador, prefirió guardar silencio. Así demostró que es bueno para interrogar a prisioneros torturados, para fotografiarse con familiares de víctimas del terrorismo y hacer campaña de autopromoción para el premio Nobel de la Paz, pero que no se atreve a debatir con alguien medianamente inteligente".

Las definiciones zapatistas con respecto a la clase política en su conjunto, y en particular los cuestionamientos hechos al Partido de la

Revolución Democrática (PRD), partido supuestamente de "izquierda", motivaron una nueva polémica nacional que incluyó, entre otros, a Cuauhtémoc Cárdenas Solórzano, líder político perredista.

Mientras el debate continuaba, bases de apoyo zapatistas de la comunidad Flor de Café, perteneciente al Municipio Autónomo La Paz, en la región chol de Tumbalá (zona norte de Chiapas), denunciaron amenazas de expulsión y violencia por parte de miembros de la organización Kichañ Kichañob, ligada al Partido de la Revolución Democrática (PRD) y al gobierno estatal.

En el terreno internacional, el gobierno de Estados Unidos encabezado por George W. Bush, inició una guerra devastadora contra el pueblo de Irak. Vinieron entonces las protestas de millones de personas en todo el mundo y México no fue la excepción.

En Italia, país que concentró en Roma a más de un millón de personas que se manifestaron en contra de la barbarie, los zapatistas hicieron oír su voz y su protesta: "Esta es la guerra del miedo. Su objetivo no es derrocar a Hussein en Irak. Su meta no es acabar con Al Qaeda. Tampoco busca liberar al pueblo iraquí. No son ni la justicia ni la democracia ni la libertad las que animan este terror. Es el miedo. El miedo a que la humanidad entera se niegue a aceptar un policía que le diga qué debe hacer, cómo debe hacerlo y cuándo debe hacerlo". (Mensaje del EZLN. 7 de febrero de 2003).

Más adelante, en abril, la voz de los rebeldes zapatistas en contra de la guerra se volvió a escuchar. Esta vez a través de un casete enviado a la marcha que con tal motivo se celebró en la ciudad de México: "Es una guerra contra la rebeldía, es decir, contra la humanidad. Es una guerra mundial en sus efectos y, sobre todo, en el NO que provoca… Irak está en Europa, en la Unión Americana, en Oceanía, en América Latina, en las montañas del sureste mexicano y en ese NO mundial y rebelde que pinta un nuevo mapa donde la dignidad y la vergüenza son casa y bandera". (Mensaje del EZLN. Abril de 2003).

Las rebeldías en el mundo tienen muchas manifestaciones. Una de ellas, en el ámbito cultural, se encontró el 10 de abril con otra rebeldía. La compañía de teatro, Tamèrantong! (Tumadrenchanclas) integrada por 24 niños actores del barrio parisino Belleville, visitó a los niños indígenas rebeldes en el Aguascalientes de Oventik. En medio de la guerra en Chiapas, y de la desatada por Estados Unidos contra Irak, un grupo de niños marginados y rebeldes de Francia, se encontró con miles de niños y niñas zapatistas.

En el mismo mes de abril, nuevamente en el ámbito de la guerra contra Irak, el EZLN apoyó la campaña contra la guerra "Trabajamos por la Paz y la Justicia", e hizo un llamado a la sociedad civil de México y del mundo a movilizarse y a no parar la protesta. La firma de un manifiesto, entre otras cosas, serviría para hacerse oir.

Las amenazas de desalojo en la región de Montes Azules continuaron, pero el 7 de mayo el gobierno estatal y dirigentes lacandones pactaron una tregua para no realizar más desalojos de comunidades en la reserva de la biosfera. "No creemos la tregua que dicen el gobierno y los lacandones", declararon por su parte los representantes de las comunidades Nuevo

San Isidro y Nuevo San Rafael, quienes negaron tener contacto con autoridades del gobierno. "No queremos diálogo con el gobierno hasta que no cumpla con la ley de derechos indígenas", dijeron.

Así, en un terreno minado por las políticas contrainsurgentes que pretenden "contener" y debilitar las demandas de los indígenas rebeldes, los proyectos turísticos conservacionistas de carácter privado insistieron, e insisten, en abrirse paso, sobre todo en el sur y el oriente de Montes Azules.

La organización civil Maderas del Pueblo del Sureste, realizó un informe en el que señaló que "obedeciendo a intereses de corporaciones multinacionales que quieren obtener agua o petróleo, y desarrollar la biotecnología y el ecoturismo en la selva Lacandona, el gobierno esgrime el discurso 'ambientalista' y amenaza con el desalojo violento de los poblados asentados en Montes Azules, 'en bien de la humanidad'".

En el estudio aludido se explica que "la llamada Comunidad Lacandona se constituyó en marzo de 1972 por resolución presidencial de Luis Echeverría Álvarez, con base en un enorme fraude agrario, mediante el cual se crea dolosamente un latifundio comunal para favorecer a tres poblados (dos de los cuales ni siquiera estaban allí) y únicamente a 66 familias de mayas caribes (falsamente llamados 'lacandones'), violando el derecho agrario previo de 47 poblados indígenas y 4 mil familias tzeltales, choles, tzotziles y tojolabales, tan mayas como los caribes, asentadas en ese territorio desde los años 50 y 60, de las cuales 17 ya contaban con resolución presidencial".

Dichos pueblos, advierte Maderas del Pueblo del Sureste, han sido periódicamente amenazados de desalojo, acusados primero de "invasores del territorio lacandón", y luego de "depredadores" de un área natural protegida.

El 6 de julio se realizaron elecciones de diputados en todo México. En Chiapas, los municipios autónomos zapatistas no permitieron la instalación de casillas electorales en sus comunidades y, en algunos casos, incendiaron el material electoral.

Sin emitir ninguna declaración formal, autoridades y voceros de varios municipios rebeldes en los Altos y la Selva Lacandona coincidieron en que, como en ocasiones anteriores, el 6 de julio las bases de apoyo del Ejército Zapatista de Liberación Nacional (EZLN) se opondrían a la realización de un proceso electoral protagonizado por una clase política que traicionó a los pueblos indios.

En Chiapas hay calma, afirmó el presidente Fox en diferentes foros. Sin embargo, días antes y después de las elecciones federales continuaron operando los nuevos puestos de revisión en carreteras y caminos de la región. Algunos a cargo de la Agencia Federal de Investigación (AFI), con personal militar y de las policías Federal Preventiva y Sectorial. Mientras, en el estado "en calma" se instalaron dos nuevos puestos de control en las comunidades San Antonio el Brillante y Tacitas, en los municipios autónomos San Juan de la Libertad (El Bosque) y San Manuel (Ocosingo), respectivamente.

En las cañadas de Ocosingo y la zona norte se intensificaron los movimientos del Ejército y las policías estatales (en particular en Chenalhó, el norte de la selva, la región fronteriza y los alrededores de la zona Norte). Fuentes periodísticas constataron hasta 40 nuevos retenes en todo el estado, puestos de revisión que, por supuesto, oficialmente no existían.

Pasado el proceso electoral en el que el abstencionismo fue el gran triunfador, el EZLN dio a conocer una serie de importantes y definitorios comunicados en los que ratificó, en el plano internacional, su postura ante la guerra en Irak; mientras que en el terreno nacional reiteró su posición ante el gobierno de Vicente Fox, los tres principales partidos políticos, y los tres poderes de la Unión: el ejecutivo, el legislativo y el judicial, al tiempo que explicó las nuevas iniciativas zapatistas y su reorganización interna.

El 19 de julio, el subcomandante Marcos señaló que "en nuestro país, la clase política mexicana (donde se incluyen todos los partidos políticos con registro y los tres poderes de la unión) traicionó la esperanza de

millones de mexicanos, y de miles de personas de otros países, de ver reconocidos constitucionalmente los derechos y la cultura de los pueblos indios de México… frente a todo esto, el EZLN decidió suspender totalmente cualquier contacto con el gobierno federal mexicano y los partidos políticos; y los pueblos zapatistas ratificaron hacer de la resistencia su principal forma de lucha". (Comunicado del EZLN. 19 de julio de 2003)

Durante estos meses, explicaron, los pueblos indígenas zapatistas prepararon una serie de cambios, que se refieren a su funcionamiento interno y a su relación con la sociedad civil nacional e internacional. Para explicar esos cambios, dijeron, 30 municipios autónomos zapatistas solicitaron que el subcomandante Marcos asumiera las funciones de portavoz de los municipios autónomos, aunque sólo temporalmente.

Ante el incremento de las acciones paramilitares en la zona de Los Altos de Chiapas, particularmente en los municipios de Chenalhó, Pantelhó y Cancuc, la Comandancia General del EZLN advirtió a los mandos de estas organizaciones que sus crímenes "esta vez no quedarán impunes". Los zapatistas enviaron el siguiente mensaje a las bandas paramilitares: "Según la ley del Talión es ojo por ojo y diente por diente, pero nosotros estamos en oferta y ofrecemos dos ojos por cada diente y toda la dentadura por cada diente, así que ustedes dicen si se animan". En el mismo comunicado advirtieron que el Plan Puebla-Panamá no se permitirá en tierras rebeldes.

En su calidad de vocero del EZLN y de los municipios autónomos, el subcomandante Marcos dio a conocer durante toda una semana siete definitorios documentos que conformaron la "Treceava Estela" (la continuación del Calendario de la Resistencia). En el primero de ellos explicó la esencia del ser zapatista. Estos indígenas, dijo, "enojan hasta a quienes simpatizan con su causa. Y es que no obedecen. Cuando se espera que hablen, callan. Cuando se espera silencio, hablan. Cuando se espera que

dirijan, se ponen atrás. Cuando se espera que sigan atrás, agarran para otro lado. Cuando se espera que sólo hablen ellos, se arrancan hablando de otras cosas. Cuando se espera que se conformen con su geografía, caminan el mundo y sus luchas". (Treceava Estela. EZLN. Julio de 2003).

En la segunda entrega de la Treceava Estela, los indígenas rebeldes explicaron ampliamente el largo aprendizaje que han tenido en su contacto con la sociedad civil nacional e internacional, durante estos casi diez años de lucha y resistencia.

Respecto a la "ayuda" que diversos sectores de la sociedad han enviado a las comunidades indígenas rebeldes, no sin indignación, indicaron que "en los 'Aguascalientes' se amontonan computadoras que no sirven, medicinas caducas, ropa extravagante (para nosotros) que ni para las obras de teatro ('señas' les dicen acá) se utilizan y, sí, zapatos sin su par. Y siguen llegando cosas así, como si esa gente dijera 'pobrecitos, están muy necesitados, seguro que cualquier cosa les sirve y a mí esto me está estorbando'".

No sólo eso, señalaron, también que "hay una limosna más sofisticada. Es la que practican algunas ONGs y organismos internacionales. Consiste, *grosso modo*, en que ellos deciden qué es lo que necesitan las comunidades y, sin consultarlas siquiera, imponen no sólo determinados proyectos, también los tiempos y formas de su concreción. Imaginen la desesperación de una comunidad que necesita agua potable y a la que le endilgan una biblioteca, la que requiere de una escuela para los niños y le dan un curso de herbolaria". (Treceava Estela. Parte 2. Julio de 2003).

Hablaron también, y fueron contundentes, del significado de su resistencia y de su estar armados: "Ofertas para comprar su conciencia han recibido muchas los zapatistas, y sin embargo se mantienen en resistencia, haciendo de su pobreza (para quien aprende a ver) una lección de dignidad y de generosidad. Porque decimos los zapatistas que 'para todos todo, nada para nosotros' y si lo decimos es que lo vivimos… El apoyo

244

de la sociedad civil que demandamos es para la construcción de una pequeña parte de ese mundo donde quepan todos los mundos. Es, pues, un apoyo político, no una limosna".

En este contexto, el EZLN anunció la muerte de los "Aguascalientes" para el 9 de agosto, muerte con la que, dijeron, mueren también el "síndrome de cenicienta" de algunos "sociedades civiles" y el paternalismo de algunas ONGs nacionales e internacionales, "cuando menos mueren para las comunidades zapatistas que, desde ahora, ya no recibirán sobras ni permitirán la imposición de proyectos".

En la tercera entrega de la Treceava Estela, los zapatistas anunciaron su reorganización interna, a través de la creación de Juntas de Buen Gobierno y el nacimiento de los cinco Caracoles, ubicados en cada uno de los lugares que anteriormente ocuparon los "Aguascalientes".

Los Caracoles, explicaron, además de ser espacios de encuentro político y cultural (como los anteriores "Aguascalientes"), "serán como puertas para entrarse a las comunidades y para que las comunidades salgan; como ventanas para vernos dentro y para que veamos fuera; como bocinas para sacar lejos nuestra palabra y para escuchar la del que lejos está. Pero sobre todo, para recordarnos que debemos velar y estar pendientes

de la cabalidad de los mundos que pueblan el mundo". (Treceava Estela. Parte 3. Julio de 2003).

Los nombres de los Caracoles, decididos en asamblea de cada región, quedaron de la siguiente manera: El Caracol de la Realidad, de zapatistas tojolabales, tzeltales y mames, se nombró: "Madre de los Caracoles del Mar de Nuestros Sueños". El Caracol de Morelia, de zapatistas tzeltales, tzotziles y tojolabales, fue llamado: "Torbellino de Nuestras Palabras". El Caracol ubicado en La Garrucha, de zapatistas tzeltales, se llama: "Resistencia Hacia un Nuevo Amanecer"; mientras que el Caracol de Roberto Barrios, de zapatistas choles, zoques y tzeltales, se nombró: "Que Habla Para Todos". Por último, el Caracol de Oventik, de tzotziles y tzeltales, se llama desde el pasado 8 de agosto "Resistencia y Rebeldía por la Humanidad".

El cuarto mensaje de esta trascendental serie, se refiere al Plan Puebla Panamá "como algo ya extinto". Frente a este proyecto global de fragmentación de la nación mexicana, los zapatistas lanzaron el Plan La Realidad-Tijuana, que "consiste en ligar todas las resistencias en nuestro país y, con ellas, reconstruir desde abajo a la nación mexicana. En todos los estados de la federación existen hombres, mujeres, niños y ancianos que no se rinden y que, aunque no son nombrados, luchan por la democracia, la libertad y la justicia. Nuestro plan consiste en hablar con ellos y escucharlos". (Treceava Estela. Parte 4. Julio de 2003).

En el terreno internacional anunciaron, para el norte del continente americano el "Plan Morelia Polo-Norte"; para Centroamérica, El Caribe y Sudamérica, el "Plan La Garrucha-Tierra de Fuego"; para Europa y África, el "Plan Oventik-Moscú"; y para Asia y Oceanía, el "Plan Roberto Barrios-Nueva Delhi". El objetivo para todos, señalaron, es el mismo: "luchar contra el neoliberalismo y por la humanidad".

La historia y funcionamiento, hasta ahora, de los municipios autónomos rebeldes zapatistas fue explicada ampliamente en la quinta parte de esta Estela. "Aunque fueron declarados en ocasión de la ruptura del cerco de diciembre de 1994" —reconocieron— "los Municipios Autónomos Rebel-

246

des Zapatistas (MAREZ) tardaron todavía un tiempo en concretarse". Hoy, dijeron, "el ejercicio de la autonomía indígena es una realidad en tierras zapatistas, y tenemos el orgullo de decir que ha sido conducido por las propias comunidades. En este proceso el EZLN se ha dedicado únicamente a acompañar, y a intervenir cuando hay conflictos o desviaciones". (Treceava Estela. Parte 5. Julio de 2003).

En ese extenso documento detallaron que "cuando los municipios autónomos se echan a andar, el autogobierno no sólo pasa de lo local a lo regional, también se desprende (siempre de modo tendencial)

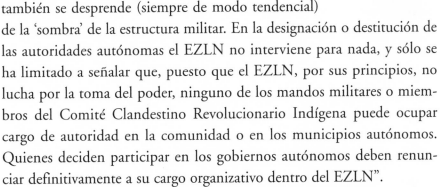

de la 'sombra' de la estructura militar. En la designación o destitución de las autoridades autónomas el EZLN no interviene para nada, y sólo se ha limitado a señalar que, puesto que el EZLN, por sus principios, no lucha por la toma del poder, ninguno de los mandos militares o miembros del Comité Clandestino Revolucionario Indígena puede ocupar cargo de autoridad en la comunidad o en los municipios autónomos. Quienes deciden participar en los gobiernos autónomos deben renunciar definitivamente a su cargo organizativo dentro del EZLN".

Luego de explicar el funcionamiento de los MAREZ, reconocieron que están lejos de ser perfectos. El mandar obedeciendo, dijeron, "en los territorios zapatistas es una tendencia, y no está exenta de sube-y-bajas, contradicciones y desviaciones, pero es una tendencia dominante".

Al llegar al sexto mensaje, siguiendo con la explicación de esta nueva etapa de su organización interna, el EZLN anunció la creación de las Juntas de Buen Gobierno, creadas con el fin de contrarrestar el desequilibrio en el desarrollo de los municipios autónomos y de las comunidades; para mediar en los conflictos que pudieran presentarse entre municipios autónomos, y entre municipios autónomos y municipios gubernamentales; para atender las denuncias contra los Consejos Autónomos por violaciones a los derechos humanos, protestas e inconformidades; para vigilar la realización de proyectos y tareas comunitarias en los MAREZ; y para promover el apoyo a proyectos comunitarios; para vigilar el cumplimiento de las leyes; para atender y guiar a la sociedad civil nacional e internacional para visitar comunidades, llevar adelante proyectos productivos e instalar campamentos de paz; para, de común acuerdo con el CCRI-CG del EZLN, promover y aprobar la participación de compañeros y compañeras en actividades o eventos fuera de las comunidades rebeldes. En suma, explicaron, "para cuidar que en territorio rebelde zapatista el que mande, mande obedeciendo". (Treceava Estela. Parte 6. Julio de 2003).

Cada Junta de Buen Gobierno tiene un su nombre, elegido por los Consejos Autónomos respectivos: La Junta de Buen Gobierno Selva Fronteriza se llama "Hacia la esperanza", y agrupa a los municipios autónomos de "General Emiliano Zapata", "San Pedro de Michoacán", "Libertad de los Pueblos Mayas", "Tierra y Libertad"; mientras que la Junta de Buen Gobierno Tzots Choj, se llama "Corazón de Arco Iris de la Esperanza", y agrupa a los municipios autónomos de "17 de Noviembre", "Primero de Enero", "Ernesto Ché Guevara", "Olga Isabel", "Lucio Cabañas", "Miguel Hidalgo", "Vicente Guerrero".

La Junta de Buen Gobierno Selva Tzeltal, lleva el nombre de "El Camino del Futuro", y contempla a los municipios autónomos de "Francisco Gómez", "San Manuel", "Francisco Villa", y "Ricardo Flores Magón". La cuarta Junta corresponde a la Zona Norte de Chiapas y se llama "Nueva Semilla que va a Producir", y agrupa a los municipios autónomos de "Vicente Guerrero", "Del Trabajo", "La Montaña", "San José en Rebeldía", "La paz", "Benito Juárez", "Francisco Villa".

Y finalmente, La Junta de Buen Gobierno de Los Altos de Chiapas fue nombrada "Corazón Céntrico de los Zapatistas Delante del Mundo", y abarca los municipios autónomos de "San Andrés Sacamch'en de los Pobres", "San Juan de la Libertad", "San Pedro Polhó", "Santa Catarina",

"Magdalena de la Paz", "16 de Febrero", y "San Juan Apóstol Cancuc".

En la séptima y última entrega de esta tanda de comunicados, el Ejército Zapatista invitó a la sociedad civil nacional e internacional a "la celebración de la muerte de los 'Aguascalientes', a la fiesta para nombrar a los 'Caracoles' y el inicio de las 'Juntas de Buen Gobierno'. La cita: Oventik, Municipio Autónomo de San Andrés Sacamch'en de Los Pobres, los días 8, 9 y 10 de agosto del 2003". (Treceava Estela. Parte 7. Julio de 2003).

Desde el 7 de agosto miles de bases de apoyo y personas de la sociedad civil de México y de otros países, empezaron a concentrarse en la comunidad de Oventik, cuyo centro de encuentro político y cultural fue remodelado para sus nuevas funciones.

Cientos de organizaciones nacionales e internacionales saludaron el nacimiento de esta nueva etapa de la autonomía indígena, construida sin pedirle permiso a ningún poder gubernamental, con la legitimidad que otorgan cientos de miles de indígenas organizados en 30 municipios autónomos y en un sinnúmero de comunidades rebeldes.

La convocatoria a acompañar este nuevo esfuerzo organizativo de los pueblos zapatistas, llegó a la sociedad civil nacional en un momento de aguda crisis de los partidos políticos, en medio de un profundo malestar social demostrado por un marcado abstencionismo electoral. La organización rebelde significó, para muchos, la posibilidad de seguir creyendo en que un mundo mejor es posible.

El 8 de agosto Oventik se vistió de fiesta. Hasta el Caracol de esta comunidad llegaron miles de personas, indígenas y no indígenas, para celebrar, acompañar y ser parte del nuevo desafío zapatista. El incremento de las movilizaciones militares no impidió que miembros de la Comandancia General del EZLN burlaran el cerco y se hicieran presentes en la sede de uno de los cinco nuevos Caracoles. Las carreteras y los caminos de terracería fueron invadidas por columnas de miles de hombres, mujeres y niños bases de apoyo, que se dirigían a su fiesta, a la celebración de la autonomía.

El 9 de agosto, más de 10 mil personas se concentraron en los festejos para darle "muerte" a los "Aguascalientes" y nacimiento a los "Caracoles", además de inaugurar el funcionamiento de las nuevas "Juntas de Buen Gobierno".

En el acto principal, la comandanta Esther llamó a los pueblos indios a defender su derecho a ser mexicanos. "Ya nunca nos podrán acabar ni traicionar", dijo, refiriéndose a los tres principales partidos políticos "que se pusieron de acuerdo para negarnos nuestros derechos". (Discurso de la comandanta Esther. EZLN. 9 de agosto de 2003).

La misma comandanta que dos años atrás demandó ante el Congreso de la Unión el reconocimiento de los derechos y la cultura indígenas, llamó a los pueblos originarios a "que apliquen la ley de los Acuerdos de San Andrés. Ya es momento de aplicarlos en todo el país. No necesitamos pedirle permiso a nadie. Aunque el gobierno no los ha reconocido, para nosotros es nuestra ley y nos defenderemos con ella".

Otra comandanta de nombre Rosalía habló de su demostración de fuerza y organización: "Hoy estamos demostrando una vez más que somos fuertes para luchar. Sabemos que ya hemos resistido 10 años en esta lucha y estamos dispuestos a seguir", dijo, como si alguien lo dudara. "Los municipios rebeldes se ve que son buenos y chingones porque sabemos resistir. El mal gobierno no nos ha derrotado porque no puede. No se desanimen. No se asusten ante amenazas y persecuciones de los malos gobiernos. Nuestra lucha ha crecido mucho. Hay compañeros y compañeras en todo el mundo". (Discurso de la comandanta Rosalía. 9 de agosto de 2003).

En el significativo y emotivo acto, el comandante David, en su calidad de anfitrión, dio la bienvenida a los miles de participantes, les habló a sus propios pueblos, y fue tejiendo el resto de los discursos. El comandante Tacho se refirió en concreto a las luchas de los campesinos de México; mientras que el comandante Omar les habló a los jóvenes y la comandanta Fidelia a las mujeres. El comandante Brus Li, por su parte, dio a conocer el Plan La Realidad-Tijuana, con siete acuerdos y siete demandas nacionales y, finalmente, el comandante Zebedeo les habló a los rebeldes de todo el planeta.

En una intervención grabada, producida por la recién inaugurada *Radio Insurgente la Voz de los Sin Voz,* el Subcomandante Insurgente Marcos, devolvió "el oído, la voz y la mirada" a los pueblos y municipios autónomos rebeldes, que le fueron confiadas para que, en este periodo, explicara a México y al mundo la reorganización interna . "El Ejército Zapatista no puede ser la voz de los que mandan, aunque manden bien y obedeciendo. El EZLN es la voz de los de abajo", dijo el jefe militar y vocero, nuevamente, sólo del EZLN.

Al explicar los retos del Plan La Realidad-Tijuana, el comandante Brus Li dio a conocer siete acuerdos, con el fin de que sean suscritos y ampliados por organizaciones independientes de todo el país. Entre ellos destacan el respeto a la autonomía e independencia de las organizaciones sociales; la promoción de formas de autogobierno y autogestión en todo el territorio nacional; la formación de una red de comercio básico entre comunidades y el impulso de la rebeldía civil y pacífica frente a las disposiciones del mal gobierno y los partidos políticos. (Mensaje del comandante Brus Li. EZLN. 9 de agosto de 2003).

El plan La Realidad-Tijuana promueve a su vez siete demandas, que abarcan la defensa de la propiedad ejidal y comunal de la tierra, y la protección y defensa de los recursos naturales; un trabajo digno y justo para todos; además de vivienda, salud pública, alimentación y vestido, educación laica y gratuita, y respeto a la dignidad de la mujer, de la niñez y de los ancianos.

En el terreno internacional, los zapatistas saludaron las luchas y resistencias que se dan en el mundo, en especial la que libra el pueblo vasco y, quizás por primera vez de manera pública, se refirieron a Cuba: "Para ese pueblo va nuestra admiración y respeto. Pequeños como somos nada podemos hacer. Pero sabemos bien que los planes de atacar la isla no son mentiras, como tampoco la decisión de ese pueblo para resistir y defenderse de las invasiones extranjeras". (Discurso del comandante Zebedeo. EZLN. 9 de agosto de 2003).

Con la inauguración de los Caracoles y las Juntas de Buen Gobierno se cerró (¿o se abrió?) un ciclo iniciado siete meses atrás, el primero de enero de 2003, cuando, en la ciudad de San Cristóbal de las Casas, la Comandancia General del EZLN dio a conocer su postura frente al poder político nacional, su decisión de hacer realidad los Acuerdos de San Andrés, que traicionaron los tres poderes de la Nación, y su plan de seguir tejiendo redes con las luchas y resistencias que encabezan otros pueblos, tanto de México como de otras partes del mundo.

El anuncio se dio siete meses antes, pero en realidad el ciclo inició nueve meses atrás, en noviembre de 2002 cuando el Ejército Zapatista de Liberación Nacional empieza a vivir el año número 20 de su existencia.

La respuesta gubernamental al desafío zapatista no se hizo esperar.

En el discurso —sólo en el discurso—, el gobierno federal señaló que las Juntas de Buen Gobierno cabían en el marco de la constitucionalidad, y saludó que la propuesta zapatista se diera dentro del terreno político y no del militar. Sin embargo, a partir de entonces, de acuerdo a informes de diversos Organismos no Gubernamentales, el gobierno ha promovido la reactivación de los grupos paramilitares, ahora directamente contra las Juntas de Buen Gobierno.

Las denuncias realizadas por las Juntas de Buen Gobierno a partir de que entraron en funcionamiento dejan ver una clara ofensiva militar contra los centros de resistencia civil. Sin embargo, nada parece amedrentar a los miles de pueblos organizados en el EZLN. Nada, aseguran, detendrá el proceso de consolidación de su autonomía.

En territorio en rebeldía, todos los días y a cualquier hora, cientos de miles de hombres, mujeres y niños trabajan en la construcción de una alternativa; en la edificación, ladrillo por ladrillo, de un mundo mejor, uno en el que quepan todos los mundos.

Son ya diez años a partir del alzamiento. Una década en la que no han faltado los dolores y sinsabores en el sureste mexicano; pero en la que sobresale el encuentro de esos pueblos originarios con un mundo que, como ellos dicen, no deja de sorprenderlos en el ánimo no sólo de acompañarlos en su lucha, sino de hacerla suya y seguirla construyendo juntos.

Los zapatistas cumplen 20 años de haberse fundado y diez de levantar el vuelo. "Ya se mira el horizonte", dice su himno, y "el camino marcarás a los que vienen atrás", concluye.

253

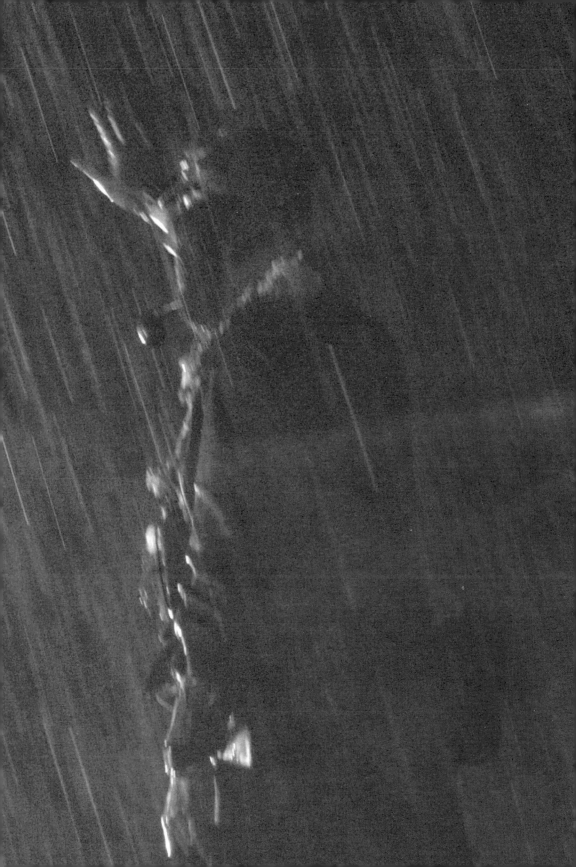

Hay un tiempo para pedir, otro para exigir y otro para ejercer

El 17 de noviembre de 2003 se cumplen veinte años de que el Ejército Zapatista de Liberación Nacional se fundó en algún lugar de la Selva Lacandona. El primero de enero de 2004 se cumplen diez años de lucha pública, de resistencia, creatividad y paradojas de un movimiento que el primero de enero de 1994 llegó para quedarse. Es momento de festejos y recuentos, de mirar para atrás, de hacer un balance, hablar de aciertos y errores, estrategias y sorpresas. Es momento, pues, de reflexionar sobre lo andado.

Hace veinte años que cientos de pueblos rebeldes, cientos de miles de indígenas, se mantienen en la lucha. Los primeros diez años fueron de clandestinidad, tejiendo un trabajo político persona por persona, familia por familia, comunidad por comunidad. Cómo fueron posibles esos diez años sin que nadie se enterara. Cómo se consigue guardar un secreto que incluye a miles y miles de indígenas rebeldes. Veinte años después, sigue pendiente el recuento de la dosis cotidiana de heroísmo y decisión de esos pueblos primeros, una historia que sólo se puede imaginar si se toma en cuenta que todo lo que siguió, y lo que falta, es posible por la existencia y resistencia de ese núcleo duro, ese grupo que cumple veinte y diez de fuego y de palabra.

El Subcomandante Insurgente Marcos, jefe militar y vocero del movimiento rebelde, hace el balance de una década de lucha y resistencia zapatista. En la primera entrevista concedida desde la Marcha del Color de la Tierra, accede a responder a las preguntas que la revista *Rebeldía* y el periódico *La Jornada*, en el marco de esta publicación, le hicieron llegar a las montañas del sureste mexicano.

Marcos atiende la sugerencia y no contesta por escrito. Toma la palabra frente a una grabadora y solo, frente a un micrófono, habla sin pausas. Éstas serán, imaginamos, preguntas que responde sin pasamontañas y sin más testigos que la lluvia y los cohetes que de pronto se escuchan a lo lejos.

El Sub recuerda el inicio de la guerra, habla de esos doce primeros días, de los enfrentamientos iniciales y, más adelante, se refiere por primera vez en una entrevista al Subcomandante Insurgente Pedro y a su caída en combate la madrugada del primero de enero de 1994.

Inicio y motivos de la guerra, los recuerdos, los enfrentamientos

Ahora, a nueve años y nueve meses —estamos en septiembre de 2003, siempre hay que insistir en marcar la fecha porque luego cambian las circunstancias—, nosotros seguimos viendo la guerra que se inició el primero de enero de 1994, y que aún mantenemos, como una guerra que se llevó a cabo por la desesperación, pero que entonces vimos necesaria. Nueve años y nueve meses después, seguimos viendo que fue necesaria.

Pensamos que si no hubiera iniciado la guerra, si no hubiera iniciado el levantamiento armado del Ejército Zapatista de Liberación Nacional, muchas cosas en beneficio de los pueblos indios y del pueblo de México, incluso del mundo, no se habrían dado de la forma en que se han dado.

Por un lado, el recuerdo de esos días de combates y enfrentamientos, de esos inicios, es un recuerdo doloroso. Recordamos, pues, a nuestros

compañeros caídos en esos primeros días, a los compañeros que cayeron en Ocosingo, en Las Margaritas, en Altamirano. Compañeros que compartieron con nosotros muchos años previos a ese primero de enero, preparándose y pensando cómo iba a ser ese inicio de la guerra y qué iba a pasar después. Compañeros con los que compartimos muchas cosas, entre ellos, recuerdo al compañero Sub Pedro, que era entonces el jefe del Estado Mayor y segundo al mando del EZLN. Él muere en Las Margaritas en las primeras horas del primero de enero. Recuerdo también al comandante Hugo o señor Ik, como le decíamos, que muere en Ocosingo, en los combates contra el ejército federal en esa plaza. De los compañeros insurgentes de Materiales de Guerra, recordamos a Álvaro y Fredy, que también cayeron en combate en Ocosingo… recordamos a compañeros milicianos que caen en uno y en otro lado.

Está también el recuerdo de la respuesta brutal —falta de todo honor militar— del ejército federal, que no se dirigió sólo a combatir a nuestras tropas, que para eso estábamos, sino que empezó a liquidar civiles y a darlos como si fueran bajas nuestras, disparando sin ton ni son, para todos lados, sobre todo en la que fue aquella masacre en Ocosingo, en esos primeros días. Recuerdo, pues, esa falta de honor militar que exhibió el ejército federal desde entonces, y que luego repetiría a lo largo de estos diez años de guerra discontinua que hemos sostenido contra ellos. Nos hemos encontrado (y ese el recuerdo que tenemos de los federales) con esa falta de honor militar a la hora de pelear y con las tretas sucias a las que recurre para tratar de elevar su deteriorado prestigio.

Por el lado nuestro, recordamos a nuestros combatientes, no sólo los caídos, sino a los que siguen en pie de lucha, destacadamente a las compañeras insurgentas, que se revelaron en muchos casos como mejores combatientes que los varones. Está también la actitud y la firmeza de nuestros compañeros comandantes, los miembros del Comité Clandestino Revolucionario Indígena —la inmensa mayoría de ellos marchó al frente en los combates junto con nosotros y nuestras tropas, y demostraron lo que pocos demuestran hoy en las organizaciones: que el dirigente debe estar junto con su gente, no al margen de ella, o aparte de ella o atrás de ella. Eso es lo que ahora recordamos.

La lectura que hacemos nueve años y nueve meses después de ese inicio de la guerra es, en resumen, que fue una guerra desesperada pero necesaria —tanto— para los pueblos indios de Chiapas y de México que hasta ese entonces permanecían en el olvido, como decíamos nosotros, en el rincón más olvidado de la patria. Y era la única forma para que cambiaran las cosas, no sólo respecto a la forma en cómo los veía el gobierno federal sino también la sociedad mexicana, incluso la sociedad internacional.

El inicio de la guerra representa para nosotros el dolor pero también la esperanza. Según la lectura que hacemos ahora eso es lo que marcó y permitió todo lo que ha pasado después. Estos más de nueve años no habrían sido posibles en su éxito sin esas primeras horas del levantamiento armado.

La lectura que hacemos, aparte de la interna, de ese inicio de la guerra, es también algo que va a marcar hasta hoy la historia pública del EZLN. Y es que vemos que, aparte de los enfrentamientos entre el EZLN y el Ejército federal, hay otro enfrentamiento que no es propiamente agresivo, entre el EZLN y lo que nosotros llamamos la sociedad civil. Desde los primeros minutos del inicio del alzamiento se da este encuentro y, de alguna forma, comienza a aventar al ejército federal, una de las partes, como algo completamente exterior al conflicto.

Si se revisan las fotos de aquel primero de enero de 1994, se ve la convivencia, esa relación casi promiscua entre las tropas zapatistas y la sociedad civil. Lo que yo tengo ahora en mi memoria visual, es esa sorpresa de los civiles rodeando a los insurgentes, la sorpresa de verlos y también la sorpresa y el azoro que había en nosotros, en nuestras miradas y en nuestros rostros, al encontrarnos con esa gente. No había camaradería pero tampoco había agresividad en unos y otros. Como que unos y otros estábamos convencidos de que el otro no era el enemigo.

Esto va a marcar desde un principio lo que va a ser la relación a lo largo de todos estos años de encuentros, desencuentros y reencuentros entre el EZLN y la sociedad civil. Es importante señalar, en esta lectura que estamos tratando de hacer, que desde el principio se da este encuentro y desde el principio el gobierno y el Ejército empiezan a quedar al margen. Están, sí, como una fuerza agresiva contra la que se combate, pero que poco o nada va a tener que ver en lo que se va a construir —no en lo que se va a destruir— a lo largo de estos casi diez años. Es esa relación de sorpresa, primero de azoro: Ah, ¡aquí estás!, de uno y otro lado, zapatistas y civiles, a partir de ese primero de enero de 1994.

Esto va a ser importante —lo digo, lo repito— porque durante todos los días de combate, la actitud de la sociedad civil respecto a los insurgentes es tratar de saber quiénes son, cómo son, qué piensan, qué quieren. Tratar de entender qué los había llevado a tomar esa decisión. Mientras que la actitud del gobierno federal y del ejército federal era aniquilarlos, aplastarlos, destruirlos, desaparecerlos. Y digamos que nosotros, después de los primeros combates en los que se tomaron las cabeceras, estábamos más ocupados en combatir, en permitir el repliegue de nuestras tropas y en sobrevivir.

Se supone que en una guerra los civiles aparecen como refugiados o como víctimas, y en este caso no eran una cosa ni otra, aunque, claro, hay

262

casos en los que sí ocurrió así, que hubo refugiados y desplazados en aquellos días. Pero en la mayoría de los casos ahí andaban, al menos en las cabeceras que tomamos, en las plazas en las que combatimos, en las plazas en las que nos movimos, donde hubo combates, donde hubo presencia. La mayoría de la población civil no huía ante la presencia de nuestras tropas.

Entonces, desde las primeras horas de esta guerra que ya va para diez años, se da este encuentro y se desplaza desde ese entonces el lugar que siempre han querido pelear el gobierno federal y sus tropas, el lugar preponderante. Yo creo que ha sido determinante para muchas cosas que han ido apareciendo después.

Hay otra cosa, la forma de tomar las decisiones de los zapatistas, o sea construir las cosas desde abajo, no decidirlas desde arriba. Es eso lo que nos da la fuerza y la confianza de que estamos haciendo bien a la hora de que empezamos la guerra. Es una de las dudas que suele cargar, entre muchas más, un combatiente: si está bien lo que está haciendo. Nosotros teníamos muchas dudas, si íbamos a poder, si teníamos la capacidad, cuál iba a ser la respuesta de la gente, cuál iba a ser la respuesta del ejército enemigo, cuál iba a ser la respuesta de los medios. Muchas dudas teníamos, pero no teníamos la duda de la legitimidad de lo que estábamos haciendo. No me refiero a la decisión personal de cada combatiente —que pesa y mucho— de decidirse a pelear hasta la muerte para conseguir algo. No, me refiero a lo que significa estar llevando a cabo la acción con un respaldo colectivo, en este caso de decenas de miles de indígenas y miles de combatientes.

Diez años: el fuego y la palabra, consolidar la autonomía

Más que dividir en grandes etapas este periodo, nosotros distinguiríamos tres grandes ejes a lo largo de estos casi diez años. El que nosotros llamaríamos el eje de fuego, que se refiere a las acciones militares, los preparativos, los combates, los movimientos propiamente militares. El eje de la palabra, que se refiere a encuentros, diálogos, comunicados, donde está la palabra o el silencio, es decir, la ausencia de palabra. El tercer eje sería la columna vertebral y se refiere al proceso organizativo o a la forma en que se va desarrollando la organización de los pueblos zapatistas. Esos tres ejes, el eje del fuego y el eje de la palabra, articulados por el eje de los pueblos, de su proceso organizativo, son lo que marca los diez años de vida pública del EZLN. El eje del fuego o el eje de la palabra, aparecen con mayor o menor intensidad, en determinados periodos con mayor o menor duración también, y con mayor o menor incidencia en la vida del EZLN y de su entorno, o en la vida nacional o en el mundo. Pero los dos ejes siempre tienen que ver y están determinados por la estructura que van adquiriendo los pueblos, que no sólo son el sostén del EZLN, sino, como lo hemos dicho muchas veces, son el camino por el que anda el EZLN. El ritmo de su paso, el intervalo entre un paso y otro, la velocidad, tiene que ver, tanto en el fuego como en la palabra, con el proceso organizativo de los pueblos. En algunos casos es el fuego, quiero decir la parte militar, preparativos de combate, movilizaciones, maniobras, combates propiamente dichos, acciones de avance o de repliegue, los más importantes o los que aparecen más visibles. En otros casos es preponderante la palabra, o los silencios que se construyen en entorno a la palabra, en este caso para decir callando, como decimos nosotros. A lo largo de estos casi diez años se marca uno y otro eje, pero siempre tienen que ver con la manera en que los pueblos se están organizando.

No es lo mismo cómo están organizadas las bases de apoyo del EZLN para la guerra, a cómo se organizan para dialogar con el gobierno o con la sociedad civil, o para resistir, o para construir la autonomía, o para construir formas de gobierno, o para relacionarse con otros movimientos, o con otras organizaciones, o con gente que no es movimiento ni tiene organización.

En este caso, los pueblos, las bases de apoyo zapatista, adoptan formas que se van construyendo, que no vienen en ningún libro ni en ningún manual, ni, por supuesto, les hemos dicho nosotros. Son formas de

organización que tienen que ver mucho con su experiencia, y no me refiero sólo a su experiencia ancestral e histórica que viene de tantos siglos de resistencia, sino de la experiencia que han construido ya organizados como zapatistas.

En ese sentido, 1994 está marcado fundamentalmente, a mi manera de ver, por el eje de fuego; no sólo por el inicio de la guerra y los combates a lo largo de enero, sino también porque todo ese año se caracterizó por movilizaciones militares, tanto del gobierno como nuestras. Y la parte de la palabra estaba más incipiente, más como tanteando.

Las grandes movilizaciones militares son las de enero de 1994 y diciembre de ese mismo año, cuando se da la ruptura del cerco. Ambas implican grandes movilizaciones de miles de combatientes.

A lo largo de ese año, si recuerdan, cuando hay apariciones públicas del EZLN siempre se hace énfasis o se marca el aspecto militar. Hay desfiles y despliegues militares para insistir en que somos un ejército.

Por la parte de la palabra se dan encuentros importantes, pero a la vista de los diez años se ven como esfuerzos incipientes, comparados con lo que va a haber después.

Está, por ejemplo, el diálogo de Catedral, que más que un diálogo con el gobierno era un diálogo con la sociedad civil. Es, pues, la continuación de ese encuentro sorpresivo que hay entre el EZLN y los civiles, del que hablaba el primero de enero de 1994, pero durante el diálogo de Catedral se da en forma más acabada, porque más que dialogar con el gobierno, el EZLN se dedicó a hablar con la gente, en este caso, a través de los medios de comunicación. Se dieron muchas entrevistas, hubo encuentros, etcétera, donde el EZLN trataba de decir: esto soy. Pero todavía seguía faltando la pregunta: y tú quién eres, claro, refiriéndose a la sociedad civil.

En la Convención Nacional Democrática se insiste todavía en la parte de esto soy yo. El EZLN se había dado cuenta que al gobierno no le interesaba acabar con el conflicto sino mantenerlo en un límite que le permitiera acabar el sexenio, aunque, finalmente, no lo pudo acabar bien

por las rupturas internas que provocaron el asesinato de Colosio y luego el de Ruiz Massieu… Pero bueno, en la parte de la palabra, eso fue lo que también pasó, la CND.

Al mismo tiempo en 1994 el EZLN empieza a tratar de conocer y definir un perfil de lo que es la clase política con la que se está encontrando también. Aparte del encuentro con la sociedad civil, se dan los primeros encuentros con partidos políticos o con líderes políticos, todavía tanteando bien de qué se trata.

De cualquier forma, aún con el diálogo, la CND y los encuentros con la clase política, veo que el 94 está marcado por la línea de fuego.

1995 sigue la línea de fuego, marcada por la traición del gobierno de Zedillo al diálogo que apenas se estaba iniciando con él. Se da la ofensiva militar contra la posiciones del EZLN en la Selva Lacandona, se dan enfrentamientos, caen compañeros, caen soldados enemigos y se da esa gran movilización militar, la militarización que hasta ahora no sólo se mantiene sino que se ha incrementado a lo largo de estos años.

Todo 1995 es eso, está marcado por eso. Se inicia, pues, el diálogo con Zedillo pero todavía marcado por la amenaza militar, en este caso del gobierno federal, porque el ezln hace en agosto una consulta previa a la entrada más en forma a lo que va a ser el diálogo de San Andrés: la primera consulta nacional e internacional, donde se pregunta sobre el futuro del EZLN.

El EZLN está haciendo eso, la consulta, porque está pensando que si le va a entrar al diálogo es porque le va a entrar en serio. En la consulta buena parte de la gente, un millón doscientos mil, dicen que sí hay que convertirse en fuerza política. Entonces el EZLN tiene que entrar al diálogo con esa perspectiva, pero aún está el problema de la palabra muy abajo. Durante 1995 sigue siendo preponderante la línea de fuego, aunque la consulta implicó un acercamiento más acabado que la Convención Nacional Democrática en 1994. En 1995 el EZLN recibe varios golpes.

Luego llegamos a 1996. El EZLN comienza a construir la palabra en forma más acabada, como arma pero también como punto de encuentro. En 1996 son el Foro Nacional Indígena que después se va a constituir en Congreso Nacional Indígena, es el Foro de la Reforma del Estado, es el Encuentro Continental e Intercontinental. Gracias a las comunidades zapatistas, pero también a estos encuentros, el EZLN empieza a preguntar tú quién eres y a obtener respuestas de parte de la sociedad civil. Comienza a ser más preponderante el eje de la palabra.

En 1997 el EZLN va respondiendo a esta nueva forma organizativa de las comunidades, que avanzan cada vez más, y lanza otra vez una iniciativa de diálogo. Esta vez ya no pone comisiones sino un gran contingente, que es la marcha de los 1111, que recorre gran parte de la República para llegar a la ciudad de México, con el fin de exigir el cumplimiento de los Acuerdos de San Andrés.

Desde esa fecha, el cumplimiento de los Acuerdos de San Andrés, que es el horizonte de la guerra zapatista, se convierte en un eje muy importante de las movilizaciones del EZLN. Sin embargo, para tratar de echar atrás ese avance y ante las derrotas que está teniendo el régimen, se reactivan los grupos paramilitares, adquieren más y más beligerancia y, finalmente, en diciembre de 1997, con Acteal, el año toma forma definitiva por la línea de fuego. Y esa herida, esa cicatriz, va a durar hasta nuestros días.

1998 es sobre todo línea de fuego. El EZLN y sobre todo las comunidades resienten una ofensiva brutal de parte del gobierno, los ataques a los municipios autónomos, choques, enfrentamientos con bajas de ambas partes en varias regiones del movimiento zapatista, enfrentamientos de miles de bases de apoyo contra columnas del ejército federal para impedir nuevos asentamientos militares. En fin, todo eso define que 1998 se marque como línea de fuego.

En 1999, el EZLN trata, como siempre trata, de voltear la tortilla. Vuelve a insistir en la palabra porque está encontrando respuestas a la pregunta de quién eres del lado de la sociedad civil, pero también de la clase política. Ya se empieza a ver, a definirse, el talante de la clase política que va a ser definitivo en el 2001 y 2002.

En 1999 se lanza la Consulta Nacional por los Derechos y la Cultura Indígenas, y los pueblos zapatistas dan una muestra de fortaleza al poder mandar a 2 500 varones y 2 500 mujeres a recorrer toda la República. La Consulta Nacional representa un esfuerzo organizativo no sólo del EZLN, que ya llevábamos muchos años organizados, sino de mucha gente que no tiene organización y que se organiza no sólo para la consulta, sino para recibir a los delegados, transportarlos, preparar actividades de información y propiamente la consulta. Toda esta movilización le da al EZLN, además de un apoyo fundamental para la ley sobre los Derechos y la Cultura Indígenas, un termómetro cabal de la relación que ha estado construyendo durante todo ese tiempo con la sociedad civil. Por ahí debe haber algunos datos en *Rebeldía* del esfuerzo organizativo que significó para la sociedad civil esa consulta.

Para nosotros 1999 es una respuesta al gobierno federal y a la política agresiva que había llevado en 1998, es una respuesta a los poderes de la Unión sobre la importancia de la ley indígena, pero, sobre todo, es una respuesta al EZLN de un gran sector de la sociedad que estaba esperando construir una relación política con nosotros.

En el año 2000, ante el periodo electoral, el EZLN se repliega y usa otra vez el eje de la palabra, pero ahora con el silencio. Se dan las elecciones, la derrota del PRI, el ascenso de Fox y el EZLN saca la carta. Después de valorar la Consulta Nacional y los encuentros que tuvo con diversos sectores sociales en el año 2000, lanza la Marcha del Color de la Tierra.

En la Marcha del Color de la Tierra, el EZLN empieza a tratar de acercarse más a esa sociedad que percibe a partir de la Consulta de 1999, esa sociedad que tiene interés en construir algo nuevo, que es también lo que quieren los zapatistas. Y también el ezln se está haciendo una pregunta fundamental sobre la clase política mexicana —si tiene caso o no seguir construyendo una relación así. Se da la marcha con todos los actos que no voy a repetir aquí.

El EZLN, después de que se da la votación en el Senado, en el Congreso de la Unión, obtiene una respuesta definitiva sobre la clase política mexicana.

El 2002 se dedica entonces a la preparación de lo que va a ser esa interlocución con la sociedad civil, y a construir, en los hechos, lo que ha venido demandando durante tanto tiempo.

En el 2003, ahora que se anuncia la construcción de las Juntas de Buen Gobierno, se avanza en la autonomía indígena y el EZLN ya se presenta como una alternativa no sólo en la palabra, sino también en la práctica. No estoy hablando de un ejemplo a seguir ni de una guía para la acción, sino como un referente. El EZLN tiene un perfil político práctico que ofrecer a la hora que dialoga con otros. Un referente político-práctico, civil y pacífico, porque el referente que teníamos era el de una organización armada, el de que había que organizarse y levantarse en armas:

La creación de las Juntas de Buen Gobierno y los municipios autónomos significan ya otra alternativa, otra opción o referente para la sociedad.

A lo largo de todos esos años, desde 1994 al 2003, pero más marcadamente en 1996 y 1997, el ezln empieza a construir una relación con el mundo, con personas y movimientos a nivel internacional, una relación que tiene sus subes y bajas pero que va a ser importante para este proceso de construcción de un referente civil y pacífico, alternativo. Una especie de ensayo de otro mundo posible que es el que se está tratando de construir en las comunidades indígenas.

Eso es más o menos, a grandes rasgos, lo que puedo señalar de esos tres ejes: el eje del fuego y el de la palabra, dependiendo de la columna vertebral que es el eje de la organización de los pueblos. Y es a partir de ahí que se construye una relación con la sociedad civil, con sus propias características, y donde se da el proceso al que nos llevaron ellos, los políticos, en 2001, con el rechazo al reconocimiento de los derechos y la cultura indígenas.

Sorpresas de estos diez años, aciertos, encuentros

Así, en orden cronológico, la primera sorpresa es que el mundo que encontramos no tenía nada que ver con el que imaginábamos en las montañas. De ahí, lo más importante es habernos dado cuenta que la gente, así en general, tenía mucho interés en entender, en informarse, en saber de qué se trataba todo eso; a diferencia de lo que pudiera esperarse, de que la gente estuviera apática, que no les importara o lo que fuera. En este sentido, fuimos muy afortunados al encontrarnos con ese México, con esa gente dispuesta a escuchar y ver qué era lo que estaba pasando con los zapatistas. Esa fue una de las grandes sorpresas.

Otra de las sorpresas que hemos tenido es la juventud. Nosotros pensamos que iba a estar totalmente escéptica, reacia, cínica, poco receptiva a cualquier movimiento, más egoísta, más encerrada en sí misma. Y no, es una juventud generosa, abierta, con ganas de aprender y ganas de entregarse a una causa justa.

Otra sorpresa más es la gran participación de las mujeres, del sector femenino como se dice luego, en cada una de las iniciativas y a todos los niveles. Fue una sorpresa la decisión y la entrega de esas mujeres, de esas hermanas como decimos nosotros, tanto a nivel nacional como internacional.

Una sorpresa política fue el impacto que tuvo la palabra zapatista a nivel internacional, y no me refiero sólo al aspecto intelectual, sino al impacto que ha tenido en movimientos y organizaciones en todo el mundo.

Otra de las sorpresas, hay que reconocerlo, es el grado de deterioro de la clase política mexicana, como para que nos atrevamos a decir que no tiene remedio de plano. Nosotros pensamos que sí había sectores con los cuales se podía hacer algo, pero ya vimos que no. Eso es, a grandes rasgos.

Si lo pudiera resumir todo diría: la gran sorpresa política es que se haya dado un punto de encuentro, o un canal de comunicación, entre este proceso organizativo de los pueblos y lo que estaba pasando abajo a nivel nacional e internacional. Y la última gran sorpresa es la receptividad que hubo al principio en todos los medios de comunicación (aunque la mayoría se fue cerrando conforme pasaban los años) para que se supiera lo que realmente estaba ocurriendo en las comunidades indígenas, no sólo de Chiapas sino de todo México.

Yo pienso que el acierto más grande que hemos tenido es la disposición y la capacidad de aprender, primero de aprender a pelear, de aprender a reconocer al enemigo, de aprender a reconocer al que no es enemigo, de aprender a hablar, de aprender a escuchar y aprender a caminar junto con otros, de aprender a respetar y a reconocer la diferencia. Y, sobre todo, de aprender a vernos a nosotros mismos como somos y como nos ven otros. Eso, pienso, es el acierto más grande de los zapatistas: hemos aprendido a aprender, aunque parezca lema pedagógico.

La autocrítica, lo que no se volvería a hacer

Si pudiera regresar el tiempo, lo que no volveríamos a hacer es permitir y... promover... que se haya sobredimensionado la figura de Marcos.

Qué más no volveríamos a hacer. Pienso, honestamente, que todo lo que hicimos, bien y mal, lo hicimos pensando —después de valorar— que en ese momento esa decisión era la mejor. Si entonces hubiéramos valorado otras cosas que no vimos, quizá habríamos tomado otra decisión, pero en ese momento no podíamos haber hecho otra cosa. Hicimos lo que pensamos que podíamos hacer. Unas veces nos equivocamos y otras acertamos.

El aprendizaje

Entre las muchas cosas que hemos aprendido está la riqueza de la diversidad.

La gran ventaja de haber entrado en contacto con la sociedad civil es haber entrado en contacto con muchos pensamientos y no con uno sólo. Y eso nos ha permitido construir el pensamiento de que, frente a la homogeneidad y a la hegemonía, es preferible el respeto y la convivencia con los diferentes. Otra cosa que hemos aprendido es a valorar y a respetar, y a tomar en cuenta, siempre, la nobleza de la mayoría de la gente, que se ha entregado en diferentes ocasiones fundamentales para la vida del ezln y de las comunidades indígenas sin pedir nada a cambio, y no sólo, también poniendo mucho de su parte, en algunos casos arriesgándolo todo para apoyar una causa que consideran justa.

El proceso de encuentro con ella, con la sociedad civil, lo platiqué en partes de la Treceava Estela de Chiapas, pero se puede resumir en esto: ha sido un encuentro marcado por el aprendizaje nuestro y el aprendizaje de la sociedad civil para reconocernos mutuamente, y reconocernos a nosotros mismos. Ir construyendo un lenguaje, un puente de comunicación, una forma de entendernos.

La palabra como arma y el silencio como estrategia

Nos damos cuenta del valor de la palabra, en realidad, hasta los diálogos de Catedral o un poco después. Ahí empezamos a aventar muchas palabras, sobre todo a través de los medios de comunicación, y luego vimos que producían buenos resultados. El silencio lo venimos a descubrir más adelante, a la hora que descubrimos que el gobierno estaba más interesado en que habláramos, no importaba que mentáramos madres, pero que dijéramos algo porque pensaba que así sabía lo que estábamos haciendo. Y cuando estamos

en silencio no sabe qué estamos haciendo. Un ejército que ha usado la palabra de una manera tan fundamental como arma, cuando calla, les mueve a preocupación. No sabría precisar cuándo mero el silencio adquiere peso… Es definitivamente con Zedillo, por allá del 1996-1997, cuando se construyó, pero donde tuvo más efecto fue en 1998, precisamente justo antes del segundo encuentro con la sociedad civil, que se hizo en San Cristóbal de las Casas.

El camino de la palabra

La Guerra, el Diálogo de San Cristóbal, la Convención Nacional Democrática, la primera Consulta Nacional por la Paz, el diálogo de San Andrés Sacamch'en de los Pobres, los Foros Especiales sobre Derechos y Cultura Indígenas y sobre la Reforma del Estado, los Encuentros Continental e Intercontinental por la Humanidad y contra el Neoliberalismo, la construcción del Frente Zapatista de Liberación Nacional, la participación en el nacimiento del Congreso Nacional Indígena, la salida de la Comandante Ramona a la ciudad de México, la marcha de las 1111 bases de apoyo zapatistas, la Consulta Nacional e Internacional por el Reconocimiento de los Pueblos Indios, que incluyó el recorrido de 5 mil zapatistas por todo el territorio nacional, la Marcha del Color de la Tierra y, finalmente, la instalación de las Juntas de Buen Gobierno y el nacimiento de los Caracoles, entre muchos otros eventos, llamados, saludos y convocatorias.

Se trata de iniciativas públicas, aunque faltan algunas que no tuvieron eco o fueron de menor repercusión, que se construyen con base en, o que tienen como columna vertebral, el proceso de organización de los pueblos zapatistas, en el desarrollo de sus formas organizativas. Estamos hablando de una organización que está de tal modo fusionada con su pueblo, con su base de apoyo, que difícilmente puede sacar una iniciativa

274

aparte de, que no implique o no tenga relación con esa base social. Entonces, digamos, en esa línea de la palabra, en esa línea de fuego, el proceso de construcción y de avance y de construcción de las formas organizativas de las comunidades zapatistas, tiene que ver mucho con el reconocimiento del otro, en este caso de la sociedad civil. Entonces, buena parte de las iniciativas mencionadas, son los intentos, acabados o no, con éxito o sin éxito, con los que las comunidades del ezln tratan de construir la interlocución y el diálogo ida y vuelta con unos y con otros.

En la construcción de esa interlocución, en ese saber cómo es el otro y mostrarnos nosotros como somos, al mismo tiempo, el EZLN —junto con las comunidades— está construyendo la legitimidad de su movimiento, explicando sus causas, las condiciones que lo originaron, sus formas organizativas, e invitando a cada quien no a que nos siga sino a que siga su propio camino, que, como dicen, de acuerdo ambos (o los varios) que vayan a ser o que sean.

A veces la interlocución con la sociedad se da por sector, dada la raíz indígena del ezln, muy marcadamente con los pueblos indios. También, debido al impacto que tuvo el ezln y la repercusión y apoyo internacional que recibió, se le pone especial acento a la interlocución con personas y movimientos a nivel internacional. Más en general, con la sociedad civil —así sin definir una clase o un sector social específico. Siempre dándole preferencia a la interlocución con indígenas, con mujeres y con jóvenes. La estrategia, hasta entonces, hasta donde se puede decir, es construir la legitimidad de un movimiento, conocer al otro, conocer su medio, conocer la situación a nivel nacional e internacional.

Balance del diálogo de San Cristóbal de las Casas y Carlos Salinas de Gortari

Carlos Salinas de Gortari es un ladrón cínico, es lo que lo define entonces y ahora. El primer diálogo con su gobierno en San Cristóbal, nos sirvió

a nosotros como medio para mirar a otro lado. En ese momento empezó la estrategia del EZLN de voltear la silla, es decir, acabar con el esquema de ventanilla en los diálogos gubernamentales y aprovechar esos espacios para dialogar con los otros, con la gente, con la sociedad civil como decimos nosotros.

En el caso del diálogo de la Catedral en San Cristóbal de las Casas, como no teníamos el modo y ni nos imaginábamos cómo le íbamos a hacer para dialogar con la sociedad civil, entonces el diálogo se dio sobretodo con los medios de comunicación, esperando que la gente, la sociedad civil, se enterara a través de ellos, de lo que queríamos decir: esto soy, esto es lo que quiero y esto es lo que fui, para decir eso sirvió el diálogo de Catedral.

Fue un diálogo que nos sirvió de mucho; fue muy desgastante porque fue muy intenso. En pocos días mucho trabajo y a la distancia pensamos que el desenlace fue bueno, porque como resultado de este diálogo más gente nos conoció, más gente se aclaró bien. Esas eran nuestras intenciones y nuestros propósitos y fue el punto de partida para que el ezln construyera la legitimidad que ahora tiene.

Diálogos de San Andrés y Ernesto Zedillo Ponce de Léon

Zedillo es un criminal que, aparte, es economista o pretende serlo. El balance del diálogo de San Andrés, con su gobierno, es muy positivo para nosotros, porque permitió darle una estructura más acabada a lo que intentábamos en San Cristóbal. Conseguimos que en la mesa se sentaran todos los que pudimos invitar y representó, en esa parte, sin tomar en cuenta todavía los acuerdos, una experiencia que todavía no ha sido valorada ni en México ni en el mundo. Una experiencia de diálogo, de encuentro de una fuerza que no pretende la exclusividad de una mesa en la que se está respondiendo a su demanda, sino que invita a todos. Esto ya se ha escrito en algunos lados.

El principal aporte de San Andrés es la manera en que se construye el diálogo entre el gobierno y el EZLN. Pero, además, del lado del EZLN se abre la puerta para otros lados, incluso para organizaciones y planteamientos muy críticos o hasta rivales del EZLN.

En lo que se refiere a los acuerdos alcanzados sobre Derechos y Cultura Indígenas, significaban la concreción del punto fundamental que el alzamiento de enero de 1994 puso en la agenda nacional, es decir, la situación de los pueblos indios de México. Significaron la posibilidad de incorporar no sólo las experiencias de los zapatistas, sino de pueblos de todas partes de México, y sintetizarlas en la demanda del reconocimiento constitucional de sus derechos. Precisamente por la manera en que se construyó ese proceso de diálogo, por cómo se habían construido los resultados, el cumplimiento de los Acuerdos de San Andrés significaba ni más ni menos que la salida del ezln a la vida pública. Por todo eso, como se verá después, la clase política se alió para impedir el reconocimiento de los pueblos indios, de sus derechos, y para impedir el quehacer del EZLN en la arena civil y política.

Vicente Fox, el fracaso de la clase política

En cuanto a Vicente Fox: siendo sintético diría nada más que el proceso de negociación fue un fracaso por toda la clase política, no nada más por Vicente Fox, sino por todos los poderes de la nación, por todos los partidos políticos, por toda la clase política, ese proceso fracasó. Si hubiera triunfado no sólo habría sido ejemplar para México, sino para el mundo. Habría marcado una ruptura y un precedente para orientar procesos de diálogo y negociación en todo el mundo. Pero en lugar de eso, ellos prefirieron encerrarse en su cuarto a contar el dinero del que gozan, en lugar de resolver el problema y marcar un precedente para conflictos internacionales.

278

El EZLN y la lucha indígena

Hay que tomar en cuenta que algunos sectores han dicho que el EZLN agarra la lucha indígena después del alzamiento, ya avanzado el movimiento. Según esta versión, de manera oportunista, dice por ejemplo la Asamblea Nacional Indígena Plural por la Autonomía (ANIPA), cuando el EZLN se da cuenta de que lo indígena está pegando, empieza a reorientar su discurso hacia ese rubro. La acusación es ridícula, como todo lo que hace ANIPA. Si uno toma en cuenta el acto fundamental del primero de enero de 1994, en el discurso de la Primera Declaración de la Selva Lacandona se explica quiénes somos, y se dice: "somos producto de 500 años de luchas y etcétera", y no hay ningún grupo social que pueda decir eso en México más que el indígena: ni obreros, ni campesinos, ni intelectuales pueden decir eso de estar 500 años…

La otra razón que hay que tomar en cuenta es que en un ejército que se presenta como el EZLN, donde hay dos o tres mestizos y miles de indígenas, no creo que sea necesario decir que es importante la cuestión indígena. Luego, cuando el EZLN abre a la prensa sus fronteras, por llamarlas de alguna forma, se permite el acceso de la prensa a las comunidades indígenas y hablan con la gente, todo esto en el momento en que se están realizando los combates. Esto es mucho más elocuente que cualquier declaración de esas que hacen los dirigentes de la ANIPA y sus asesores.

Sólo quienes se disputan el hueso de representar a los indígenas por puro interés económico o cuota de poder, los que se llaman los indígenas profesionales, los que viven de aparentar o fingir que son indígenas, pueden disputarle esto al EZLN. Sobre todo tomando en cuenta que el EZLN nunca se ha presentado como el representante, el líder o el conductor de todos los pueblos indios de México. El EZLN siempre ha dicho que sólo habla por los pueblos indios que están organizados dentro del EZLN, en concreto, en el sureste mexicano.

279

Bueno, además, ese señalamiento crítico o calumnia que circula en algunos sectores, se hace siempre a espaldas nuestro, nunca frente a nosotros, porque saben que no lo pueden sostener.

Siguiendo la historia, nuestra historia, cuando se están discutiendo las leyes revolucionarias en 1993, en lo que ya se estaba formando con el nombre del Comité Clandestino Revolucionario Indígena, es decir, los jefes de los diferentes pueblos indios —tzeltal, tzotzil, tojolabal, chol, zoque y mam—, se discutió si se iba a hacer hincapié en ciertas demandas indígenas del EZLN en el momento del alzamiento, y la parte que argumentó mejor y que triunfó fue la que decía que había que darle un carácter nacional, de tal forma que no se ubicara al movimiento con aspiraciones regionales o "étnicas", porque se decía que el peligro es que se fuera a ver nuestra guerra como una guerra de indios contra mestizos, y que era un peligro que había que evitar. A mi me parece que la decisión fue acertada, que la Primera Declaración de la Selva Lacandona es contundente y es clara, que la definición más clara de la cuestión indígena conforme fue avanzando el movimiento ya después de hacerse público, ya después del inicio de la guerra, fue también acertada y fue modesta. En ningún momento se pretendió encabezar ni hablar a nombre de todos los pueblos indios de México. Entonces no sé porque sacan eso —si de por sí de cualquier manera les dan el hueso, de todas formas se acomodan.

Ahora, el ezln ya de manera pública no se presenta ni se concibe a sí mismo como el parteaguas de la lucha indígena. Nosotros nos presentamos, como dice la Primera Declaración, como parte de un proceso de lucha que viene de muchos años y que está en muchas partes. En el caso de México, la lucha indígena no empieza en 1994 ni empieza en Chiapas, hay antes de enero de 1994 muchas luchas de resistencia, de experiencias valiosas en muchas partes de México, con otros pueblos indios en diferentes regiones del país. Y el ezln siempre lo ha dicho.

La mesa de San Andrés, la Mesa Uno que se refiere a Derechos y Cultura Indígenas no representó al EZLN. Si hubiéramos pensado que éramos

los dirigentes del movimiento indígena nacional, habríamos entrado nada más nosotros. Invitamos a las organizaciones, grupos, intelectuales, todos los que han trabajado y que saben cuáles son las demandas de los pueblos indios, que son diferenciadas pero que se agrupan a grandes rasgos en esto que se ha definido como la autonomía. Esto era importante marcarlo desde el principio porque al inicio del movimiento, en los primeros meses, la clase política y muchos medios de comunicación afirman que el principal problema, o que el fundamento de la cuestión indígena en México, es un problema de asistencialismo. Es decir, los indígenas son pobres y hay que darles limosna, en este caso, más limosna, más lástima.

Marcos sigue hablando a la grabadora. De pronto se empiezan a escuchar, a lo lejos, truenos de cohetes festivos. El subcomandante explica frente al micrófono: "Esto que está tronando ahora es que están dando El Grito las Juntas de Buen Gobierno. Es la madrugada del 16 de septiembre, estamos celebrando la Independencia de México. Bueno, yo no porque estoy en un rincón, pero allá está la Junta de Buen Gobierno"

El sup intenta continuar su grabación pero el ruido de los cohetes lo vuelve a interrumpir. "Sigue el cohetería, pero es por el festejo de la independencia de México frente a España, pero ya...", *se disculpa.*

Bueno, en un principio se plantea el problema indígena como un problema de pobreza material y no como lo habían planteado no sólo el EZLN, sino, mucho antes, otros pueblos y organizaciones indígenas en el resto del país, quienes lo definieron como algo más complejo que implicaba cuestiones culturales, de autogobierno, de autonomía y no meramente la falta de una limosna más sustanciosa. Al principio buena parte de la opinión pública nacional e internacional ve el problema como de "pobres inditos, hay que ayudarlos un poco, a que tengan buena casa y a que se eduquen", pensando que la educación es la forma en que el indígena deja de ser indígena, aprende español, olvida su lengua, se amestiza o se ladiniza, como se decía antes, y eso significa que ya mejoró, el momento en que dejó de ser indígena.

Entonces, digamos, esa es una primera etapa de la lucha indígena. Se reconoce que en México y en el mundo las condiciones de vida de los indígenas son desastrosas, prehistóricas. Y se compara su situación con el proyecto de Salinas de Gortari, un proyecto de ingreso al primer mundo, el de un país capaz de darle batería a la globalización. Pero, evidentemente, el problema indígena no estaba sólo en esa comparación.

En la segunda etapa, que es alrededor de los diálogos de San Andrés, se pueden agrupar todas estas experiencias y demandas que hay en el momento en que el ezln renuncia explícitamente —y lo cumple— al papel de vanguardia o de cabeza de ese movimiento indígena rico y muy variado. La gente entonces se da cuenta que el problema indígena no es sólo un problema económico, es también cultural, político y social. Y empiezan a plantearse las experiencias que hay en otros lados, comienzan a darse a conocer y a articularse en lo que son los Acuerdos de San Andrés, donde ya se incluyen demandas de autonomía, de autogobierno, culturales. Esto es lo que va a articularse luego en los municipios autónomos zapatistas y en las Juntas de Buen Gobierno, no sólo como producto de la experiencia zapatista sino que, ahora sí, recogiendo todo lo que habíamos aprendido de nuestro contacto con el movimiento indígena nacional, y en algunos casos con el movimiento internacional.

En esta segunda etapa, el movimiento indígena construye en México, junto con el EZLN —no dirigido por él—, esa especie de puente o de causa común que une a todos, que serían los Acuerdos de San Andrés, el reconocimiento constitucional de los pueblos indios para gobernar y gobernarse y decir un montón de cosas. Porque en el momento en que se plantean las cosas sólo a nivel asistencialista, es donde el pri, el pan y el prd, ven un filón: bueno —dicen— si se trata de dar más dinero está bien, nosotros nos quedamos con una parte y les damos otra, así compramos

282

votos, etcétera. Pero en el momento en el que se plantean las demandas de los pueblos indios en cuanto a organización política y formas de gobierno, los partidos políticos no están de acuerdo, como lo demostraron en el Congreso de la Unión y ahora en sus campañas.

Entonces, pues, en la segunda etapa se empieza a construir un consenso sobre las demandas indígenas. En la tercera etapa, que va de la firma de los Acuerdos de San Andrés a la Marcha del Color de la Tierra, se empiezan a generalizar estas demandas, a difundir al interior del movimiento indígena nacional y también al exterior, a la sociedad civil, a los medios de comunicación, por medio de otras organizaciones sociales. Esa tercera etapa acaba cuando el Congreso de la Unión legisla en contra de esos derechos con el apoyo del Ejecutivo, y luego esa decisión es avalada por la Suprema Corte de Justicia de la Nación. En ese momento se acaba esa etapa y empieza la etapa en la que estamos. En resumen: en la primera etapa se plantea la necesidad de ciertos derechos; en otra etapa se demanda el cumplimiento de esos derechos y en la última etapa se ejercen esos derechos, es en la que estamos ahora.

La clase política

El EZLN sale a la luz pública y, deslumbrado por esa salida, empieza a tantear y a reconocer el terreno de quién es quién realmente. No sólo respecto a la clase política, pero también respecto a la clase política, el ezln estaba aprendiendo.

Una organización que da tanto valor a la palabra, da por sentado que del otro lado ocurre lo mismo y tardamos un tiempo en entender que no, que precisamente para la clase política la palabra no tiene absolutamente ningún valor. Pero para que aprendiéramos esto pasaron varias lunas, como dice un compa.

Entonces, ahí nos fuimos tanteando, fuimos hablando con varios sectores y lo primero que aprendimos de este periodo fue que para el

político la palabra no tiene ningún valor. Lo segundo que aprendimos es que no hay principios, ya no digamos morales, no hay ningún principio político que sostengan. Un día dicen una cosa y después otra. Incluso ven mal a quien hace lo contrario. Me refiero en general a toda la clase política sin importar a qué partido político pertenezca. La diferencia entre unos y otros puede ser que hay algunos honestos, es decir, que no roban. No me refiero a su ser consecuentes, que serían los menos. Lo que los hace políticos, ese desprecio por la palabra empeñada, esta falta de principios y de horizonte político es en general para todos, no haría ninguna distinción. Son lo mismo en cuanto a que no hay principios ni tienen moral. Pueden ser un día de derecha si por ahí va el *rating* o ser de izquierda si cambió el *rating*, o pueden ser de centro. Por eso la búsqueda del centro, porque así es más fácil correrse de un extremo al otro. Aunque hay partidos que hacen eso con gran versatilidad.

Todo esto lo fuimos aprendiendo poco a poco. Todavía con la amargura de saber a qué nos enfrentábamos, tratamos con la Marcha del Color de la Tierra de obligarlos de alguna forma a que sentaran cabeza o que se dieran cuenta, ya no confrontados con el ezln sino con todos los pueblos indios y con una movilización nacional e internacional como fue la Marcha del Color de la Tierra. Aún así se portaron como políticos.

El principal aprendizaje durante esta década es que con la clase política mexicana no hay nada que hacer, definitivamente, ya ni reírse, pues.

Los cambios entre el México de 1994 y el de ahora

Hay una diferencia fundamental entre el México de hoy, 2003, y el de 1994. Ya hubo el inicio de una guerra y empezaron a pasar cosas a partir

284

de enero de 1994, cosas que no habían pasado en mucho tiempo en la historia del México moderno: el asesinato del candidato presidencial del partido en el poder, el asesinato del secretario del partido que está en el poder, los ajustes internos disfrazados de pugnas judiciales y de acusaciones, la derrota del PRI después de tantos años. Todo eso dentro de la clase política.

Al mismo tiempo, por otro lado, la gente también enfrenta un proceso. Ahora la gente es más crítica, más dispuesta a participar y a movilizarse, que hace años. Pero, gracias a la labor de zapa de la clase política, ahora la gente es también más escéptica, pero ese escepticismo no es como antes, que decían "siempre gana el PRI". Ahora hay algo de rencor y de coraje en la mayoría de la gente en contra de la clase política.

Y lo que está ocurriendo es que los medios de comunicación (la mayoría de ellos) están abrazando a la clase política, sin darse cuenta que el vuelo es de caída y no de ascenso. Sin darse cuenta de que el descrédito, la falta de credibilidad, de interés, y el rencor que está acumulando la clase política, lo están acumulando también los medios de comunicación que, entusiasmados en su nueva labor de Ministerio Público, olvidan que a quien llevan del brazo es alguien ilegítimo. La legalidad no tiene ningún sustento si carece de legitimidad.

El cambio fundamental lo hemos visto en la gente. En cuanto al sistema político, la alternancia es un cambio pero no significa de ninguna manera democracia, y las últimas elecciones lo demostraron porque estuvo ausente el ciudadano. El modelo económico que tenía el PRI en 1994 no sólo continúa, sino que se ha profundizado. Ahí está el despojo a los fundamentos de la soberanía nacional. En lo social se acelera el proceso de descomposición, precisamente con políticas económicas que destruyen el tejido social. Ahí está el cinismo de la clase política que no tiene ninguna alternativa real para la mayoría de la gente.

En resumen, tanto en lo político como en lo económico y social, México está en una crisis más profunda que la que tenía en 1994.

El mundo entre 1994 y 2003

El mundo que encontramos en enero de 1994 sí pensábamos o adivinábamos cómo iba a ser. Ya se había dado el derrumbe del campo socialista y la lucha armada en América Latina no era muy popular, ya no digamos en otras partes del mundo. Eso ya lo esperábamos. Pero el avance que había tenido el neoliberalismo y la globalización en todo el mundo resultó una sorpresa, porque entonces detectamos no sólo que había avanzado el proceso de destrucción y reconstrucción que hemos mencionado en algunos de los textos, sino que también había avanzado el nacimiento y el mantenimiento de formas de resistencia y de lucha en todo el mundo. Las internacionales socialistas o comunistas, o esas redes internacionales mutuas para oponerse al capitalismo, habían desaparecido, pero habían surgido focos de resistencia en varios lados y se estaban multiplicando. A eso se debe que el alzamiento haya tenido receptividad en una parte importante de la comunidad internacional, en gente organizada o con ganas de organizarse. Y me refiero a algo más allá del sentimiento de lástima o de

conmoción, legítima, por cierto, de emoción frente a lo que significaba el alzamiento del EZLN y, a través de él, poder conocer las condiciones indignantes en las que vivían los pueblos indígenas antes de ese primero de enero de 1994. Eso fue para mucha gente; para otros, aparte de esto, significó una apuesta política seria.

Ese mundo que encontramos en 1994, si bien lo imaginábamos, no lo alcanzábamos a entender, y por eso no alcanzamos a entender la receptividad que tuvo en muchos grupos, sobre todo en grupos de jóvenes de todas las tendencias políticas y concepciones. No alcanzábamos a entender porqué el movimiento zapatista provocó esta simpatía y que se crearan comités de solidaridad prácticamente en los cinco continentes.

El mundo que hay hoy, diez años después, está más polarizado. Es lo que nosotros preveíamos, que la globalización no estaba produciendo la aldea global sino un archipiélago mundial que se está agudizando, y no sólo en cuanto a los intereses económicos, políticos y sociales de esta gran sociedad, del poder en general, como decimos nosotros, de este reparto, conquista y destrucción del mundo, sino también en cuanto a lo que se refiere a la resistencia, a la rebeldía que está creciendo de manera autónoma, independiente, no como línea de consecuencia, no como una resistencia que se pueda llevar a todas partes del mundo, sino que está adquiriendo su modo en cada lugar.

El movimiento antiglobalización. No fuimos los primeros

El movimiento antiglobalización o, como ahora se dice, alterglobalización —porque no se trata de oponerse a que el mundo sea mundo, sino de crear otro mundo, como se dice por ahí— no pensamos que sea un movimiento lineal, con antecedentes y consecuentes, ni que tenga que ver con situaciones geográficas y de calendario, de fechas, de decir que primero fue Chiapas, luego Seattle y después Génova y ahora Cancún. No es que uno preceda al otro y lo herede.

287

Nosotros concebimos nuestro movimiento, y lo declaramos en 1994 a medios internacionales, como un síntoma de algo que estaba pasando o que estaba por suceder. Usamos entonces la imagen del iceberg, somos, dijimos, la punta del iceberg que está asomando y pronto asomarán puntas por otros lados, de algo que está abajo, que se está gestando y que está por reventar, decíamos entonces.

En ese sentido, Chiapas no precede a Seattle en tanto que lo anuncie o Seattle sea la continuación. Seattle es otra manifestación de esa rebeldía mundial que se está gestando fuera de los partidos políticos, fuera de los canales tradicionales del quehacer político. Y así cada una de las manifestaciones, y no me refiero a las que han seguido a la Organización Mundial de Comercio y que se han convertido en su pesadilla más cotidiana, sino a otro tipos de manifestaciones o movilizaciones o movimientos más duraderos en contra de esa globalización de la muerte y de la destrucción.

Somos más modestos en cuanto a nuestro lugar. Somos un síntoma y pensamos que nuestro deber es mantenernos lo más posible como asidero y referente, pero no como un modelo a seguir. Por eso nunca hemos disputado, ni lo haremos, decir que el principio fue Chiapas y los Encuentros Continental e Intercontinental. La rebeldía que hay en Chiapas se llama zapatista, pero en Seattle se llama de otra forma, en la Unión Europea de una forma y en Asia de otra forma, en Oceanía de otra. Incluso dentro de México, en otras partes la rebeldía se llama de otra forma.

Nosotros vemos muy bien ese movimiento alterglobalizador, en el sentido en que no repite el modelo vertical de toma de decisiones, de arriba hacia abajo, y esto le ayuda a que no tenga un comando central, órganos de dirección o algo así. Y que el movimiento haya sabido respetar las diferentes formas que se manifiestan en su interior, los pensamientos, las corrientes, los modos, los intereses y la forma en que se toman sus decisiones.

Por lo poco que sé de Cancún hasta ahora, por lo que aparece en la prensa, particularmente en el periódico *La Jornada*, se vé que esta dinámica se mantiene y que sigue siendo un movimiento plural, no muy masivo,

pero se entiende porque se trasladan de todas partes del mundo. No es lo mismo movilizarse aquí, en Chiapas, por alguien que está muy cerca, que movilizarse por alguien que está en Corea del Sur, por mencionar el ejemplo ahora más candente. Pero sigue estando esta pluralidad de intereses, esta diversidad y esta riqueza, y también esas formas de lucha y de manifestarse.

En este sentido vemos que el movimiento antiglobalización o alterglobalización sigue siendo rico en experiencias, todavía tiene mucho que aportar y pensamos que va a dar mucho, siempre y cuando no caiga en la tentación de las estructuras o de las pasarelas. Es decir, el riesgo que hay siempre es que un movimiento se convierta en una pasarela de personalidades, sin que esas personalidades tengan respaldo de movilizaciones en sus lugares.

Nosotros pensamos que ese movimiento se está traduciendo ya no sólo en la crítica al modelo que representa, en este caso, la OMC, sino que, en muchos aspectos, se están construyendo alternativas no en el papel, sino en formas de organización social en varios lugares, donde ya se puede decir que hay gérmenes de ese otro mundo posible.

Se dice que diversos movimientos tanto de México como de otras partes del mundo, han visto en el zapatismo un ejemplo de lucha e, incluso, que algunos han retomado sus principios para la construcción de sus propias resistencias.

Nosotros les decimos: a los que siguen el ejemplo que no lo sigan. Pensamos que cada quien tiene que construir su propia experiencia y no repetir modelos. En ese sentido, lo que les ofrece el zapatismo es un espejo, pero un espejo no eres tú, en todo caso te ayuda sólo para ver cómo te ves, para peinarte de esta forma, para arreglarte. Entonces, les decimos que vean en nuestros errores y aciertos, si es que los hay, las cosas que les puedan servir para construir sus propios procesos, pero no se trata de exportar el zapatismo o de importarlo. Pensamos que la gente tiene la suficiente valentía y sabiduría para construir su propio proceso y su propio movimiento, porque tiene su propia historia. Eso no sólo hay que saludarlo, sino que hay que propiciarlo.

Los retos, los errores, las apuestas ¿Qué sigue?

O sea que quieren el programa de acción…Mhhhm… Primero hay que aclarar que no todas las convocatorias ni iniciativas zapatistas tuvieron respuesta masiva de la sociedad civil nacional e internacional. Nosotros pensamos que cuando esto ha ocurrido no ha sido culpa de la gente, sino que fueron errores, en este caso míos, porque es mi trabajo, porque aquí en el EZLN los errores se conjugan en primera persona del singular y los aciertos en la tercera persona del plural. Por mencionar dos de esas convocatorias zapatistas que no tuvieron respuesta masiva, están, por un lado, la de "Una oportunidad a la palabra", referente a la problemática del País Vasco, que era también con lo que se iba a abrir la incursión del ezln en Europa; y la otra se refiere al momento en que se difundía en los medios la guerra de Estados Unidos contra Irak. En ese contexto nosotros hicimos un llamado para firmar un manifiesto que hicieron un grupo de intelectuales. Llamamos a la gente a organizar mesas, discusiones, pero no tuvo eco. En esas dos convocatorias no hubo respuesta masiva, cuando menos en esas dos, pero puede haber más por ahí. Esto es para decir que no a todo le he atinado, porque los errores son en la primera persona del singular.

Pero en realidad este apartado está interrogando sobre el qué sigue, y el objetivo del ezln ahora no es otro que consolidar ese ejercer los derechos de las comunidades, porque, como explicaba al principio, el eje fundamental o la columna vertebral de estos dos brazos o líneas de acción, la del fuego y la de la palabra, es el eje de la organización política y el desarrollo de esa organización política, social y cultural que hay en las comunidades. Y ahora se trata de las Juntas de Buen Gobierno y los municipios autónomos. Ahí hay un paquete.

290

Como quiera la apuesta está claramente definida en los discursos de la Comandancia el día 9 de agosto, el día en que mueren los Aguascalientes y nacen los Caracoles. Hay apuestas en lo internacional. Hay una apuesta muy clara en lo nacional, que trata de generalizar estas formas de autogobierno o autogestionarias (que aquí son posibles de una forma) en otros lados.

Del gobierno y de la clase política no vale la pena ocuparse mucho, puesto que tampoco se ocupan de uno. Entonces no hay que desvelarse mucho por ese lado.

Los pueblos zapatistas, la resistencia

A grandes rasgos, eso que sería la columna vertebral del movimiento zapatista, lo que se refiere al proceso de organización de los pueblos, podría agruparse así:

Hay que remontarse al momento en que los pueblos se organizan en una organización político-militar y lo que eso implica, siempre en colectivo. En este caso, pasando del núcleo familiar al de la comunidad. Luego de la comunidad a la región con varias comunidades, y luego de la región a la zona con varias regiones, luego de la zona a todo el EZLN, a los diferentes pueblos indios que se agrupan.

Ya después del alzamiento, debido al contacto que se tiene con la sociedad civil nacional y marcadamente con la sociedad civil internacional, los pueblos enriquecen su experiencia cultural, su horizonte, como decimos nosotros, y pueden enfrentar ya con más comodidad, ya alejados de la tentación del fundamentalismo étnico —ese que es tan caro y tan querido por ANIPA— un proceso de autogobierno, nada más que éste queda un poco retenido porque es parte de las demandas nacionales.

291

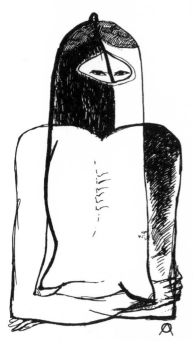

Digamos que se empiezan a construir las formas más avanzadas de autogestión y de autogobierno, que ya funcionaban a nivel comunitario incluso antes de que el EZLN llegara a Chiapas, pero luego avanzan a un estadio más avanzado, al de los municipios autónomos, alrededor de 1995 y 1996, pero este avance se da de forma irregular. Algunos municipios tienen más experiencia en ese proceso de autogobierno, lo construyen y es producto de su propia lucha y de su propio desarrollo, y es ahí donde jalan al EZLN para que aprenda y se vaya adecuando.

En otros lugares no ocurre así, son lugares en los que se supone que había municipios autónomos pero no operaban realmente. En otros lados sí se desarrollan como un gobierno, y con la característica de que manden obedeciendo, con cambios de funcionarios, remoción, sanciones por corrupción, etcétera. Todo esto, en nuestro caso, en las comunidades zapatistas, no es palabra o promesa o utopía, sino que es una realidad, y tampoco es aporte nuestro, es aporte de las comunidades desde antes de que nosotros llegáramos. Esto se va desarrollando cada vez más pero de forma dispareja.

De dos años a la fecha, después de que el Congreso de la Unión y de que el Ejecutivo federal traicionaron la movilización nacional e internacional a favor de los derechos y la cultura indígena, se empieza a tratar de emparejar el desarrollo de los municipios autónomos, se empiezan a consolidar los que ya están, a desarrollarse los que van un poco para atrás, y, a partir de la declaración de la Suprema Corte de Justicia que cancelaba este reconocimiento, se empiezan a encaminar hacia esa nueva etapa que llamamos las Juntas de Buen Gobierno, que son relaciones intermunicipales entre municipios autónomos para resolver problemas que se fueron detectando a lo largo de su existencia.

Como decía yo en Las Estelas —los remito a ellas—, particularmente en la Treceava Estela, todo esto se da en un proceso de guerra, de persecución, de hostigamiento y de ataques de paramilitares, de campañas en los medios muy fuertes en contra, de enfermedades, de catástrofes naturales, y todo lo que se pueda imaginar como obstáculo.

Todo esto enfrentaron los pueblos zapatistas, y aún así, construyen esa alternativa de buen gobierno que son las Juntas, aunque falta ver si lo cumplen, como decimos nosotros.

Se han organizado de manera colectiva. Esto es fácil de decir pero difícil de entender y más de llevar a cabo. Aquí lo que ayuda mucho es la experiencia ancestral, ahora sí que viene de siglos, de las comunidades, primero para desarrollarse dentro de sus culturas y luego para sobrevivir los diferentes intentos de aniquilamiento y de etnocidio que han sufrido a lo largo de la historia, desde el descubrimiento de América hasta nuestros días.

Esa manera colectiva que les permitió desarrollarse cultural, social y económicamente, luego sobrevivir a La Conquista, a La Colonia, al México independiente y al México moderno, es lo que luego les permite construir la resistencia según el modo de las comunidades. El aspecto fundamental de esa resistencia es que es posible porque es colectiva, y además tiene la ventaja de que debido a esta interlocución que construyó el zapatismo con la sociedad civil nacional e internacional, la resistencia empezó a generar la posibilidad de construir una alternativa, y no sólo se trataba de resistir hasta que un día se cumplieran los acuerdos, sino que paralelo a eso resistir, ir construyendo los medios de cumplimiento o de ejercicio de esos derechos que se estaban demandando.

Lo que hace que los zapatistas no se rindan a los diferentes gobiernos, a los ofrecimientos, es la experiencia, la historia y la conciencia de esa historia. Todo lo que ha pasado antes, las palabras, las promesas y lo que ocurre después de esas promesas, nos hace creer firmemente, siempre, que están tratando de engañarnos. Por eso no estamos pidiendo que nos den, sino que nos dejen hacer sin que dejemos de ser lo que somos, indígenas y mexicanos.

El mismo colectivo, el trabajo político, el control que se hace, el desarrollo de las formas de comunicación que tenemos al interior de nuestras comunidades, hace que sea posible que la comunidad arrope a todos y cada uno de sus integrantes, que por voluntad propia deciden mantenerse en la resistencia.

Acabamos de hacer una investigación, y los pueblos priístas no están en mejores condiciones de vida que las comunidades zapatistas, por poner un caso. Las comunidades rebeldes zapatistas, no todas, son las únicas que cuentan con el servicio de salud gratuito. No hay ninguna comunidad, aparte de las zapatistas y aunque no sean todas, que pueda decir lo mismo.

En educación, no se trata de que si pagan o no, sino de que si tienen o no, y las comunidades zapatistas, así en promedio, tienen más centros educativos que las comunidades priístas. Eso en lo que se refiere a salud y educación. La alimentación, esa sí es igual para uno y otro. La ayuda que les da el gobierno a los priístas se la gastan en trago y no mejoran en nada su alimentación ni su vestido. En cuanto al problema de la tierra, ese es parejo para todos, aunque el hecho de que el zapatismo propicie, promueva y aliente la producción colectiva, ha permitido, un poco, que la situación no se agudice tanto como en las comunidades priístas.

No estamos en las mejores condiciones, pero estamos mejor que antes del alzamiento. Además, estas mejoras no son producto de las limosnas o de habernos vendido, sino producto de la organización interna de las comunidades, de la organización entre comunidades y del apoyo heroico de la sociedad civil nacional e internacional.

No es lo que queremos, falta mucho para lograr lo que queremos, pero estamos en mejores condiciones que antes del alzamiento y, además, con la convicción de que nuestra pobreza y nuestras carencias tienen rumbo y tienen fin, o sea, tienen una esperanza que las alimente.

Las mujeres en el EZLN

En cuanto a la lucha de las mujeres indígenas rebeldes, de su triple marginación por ser mujeres, indígenas y pobres, las compañeras se organizan en dos niveles. Históricamente, digamos que las mujeres de las comunidades estaban más marginadas, hechas a un lado, y en el momento en que algunas jóvenes indígenas se van a la montaña y se desarrollan más, eso trae consecuencias en las comunidades.

En ese entonces, las insurgentes estaban más avanzadas o en mejores condiciones como mujeres, que las mujeres de las comunidades. Pero este impacto que se produce en las comunidades empieza a tener su desarrollo. Y ahora en las comunidades este proceso de organización también ha avanzado mucho, aunque dista de lo que debe ser.

En lo que se alcanza a ver así, a grandes rasgos, uno es que en los puestos de dirección, en zonas donde no había mujeres comités, comandantas, como en la zona tzeltal, de dos o tres años para acá ya hay compañeras, porque las mujeres de los pueblos se organizaron para elegir a sus propias representantes o responsables, como decimos nosotros. Esto pasa desde hace mucho en la zona tzotzil. Pero en otras partes, es hasta hace dos o tres años cuando se empiezan a aparecer más mujeres. Se puede detectar más en el momento en que se empezó a generalizar el sistema educativo zapatista, en el que las mujeres, las niñas que por lo regular se la pasaban en la cocina o cuidando a sus hermanitos, ya asisten a la escuela, aunque todavía no logramos generalizarlo.

Ya prácticamente es inexistente el casamiento por compra, o sea, que a una compañera la casen con alguien que no quiere. Cuando menos en comunidades zapatistas. Pero aún sigue existiendo la violencia intrafamiliar contra las mujeres, el hostigamiento sexual, aunque no existe esa figura en las legislaciones de las comunidades. Lo que pasa es que ahí no puedo decirlo yo, sino que las mujeres dijeran los problemas que están enfrentando.

Como EZLN nosotros pensamos que este movimiento de liberación, de emancipación de la mujer, tiene que ver mucho con las condiciones materiales, es decir, no puede ser independiente y libre la mujer que depende económicamente del hombre. En ese sentido, el avance de las cooperativas indígenas de mujeres les permite a ellas tener un ingreso y tener la independencia económica, les permite hacer muchas cosas que antes no se podía. Y eso se está tratando de generalizar, aunque no siempre a nivel de cooperativa, pero se trata de propiciar que las compañeras puedan trabajar u obtener un ingreso que les dé más independencia, y que eso propicie otras cosas. Pero de eso estamos muy lejos todavía, porque tiene que ver mucho con las condiciones económicas de las comunidades zapatistas.

Nosotros vemos que hay más participación de mujeres en el CCRI. De tres años a la fecha, el porcentaje de comandantas ha crecido hasta llegar a más del treinta por ciento, y antes andaba entre el 10 y el 15 por ciento en todo el comité. Ahora sí hay comandantas de todos los pueblos indios y antes no era así. Participan más, tienen sus reuniones aparte. Yo percibo más respeto de los comandantes hacia las comandantas, cosa que no pasaba, pero falta todavía mucho. Esperamos que algún día podamos dar buenas cuentas respecto a esto.

Los retos de las Juntas de Buen Gobierno

El principal reto es el que hemos enfrentado todos: el aprendizaje. Las Juntas de Buen Gobierno están ahora en ese proceso de aprendizaje, donde van a tener que delimitar bien sus funciones respecto de los municipios autónomos, porque en estos primeros días se han dado casos de invasión de funciones. Está pasando que las Juntas de Buen Gobierno empiezan a tomar decisiones que le tocan al municipio autónomo y, en otros casos, funciones que sí les tocan las delegan a los municipios autónomos.

Están ahora en el proceso de asentamiento, de definir su horizonte y su radio de acción con los municipios autónomos, con otros municipios que no son zapatistas y con otras Juntas de Buen Gobierno. Entonces, se están organizando ahorita para ese aprendizaje. Están en cada lugar representantes de cada municipio autónomo, acompañados por una delegación del CCRI de cada zona que les explica y les ayuda a explicar a cada gente que llega. El papel del CCRI es que todo sea transparente hacia las comunidades, que sepan qué es lo que se está haciendo en cada momento, qué dinero se está recibiendo, a qué se está destinando, para que pueda ejercerse ese mecanismo de vigilancia que ha dado resultado por siglos, donde el colectivo vigila que el individuo no se corrompa, etcétera.

El problema que se está encontrando ahora es que la gente que viene a hablar con las Juntas de Buen Gobierno piensan que ellas son el EZLN, y les hacen preguntas que corresponden al ezln y no sobre las formas de gobierno. Y no hay que olvidar que hay más comunidades zapatistas que las que están organizadas en municipios autónomos y en Juntas de Buen Gobierno. Hay comunidades indígenas que no han alcanzado la cohesión, o no alcanzan a tejer todavía territorialmente la capacidad para ser un municipio autónomo, y mucho menos para tener una Junta de Buen Gobierno y, proporcionalmente, son mayoría las que no tienen representación autónoma en un municipio o en una Junta de Buen Gobierno.

Entonces, pensar que el EZLN es igual a Junta de Buen Gobierno es todavía no acabar de entender lo que plantea el ezln y por lo tanto, demandarles a las Juntas de Buen Gobierno posiciones, opiniones, funciones que competen al EZLN, a la organización que agrupa a los pueblos en resistencia. Eso es algo que todavía tiene que aprender la otra parte, la sociedad civil.

Nosotros pensamos que todo esto se va a resolver con esa capacidad de la que hablé al principio, de la que nos enorgullecemos los zapatistas, la capacidad de aprender.

Créditos fotográficos por página

Adrian Mealand. 4-5
Angeles Torrejón. 180, 185
Antonio Turok. 2-3, 93, 265
Araceli Herrera. 78-79, 116
Arturo Fuentes. 193, 197, 201, 205
Carlos Cisneros (*La Jornada*). 84, 89
Carlos Ramos Mamahua (*La Jornada*). 198
Eduardo Verdugo. 6-7, 235, 240
Eniac Martínez. 172, 219, 225
Francisco Olvera (*La Jornada*). 208
Frida Hartz (*La Jornada*). 86, 153,
Georges Bartoli. 130 arriba, 162
Heriberto Rodríguez (*La Jornada*). 99, 112, 188, 276
Jesús Ramírez. 10-11, 24-25, 36, 40, 76
José Carlo González (*La Jornada*). 130 abajo, 169, 194,
José Núñez (*La Jornada*). 104, 254-255
Marco Antonio Cruz. 90
Patricia Aridjis. 62
Pedro Valtierra (*La Jornada*). 94 arriba, 146
Simona Granati. 143, 214, 249
Víctor Mendiola (*La Jornada*). 94 abajo
Yuriria Pantoja Millán. 30, 48, 69, 74, 109, 111, 123, 176

Edición fotográfica:
Yuriria Pantoja Millán
Cuidado de la edición:
Priscila Pacheco
Ilustraciones:
Antonio Ramírez y Domi
Diseño:
Efraín Herrera

Forros:
Diseño: Yuriria Pantoja Millán
Imagen: Creación Gráfica
Arnulfo Aquino

EZLN: 20 y 10, el fuego y la palabra, se terminó de
imprimir en noviembre de 2003 en los talleres de
Quebecor World Gráficas Monte Albán S.A. de C.V.